이상문학상 작품집

2011년도 이상문학상 작품집
제35회 대상 수상작 공지영 〈맨발로 글목을 돌다〉 외 7편

0821

2011년도 제35회 이상문학상 작품집

맨발로 글목을 돌다 외 7편

문학사상

공지영

| 대상 수상작 |

맨발로 글목을 돌다

1963년 서울에서 태어나 연세대학교 영문과를 졸업했다.
1988년 단편 〈동트는 새벽〉을 《창작과비평》에 발표하면서 문단에 데뷔했고,
첫 장편 《더 이상 아름다운 방황은 없다》를 출간하며 본격적인 작품 활동을 시작하였다.
그 밖의 장편소설로는 《무소의 뿔처럼 혼자서 가라》《고등어》《착한 여자》
《봉순이 언니》《우리들의 행복한 시간》《즐거운 나의 집》《도가니》 등이 있고,
소설집으로 《인간에 대한 예의》《존재는 눈물을 흘린다》《별들의 들판》,
산문집으로 《상처 없는 영혼》《빗방울처럼 나는 혼자였다》《네가 어떤 삶을 살든
나는 너를 응원할 것이다》《아주 가벼운 깃털 하나》《공지영의 지리산 행복학교》 등이 있다.
21세기문학상, 한국소설문학상, 오영수문학상, 가톨릭문학상을 수상했다.

1

나는 어두운 거실에 앉아 있었다. 종일 종달새처럼 지저귀던 아이를 재우고, 챙겨둔 트렁크를 점검했다. 비행기표와 여권 그리고 봉투에 든 엔화. 나는 H를 취재하러 가야 했다. 오래전부터 나를 선배라고 부르는 신 기자가 내게 새로 펴내는 H의 책과 근황의 취재를 부탁했다. 신 기자의 부탁이 아니더라도 그의 책이 나오면 한국에서 어떤 형식이든 H가 낸 책의 홍보를 도와주어야 할 마음의 짐을 가지고 있었기에 나는 흔쾌히 그러마 했던 터였다. H는 한국문학을 일본에 소개하는 정말 몇 안 되는 번역자였고 내 책 두 권을 이미 일본에 번역해서 소개한 바 있었다. 공항에 나가려면 평소보다 일찍 일어나야 했는데 이상하게 잠이 오지 않았다. 나는 베란다로 나가 소주를 한 병 집어왔다. 창작으로 인해 온 신경이 고슴도치처럼 일어서거나 미래에 대한 두려움이 덮쳐올 때 과거의 아픔이 새삼 시큰거리며 몰려올 때 나는 언제나 투명하고 다정한 그 액체의 따뜻함을 빌려 교감신경을 가라앉히고 잠을 이루곤 했었다. 그런데 탁자 앞에 따라놓은 그 소주를 한 잔 마셔버리기도 전에, 내 가슴으로 이상한 통증이 지나갔다.

무언가가 나를 치고 지나갔던 것이었다. 더듬거리며 만져보니 완강한 갈비뼈의 감촉이 여전했는데 무언가가 내 속에서 왈칵 빠져나갔고 그리하여 그 갈비뼈의 안쪽 공간이 뻥 뚫린 듯 허전했다. 배구공만 한 크기의 검고 서늘한 그 공간 속으로 내 삶이, 대부분은 고통이라고 기억되고, 그리하여 살기 위해 고통의 의미를 찾아내려고 머리를 부볐던 시간들이 찬바람보다 빠르게 지나갔다. 집 안은 따스했지만 등줄기가 섬뜩해져서 누군가 옆에 있어주었으면 했는데, 밤은 이미 깊어 전화를 걸 대상조차 없었다. 다행이었다.

언제부터인가 나는 우는 것이 하찮은 일이 아니라는 것을 깨닫게 되었기에, 가슴을 좀 웅크리고 편한 자세를 취해보았는데, 그때 문장들이, 장대비처럼 내게 내렸다.

2

2007년 사월 어느 날 하네다 공항에서 나는 H를 만났다. 사월의 도쿄는 아주 더웠다. 그는 연한 회색 양복을 입고 있었는데, 연신 땀을 흘리고 있었다. 키는 훌쩍 컸지만 비대한 몸집은 아니었는데 더위를 많이 타나 싶었다. 나는 내 소설의 일본판 출간 기념으로 일본을 방문한 길이었고 그는 내 소설의 번역자이자 이 만남의 통역자 자격으로 그곳에 나와 있었다. 택시 안에서 그는 내게 명함을 내밀었다. 이상하게 처음 만나는 사람인데 낯설지가 않았다. 시골에서 올라온 먼 육촌을 만나는 것 같은 그런 기분이라고나 할까. 그는 일본인보다는 북한인에 가까운 얼굴, 그런 분류가 가능하다면, 그런 느낌을 주는 얼굴과 용모를 하고 있었다. 택시가 출판사로 가는 동안 출판 관계자가 나에게 물었다. H씨가 어떤 분인지 알고 계신가요? 나는 웃으며 고개를 끄덕였다.

"네, 한국에서 이야기를 들어 알고 있습니다. 김훈 선생의 《칼의 노래》를 '고독한 장군[孤將]'이라는 이름으로 번역하신 일도 있고, 《말아톤》을 비롯해서 많은 책을 번역하셨다는 걸요. 그리고 한때 북한에서 사셨다는 일도."

나는 그다음 말을 잇지는 않았다. 내가 들은 정보에 의하면, 그는 한때 북한에 납치당했었다. 그때 한국말을 익혔고 지금은 귀국해 그것으로 번역 일을 하고 있다. 처음 한국에서 그 이야기를 들었을 때 나는 막연히 생각했었다.

'북한에 납치를? 참 안됐네. 그리고 그걸로 번역 일을 하며 생계를 잇다니. 역시 인생이란 참으로 알 수 없구나.'

나 말고도 세상에는 자기 힘으로 어쩔 수 없는 삶을 사는 사람이 많이 있다, 는 투의 그저 상식적인 수준의 사고였다. 그를 만나기 전까지 그랬다. 그런데 일본 사람답지 않게 천연한 그의 미소를 대면하고 그의 북한 억양이 섞인 말투를 듣고 있는 동안 나의 생각은 점점 더 변해가기 시작했다. 내가 그를 안다고 대답한 것이 과연 맞는 일일까, 하는 생각이 나를 스치기 시작했다. 누군가를 안다는 것이, 네이버의 지식검색을 통해서 그의 이름을 입력하고, 그리고 그에 대한 이력과 기사와 이런 것들을 읽는 일이 다인 것일까, 하는 의문이 나를 스쳐갔던 것이다.

"이 년 전 저도 북한에 갔었어요. 평양 시내에 머물며 묘향산과 백두산에도 갔지요. 남북 작가회담에 참석하는 길이었는데…… 그래서 얼마간은 H씨를 이해할 수 있을지 모르겠어요. 그 분위기를 알 수 있으니까요."

H의 눈이 강렬하게 반짝였다. 의외였다.

"그래요? 그때 어떤 느낌을 받았습니까?"

그의 질문은 간결했다. 그런데 그 간결함 속에는 어떤 간절함이 숨어 있었다. 그때부터였다. 내 가슴이 아파오기 시작했다. 그를 무심히 두고 볼 수 없을 거라는 예감이 들었던 것이었다. 김승옥 식으로 말하자면 그의 삶이 '내 삶 속으로 끼어드는 것'을 알게 된 것이다. 나는 평소와는 달리 약간 머뭇거렸다. 그리고 나는 아마도 그가 원하는 대답을 했던 것 같다.

"……몹시 힘들었습니다. 그리고 슬펐구요."

그러고 나서 나는 그의 삶과 내 삶이 이 지점에서 서로에게 끼어들고 있다는 것을 깨달았다. 나를 바라보는 그의 눈빛이 따스해졌다. 아마 그를 바라보는 내 눈빛도 그랬을 것이다.

3

인터뷰의 강행군이 시작되었다. 나는 내 책《우리들의 행복한 시간》이 왜 이렇게 많은 일본 기자들에게 줄을 서게 했는지 아직 그 의미를 파악하지 못하고 있었다. 내 소설이 너무 훌륭해서일 거야, 라는 식의 어이없는 발상은 물론 하지 않았지만 책을 낸 출판사가 일본 최대의 문학 전문 출판사이니 그럴 수도 있겠다, 싶은 식의 약간은 피곤하고 또 편리한 생각은 했다. 두 시간 간격으로 이어진 세 번째 인터뷰는 M신문과의 인터뷰였다. 문학 담당 기자가 아니라 부장이 직접 왔다고 했다. 그는 오십대 초로로 보였는데, 이제껏 그렇게 기사를 써 대고도 아직도 에너지가 넘쳐서 이제는 남의 일뿐 아니라 온 세상의 일을 다 간섭하지 않고는 스스로 배겨낼 수 없다는 듯 볼이 붉고 눈이 부리부리한 중년이었다. 남자는 작가인 나와 내 작품을 영화화한 송 감독을 함께 인터뷰하기로 했는데 그의 질문은 오직 H에게만 퍼부어지고 있었다. 통역을 해야 하는 H는 연신 땀을 닦으며 곤혹스러운 표정으로 기자에게 답하고 있었고 연신 나와 송 감독의 눈치를 살폈다. 에어컨이 작동하고 있었지만 실내는 이상하게 점점 더 뜨거워졌다. 시간이 느리게 흘러갔고, 배석한 출판사 관계자들의 얼굴 위로 곤혹스러운 표정이 역력해졌다. 언제나처럼 얇은 티셔츠에 청바지만 걸친 자유스러운 송 감독은 줄담배만 피우고 있었다. 어쨌든 영화의 홍보를 위해 그는 바쁜 시간을 쪼개어 여기까지 날아온 것이다. 나는 자유스럽고 신선한 그러나 일견 꼴통적 기질을 가진 송 감독이 자리에서 벌떡 일어나버릴까봐 겁이 났다. 어쨌든 이곳은 일본, 우리 둘은 한국의 문화를 대표하러 여기 왔다는 식의 특사적 망상도 내게 있었을 것이다.

"저기…… 송 감독, 이해를 좀 해야 할 거 같아. H씨가 북한에 납치되었던 사람이래. M신문이 워낙 보수 꼴통 신문이고 저 기자가 북한 혐오주의자쯤 되는 모양인데…… 그래서 우리에게는 관심이 없고 H씨에게만 관심이 있는 모양이야."

내가 낮은 목소리로 송 감독에게 속삭였다. 송 감독은 별로 이 자리를 뛰쳐나갈 생각은 없었고 그저 H와 신문사 부장 두 사람이 일본말로만 이야기를 나누는 게 지루해서 싫었던 모양인지, 별 표정의 동요 없이 그래? 하고 반문했다.

"일본인을 납치했단 말이지…… 어디서?"

난데없는 질문이었다. 나도 거기에 대해서는 별로 아는 게 없었다.

"그거야…… 일본에서겠지."

송 감독이 웃었다. 그리고 잠시 담배 연기를 내뿜더니 짧게 한마디 했다.

"북한 애들…… 쎄다!"

오십대 초반 M신문사 간부의 질문은 열을 띠고 있고, H는 점점 더 많은 땀을 흘리고 있고 출판사 관계자들의 낯빛은 흙빛으로 변해가고 있는데 우리 둘은 입을 가리고 킥킥 웃었다. 역시 영상을 다루는 사람들은 활자를 다루는 사람들과는 다르다는 생각이 들었다. 어이가 없다, 비이성적이다, 선진국 일본, 남의 나라에 와서 남의 나라 시민을 납치해가는 일은 있을 수 없다…… 라고 내가 소설에 표현해야 할 말을 그는 한 단어로 표현해버린 것이다. 쎄다!

"그런데 지네들은 몇백만을 끌고 갔었잖아."

송 감독이 다시 낮은 소리로 내게 물었다. 물론 내 머릿속으로 종군위안부—아아, 나는 이 단어도 싫다. 위안은 무슨 위안을, 대체 누가 누구에게 준단 말인가. 하지만 어쩌겠는가, 내가 싫어하든 좋아하든 어쨌든 개념이 자리 잡기까지 그저 '책상은 책상'인 것을—들을 떠올리고 있었다. 내가 잠깐 그들과 관계했던 것, 그들의 증언, 그들의 눈물을 생각하고 있지 않았다면 거짓말이었다. 위안부뿐이었는가, 소위 의용군과 징용자들 등등을 떠올리고 있었다. 그리고 거기에 분노가 없었다면 거짓말일 것이었다.

"그러지 마. 아까 일본인들이 하는 이야기를 잠깐 들었는데, 사실인지는 모르겠지만 그게 북측이 도무지 임진왜란까지 쳐서 너희는 몇백만이지만 우리는 겨우 몇십 명이다."

송 감독이 머리를 절레절레 저었다.

"북측이 이제 우리 말문까지 막히게 하는구만."

"그러면 이번에는 작가에게 질문하겠습니다."

정해진 인터뷰 시간을 거의 오 분 남겨놓고 M신문사 부장이 물었다. 나는 흰지 검은지 속을 그대로 드러내버리는 내 단점을 생각하며 전전긍긍하고 있었다. 속을 그대로 드러내자면 나는 첫눈에 그가 싫었다. 왜? 모르겠지만 그건 나의 직감이었고 몇 년 전부터 나는 나의 직감을 절대 무시하지 말자고 굳게 마음먹은 터였다.

"H씨의 일을 어떻게 생각하십니까?"

통역자로서의 앵무새 같은 한계를 절감한다는 듯 H의 눈은 내게 미안한 신호를 보내고 있었다. 부장은 부리부리한 눈으로 나를 빤히 바라보았다. 약간 어이가 없는 기분이 들었다. 그는 분명, "너 한국인이지? 너희 조선인들과 형제지? 그러니 너도 결국…… 그러니 스스로 자복을 하지?" 뭐 이런 투의 말을 하려는 것 같았다. 나는 크게 숨을 들이쉬었다. 침착하자, 침착하자, 절대! 열을 내지 말자. 저런 부류의 인간에게 송 감독의 말대로 "그래요? 그럼 당신들은 우리 위안부들, 징용자들, 살육들 어떻게 생각합니까?" 하고 삿대질을 하며 물은들 무슨 소용이 있을까. 역사는 우리들의 말장난으로 바로잡아지는 게 아니다. 나는 나를 달래고 있었다. 나는 준비했던 대답을 했다.

"가슴 아픈 일이라고 생각합니다."

M사의 부장의 눈이 야릇하게 반짝였다.

"……더 할 말이 없습니까?"

"계속 가슴이 아픕니다."

내가 같은 말을 반복하자, M신문사 부장은 고개를 갸우뚱하더니 이번에는 송 감독을 향해 물었다.

"이런 어이없고 분한 일을 영화화할 생각은 없습니까?"

잠깐 실내에 어색한 침묵이 떠돌았다. 모두 다 송 감독을 바라보았다. 나는 입술을 지그시 물었다. 송 감독은 잠시 망설이더니 태연한 말투로 대답했다.

"너무 어이가 없는 일은 영화화하는 법이 아닙니다. 그것은 기사화할 일이지요."

숨죽이던 배석자들 사이에서 킥킥 웃음이 터졌다. 이 어이없는 분위기에 대한 우려가 안도로 바뀌는 웃음이었다. M신문사 부장 혼자 웃지 않았다. 그는 너무도 호쾌한 송 감독의 대답 앞에서 잠시 곤혹스러운 표정을 짓더니 "소우데스까?" 하고 떫은 표정으로 물었다. 그 정도의 일본어는 아는 송 감독이 한국말로 대답했다.

"당연하지요."

나는 속으로 생각했다. 송 감독, 쎄다!

4

그날 밤 우리는 일본의 한 출판사가 주최하는 만찬장으로 걸어가고 있었다. 정갈한 이탈리아 식당은 도쿄 한복판에 새로 조성되었다는 공원 안에 있었다. 신록들이 내뿜는 초록빛 열기로 공기는 물렁거리고 있어서 미지근한 물속을 걸어가는 것처럼 피곤하기도 했다. 하루 종일 계속되는 강행군 끝인데 H는 여전히 웃음을 잃지 않았고 택시를 타고 내릴 때, 레스토랑의 문을 열고 닫을 때 언제나 나를 배려하기 위해 멈추어 섰고 오래 기다렸다. 고맙습니다, 내가 말하면 그는 말없이 웃었는데 그때마다 눈가에 오래도록 웃어서 패였을 주름들이 선명했다. 그럴 때마다 나는 생각했다. 이십사 년 동안 완전한 단절 속에서 살아왔던 저 사람, 언제 저렇게 주름이 패도록 웃었을까. 약속시간보다 조금 일찍 도착한 우리는 잠시 공원 벤치에 앉았다. 나는 공항에 도착해 그의 인생이 내 인생에 끼어드는 것을 느꼈던 그 순간부터 내내 어떤 갈등을 겪고 있었다. 나는 아직도 그에게 아무 질문도 하지 않고 있었다. 이십사 년간 그는 북한에서 생활했다고 했다. 왜? 어떻게? 가장 가까이 서 있었지만 나는 아무것도 묻지 않았다. 진실을 이야기하자면…… 물을 수가 없었다.

참 이상하다. 어떤 이는 일 년을 보아도 낯설고, 어떤 이는 보는 순간, 그것이 어떤 형태이든 마음에 와서 깊은 인상을 남긴다. H를 만난 지 겨우 몇 시간이 지났을 뿐인데 나는 그와 아주 오래전부터 알고 있었던 것 같은 이상한 느낌에 사로잡혀 있었다. 인터뷰 중간중간 기자들이 질문을 던졌다

"두 분은 언제부터 아는 사이세요?"

우리는 오늘 아침 하네다 공항에서 처음 만났다고 했고, 그들은 그것을 농담으로 받아들이는 듯했다. 아마 당사자인 H와 나 둘 다 혹시 이건 농담이 아닐까 생각했을 수도 있다. 그만큼 그와 나는 말없이도 서로 통하고 있었다. 그건 연배가 비슷한 남자와 여자의 이성으로서의 감정은 아니었다. 변명하듯 굳이 이야기하자면 오누이와 같은 감정이었다고나 할까? 이제와 돌이켜보면 운명의 손톱에 생을 할퀴어본 상흔을 나누어 가진 오누이라고나 할까. 몽고반점처럼 시퍼런 명을 가진 동족이라고나 할까.

5

스물두 살, 당시 법대 3학년생. 니가타에서 한 시간 반 더 가야 하는

도시 가시와자키 해변에서 여자친구와 데이트를 하던 도중, H는 북으로 끌려간다.

"칠월 삼십일 일 오후 여섯 시 반쯤이었습니다."

어떻게? ……그는 입을 열지 않는다. 칠월 삼십일 일이면 아직 훤한 여름이어서 해변엔 사람도 많았다. 그런데 어떻게? 일본에 돌아온 지 오 년, 그러나 그는 집요한 일본 언론에게도 입을 열지 않았다.

6

우리는 단둘뿐이었다. 우리 둘의 진술은 다를 뿐 아니라 아무런 합치점도 없다. 모순된 것보다 더 끔찍한 상황이다. 나는 점심을 먹는 중이었다고 하고, 그 남자는 씻고 잠자리에 들려고 했던 참이었다고 말한다. 나는 그 남자가 식탁에 있는 컵을 내게로 집어던지며 나를 공격했다고 하고, 그 남자는 그날 밤 오랜만에 편안하게 잠들었다고 한다. 둘 중의 하나는 거짓말을 하고 있거나 과민성 신경증을 앓고 있는 것이 타당하다. 그리고 그중의 하나는 나다. 나는 신경과민증 환자냐 거짓말쟁이냐 두 갈래 길에 서 있다. 나는 거짓말쟁이의 패를 뽑아들고 싶었으나 심혈을 기울여 뽑으면 패는 대개, 어쩌면 자주, 종내에는 모두 다, 신경과민증 환자의 것이었다. 사람들은 거짓말쟁이보다는 신경과민증 환자의 말을 더 믿지 않는다. 거짓말은 가끔씩, 그들의 것이기도 하지만 신경과민증 환자는 대개 그들의 것이 되기는 힘든, 희귀한 질환이기 때문일 것이다. 그 남자는 그것을 잘 알고 있었다. 생각해보면 그는 언제나 상식적인 진술을 하고 있었고 나는 비상식적인 진술을 하고 있었다. 나는 내가 당사자이고 증언자이기 때문에 내가 하는 진술이 비상식적이라는 것은 문제 삼지 않았다. 사실이야, 정말이라구! 하면 그만이라고 생각했으니까. 하지만 시간이 갈수록 나의 말을 믿어주지 않는 사람들이 늘어나는 것을 나는 차츰 느낄 수 있었다. 아주 친한 친구들까지도 그랬다. 설마, 하고 그들은 말한다. 그때 그 남자가 나섰다. 그 남자는 가장 뻔한 부정에서부터 가장 정교하고 고상한 종류의 합리화까지 일련의 인상적인 논쟁을 늘어놓는다. 저 여자가 거짓말을 한다, 저 여자가 과장을 한다, 저 여자가 초래한 일이다. 그리고 어떤 사건이든 이제 과거는 잊고 앞으로 나아가야 할 때가 되었다고! 말하는 것이다. 내 일만 아니었다면 훨씬 더 일찍 소름이 끼치는 표정으로 웃으며 진실이라는 것이 때로는 참으로 무력하다는 것을 깨달았을 것이다. 그런데도 진실은 정교한 거짓말들 앞에서 단지 이런 말들을 되뇌게 할 뿐이었다.

"아니에요. 그게 아니라구요. 참 아니라니까요 진짜!!"

나는 더 일찍 도망칠 수도 있었다. 거기에는 억압은 분명 존재했지만 창살도 없고 담도 없다. 대개의 경우 묶여 있지도 않다. 그럼에도 불구하고 장벽은 매우 강력했다. 그것은 경제적 사회적 심리적 법적 종속…… 그리고 내가 머릿속으로 그렸던 내 미래에 대한 종속이었다. 그 종속은 너무도 부드러웠고, 너무도 천천히 시작되었으며, 사랑이라는 명찰을 달고 서 있었기에 나는 그것을 도무지 알아차리지 못했다. 나는 그 남자가 연출하는 그 역할을 맡았다. 한 막이 끝나면 내 역할은 바뀔 수 있을 거라는 부질없는 희망…… 희망이라는 가면을 쓴 집착 때문이었다.

그날 밤, 우리는 유리벽 너머로 아름다운 공원의 밤 풍경이 내다보이는 레스토랑에서 산뜻한 전채요리와 파스타로 저녁을 먹었다. S출판사의 간부 몇이 따뜻하게 나를 영접했다. 그들은 내 친구나 동료들처럼 알타이계통의 친근한 얼굴을 하고 있었고 선진국 일본의 국민들답게 정중했다. 술이든 물이든 마시는 일을 좋아하는 나는 이미 그들이 주는 대로 여러 병의 비싼 와인을 홀짝거리며 다 비워내고 있었다. 남 앞에서 예의 바르게 행동해야 하는 것을 지상명령처럼 여기고 있는 그들은 숨기는 일에 서투른 나의 직설적인 어법을 재미있어 했다. 그들은 유쾌하게 웃으며 나를 아주 훌륭하고 유명한 소설가라고 생각하고 있다는 것을 인사치레로 밝혔다. 그들은 내가 이미 한국에서 이룬 판매 부수에 감동하고 있었다. 인구 일억의 일본 시장에서도 한 소설가가 내기 힘든 성과였으니, 그럴 수 있었다. 일본이었기에, 나는 그냥 그들의 대접을 가만히 받아들이기로 한 터였다.

그들은 나를 데리고 다른 술집으로 자리를 옮겨 더 이야기를 나누고 싶어했다. 나는 호방한 여자처럼 일본 술인 사케와 말 사시미를 먹어보고 싶다고 했다. 그들은 택시를 불러 나를 도쿄의 가장 유명한 말 사시미 집으로 데리고 갔다. 그곳에서 일본 사케를 주고받으며 1950년대 중후반과 1960년대 초중반에 태어난 우리 한국과 일본인 남녀 네 명은 일본과 한국 그리고 문학에 대해 커다란 소리로 웃으며 유쾌한 대화를 나누었다. 그때 그들 중의 하나가 내게 물었다.

"H씨가 납치되었던 일에 대해, 한국인으로서 어떻게 생각하십니까?"

나는 그 말을 통역해주는 H를 바라보고 미소를 지었다.

"인간이 인간의 생을 폭력으로 뒤바꿔놓는 일을 저는 가장 증오하고 있습니다."

그들이 천천히 고개를 끄덕이며 내게 건배를 권했다. 이해해주어서 고맙다는 뜻도 담겨 있었다. 맑고 순한 사케를 입에 다 털어넣고 다시 한 잔을 받아 호기롭게 입에 대는 순간…… 몇 년 전 내가 찾아갔던 경기도 광주 '나눔의 집'에 거주하던 위안부 할머니들의 가시덤불 같은 얼굴들이 떠올랐다. 그 무렵 힘겹게 책장을 넘기던 기록들도 떠올라왔다. 술기운 때문은 아니었다. 아니, 술기운 때문이었다고 해도 좋고, 오로지 술기운 때문이었다고 해도 아무 상관은 없다. 갑자기 선명하게 빨간색을 띤 싱싱한 말 사시미를 씹을 수가 없었고 술이 넘어가지 않았다.

이상한 일이었다. 그 밤, 그 술집을 나와 호텔 쪽으로 걸어가다가 나는 걸음을 멈추고 머뭇거렸다. 나는 울먹이고 있었던 것 같다. 아마 술기운 때문이었을까. H가 걸음을 멈추고 의아한 표정으로 나를 바라보았다. "왜 그러세요?" 나는 아주 어렵게 입술을 떼었다.

"미안해요 H."

어이가 없다는 듯 H는 먼 곳을 보며 웃었다.

"그냥 미안해요. 내가 한국 사람이니까."

H는 맨손으로 얼굴을 한번 쓸어내리더니 힘없이 웃었다. 나는 아까 말 사시미를 마저 입에 넣을 수 없었을 때, 그때부터 당신에게 미안해졌다는 말을 하지 못했다.

"왜 당신이 내게 미안하죠? 참 이상해요. 한국 사람들 나 만나면 그런 이야기 많이 해요. 착한 사람들이 그러는 것 같아요. 난 대답하죠. 뭐가 미안합니까? 당신들이 날 납치했던 것도 아닌데."

다음 날도 인터뷰의 행진은 계속되었다.

기자들이 또 물었다.

"H를 알고 계십니까? 어떤 느낌이 드나요?"

나는 이제 당황하지도 않고 천천히 대답했다.

"운명이라는 것에 대해 생각했습니다. 왜 착한 사람들에게만 저런 일들이 일어나는지 나는 그것이 알고 싶다고 생각했었습니다. 그런데 이제 H를 만나고 나는 어렴풋이 알게 되었습니다. 착한 사람들에게만 그런 일들이 일어나는 이유는 그들만이, 선의를 가진 그들만이 자신에 대한 진정한 긍지로 운명을 해석할 수 있기 때문이라는 걸 말이지요."

기자들이 고개를 갸웃했다.

8

편의상 미얀마 전선으로 끌려간 열네 살의 그녀를 순이라고 부른다고 하자. 순이에게도 이런 일들은 일어난다. 그들은 전선에 배치된 후, 칸막이로 겨우 가려진 방 속에 널브러진다. 순이의 증언은 이랬다.

그러던 어느 날 내가 일해주던 주인집 아들이 나를 강간하려 해서 나는 죽을힘을 다해 반항하며 겨우 빠져나왔다. 정신없이 빠져나와 부산 바닷가에서 눈물을 흘리며 내 신세를 한탄하고 있었다. 그때 갑자기 뒤에서 몇 명의 일본 군인들이 나타났다. 나는 반항하지 못하고 입과 눈을 틀어막힌 채로 군용 트럭에 실렸다. 당시 나는 열네 살이었다.

위안소에 군인들이 오는 시간은 정해져 있지 않고 졸병, 장교가 섞여 왔다. 하루에 상대한 군인의 수는 삼사십 명쯤 되었으나 공일날에는 군인들이 팬티만 입고 밖에 줄을 서 있을 정도로 많았다. 어떤 사람은 팬티까지 벗고 다른 사람이 하는 도중에 커튼을 열고 들어오기도 했다. 조금만 시간을 끌면 문밖에서 안에다 대고 "하야쿠, 하야쿠"(빨리, 빨리)라고 외치기도 했다. 전쟁터에 나가는 군인은 죽을 둥 살 둥 힘을 다해 하고, 어떤 사람은 울면서 하기도 했다. 자궁이 붓고 피고름이 나와 일을 할 수 없던 어느 날, 한 장교가 와서 일을 못하겠거든 대신 자신의 성기를 빨라고 했다. 나는 "네 똥을 먹으면 먹었지 그렇게는 못하겠다."고 했더니 마구 때리고 던지고 해서 나는 기절했다 깨어나니 사흘이 지났다고 했다.

9

창밖으로 무슨 소리가 들리고 있었다. 빗소리였다. 바람 소리도 거세어지고 있었다. 어제 해질 무렵에는 서쪽 하늘이 홀연 열리고 가을의 표징 같은 새털구름이 하늘을 황홀히 뒤덮고 있었는데, 비가 온다는 예보를 들은 일이 없어서 설마, 하는 마음으로 창밖을 보자 어김없이 비가, 회색빛 도시를 적시고 있었다. 어쨌든 계절과 계절 사이에는 비가 있으니 이제 이 비가 가을과 겨울의 징검다리가 될 것이다. 나는 소주잔을 들고 노트북 앞으로 다가갔다. 이렇게 어지러운 생각을 하느니 차라리 그걸 글로 정리하고 싶어서였다. 기억도 할 수 없는 어린 시절부터 끈질기게 나는 그런 소망을 가지고 있었다. 모든 세상의 밭에서 언어를 캐다가 다듬고 토막 내고 끓이며 맛이 있는 음식을 만들어내고 싶었다. 하지만 생각을 언어로 표현해 소통하고자 하는 행위는 언어 자체의 한계에 궁극적으로 방해받는다. 사랑하는 남녀가 육체를 사용하여 하나가 되려 하지만, 마지막에 결국 그 육체 때문에 결코 하나가 될 수 없듯이…… 글을 쓴다는 것은 생각이라는 훨훨 날아다니는 나비를 잡아 하는 수 없이 핀으로 고정시키고 상자에 넣는 일, 죽어 핀으로 고정된 채 상자 속에 넣어진 나비에게 다시 숨을 불어넣는 것은 그 글을 읽는 사람들의 숨결 없이는 불가능하다. 하는 수 없이 생명을 빼앗아 핀으로 꽂은 나비를 다시 살려낼 생각이 없는 사람에게 내가 어떤 나비를 잡아넣었다 한들 죽음과도 같은 딱딱한 사체만 만지게 될 테니까. 그럴 때 가끔 나는 영상이 부럽다.

……아니다. 영상 또한 글과 같다.

모든 운명은 새벽처럼 우리를 덮치기도 하고 안개처럼 서서히 스며들기도 한다. 김승옥의 〈무진기행〉의 한 장면은 그래서 내게 오래 각인되어 있다.

처음 만나 몸을 섞고 사랑에 빠지게 된 여자에게 남자는 묻는다.

"인숙이는 좋은 사람인가?"

여자가 대답한다.

"선생님이 그렇게 봐주시면요."

작가 김승옥에게 이 구절은 어떤 나비였을까. 나는 이 구절을 오래도록 마음속에서 데리고 살았다. 이 구절을 떠올릴 때마다 내 마음속에는 한쪽 날개를 찢긴 흰나비가 팔랑팔랑 삐뚜름한 비행을 하고 있었다.

10

H를 처음 만날 무렵 한국의 젊은이들이 아프가니스탄에서 탈레반에게 납치당하는 일이 일어났다. 그때 마침 내 조카가 미국에서 이 년 만에 한국에 다니러 왔다가 내게 들렀다. 조카는 한국에 살 때 탈레반에게 납치당한 젊은이들이 속한 그 교회에 다녔었다. 많이 울어서 눈이 발개진 채로 그녀는 우리 집으로 들어섰다. 오랜만에 장만한 음식을 권하면서 나도 젓가락을 자꾸 멈칫거렸다.

"만일 미국에 가지 않았더라면 나도 그들과 함께 그 봉사를 떠났을 거 같아. 재작년에 그들과 함께 아프리카로 봉사를 다녀왔었거든."

조카는 이야기를 마치며 어깨를 부르르 떨었다. 그랬다. 조카가 미국으로 간 것은 대단한 결단이 아니었다. 그들의 부모인 언니 부부가 그리로 떠났기 때문이었다. 그 몇 년 전 조카의 아버지인 형부는 9·11 테러가 있기 석 달 전쯤 급작스레 미국 지사에서 다시 한국으로 발령을 받았었다. 언니와 형부는 회사의 부당한 처분에 대해 강한 불만을 가지고 있었다. 그런데 석 달 후, 형부의 사무실이 있던 맨해튼의 쌍둥이 빌딩으로 비행기가 처박혔다. 급작스럽고 부당한 발령을 받지 않았으면 형부가 앉아 있었을 바로 그 층이었다. 조카는 자신의 아버지와 그가 다니던 회사의 납득할 수 없는 결정 덕택에, 목숨을 건진 자기 아버지를 보면서 어쩌면 운명이 인간들을 농락하고 있다는 것을 일찍이 깨달았을 것이다. 인간의 결정이 얼마나 가소로운 것인지도 알았을 것이다. 그것이 조카의 신앙을 더욱 두텁게 만들었을 것이었다.

"이모…… 몸이 잡힌다는 거, 내가 여기 무사히 살아 있다는 거…… 안전하다는 거. 그게 뭘까? 그리고 정말 그게 다일까? 그게 다가 아닌

거 같아."

너무 많은 충격을 받고 너무 많은 이야기를 듣고, 너무 많은 것을 깨달은 자가 그렇듯, 조카의 말은 두서가 없었고, 그리고 낮았다. 우리는 저녁을 먹을 때에도 그리고 저녁을 먹고 나서도 애써 그 이야기는 피했다. 굳이 뉴스를 시청하려고 하지도 않았다. 하지만 조카는 자꾸 코를 풀며 눈물을 닦았고 우리의 이야기들은 자주 끊겼다. 지금은 탈레반의 인질이 되어 삶과 죽음의 기로, 고통과 긴장의 극한에 있을 젊은이들은 언젠가 내 조카와 함께 성가대에서 노래를 부르고, 여름 수련회에서 함께 카레라이스를 퍼 나르고, 그리고 순한 술을 홀짝이며 몰래 남자친구 이야기를 했을 것이었다. 아마 우리가 상상조차 할 수 없는 아프가니스탄 어떤 곳에 갇힌 그들도 그걸 기억하고 있을 것이다. 대단한 추억이랄 것도 없다. 자잘한 일상사, 그가 겪고 했었던 하잘것없는 일과와 사건의 언저리 속에서 그의 기억은 자꾸만 맴돌 것이었다. 전철을 타고 집으로 돌아와 열쇠로 문을 따던 일, 친구와 문자메시지로 재미있는 이야기를 주고받던 일, 스타벅스에서 카푸치노를 마시며 윗입술에 묻었던 하얀 거품을 혀로 핥으며 웃던 일. 일상이 박탈당할 때 일상의 기억들은 따스하게 흘러나와 넘친다. 빨간 눈으로 조카는 나를 바라보았다. 언젠가 이모처럼 소설가가 되고 싶다고 열심히 일기를 쓰던 초등학교 시절 그녀의 모습이 떠올랐다. 그녀는 나를 존경한다고 고백한 일도 있었다. 조카의 눈은 '왜?'냐고 묻고 있었다. 나는 시선을 돌렸다. 이 순간은 그녀가 믿는 신보다 내가 더 부담스러웠다.

"넌 운명이란 것을 믿니? 어느 날 운전면허시험의 한 과정처럼 돌발 상황이라는 것이 생의 급브레이크를 밟게 하고, 우리가 믿었던 질서들을 뒤죽박죽으로 만들며 이성을 무력화시키고 상식을 비웃으며 단 한 번뿐인 우리 생의 모든 것을 똥창에 거꾸로 처박아버릴 수 있는 난데없고 어마어마한 힘을 가지고 있다는 것을? 인류가 생긴 이래로 그 운명이라는 것이 인간에게 그친 적이 없어. 여기 푸른 별 지구 위의 과거와 현재 그리고 동과 서에서."

나는 그녀에게 프레모 레비, 빅토르 프랭클같이 어느 날 갑자기 아우슈비츠로 끌려간 이들과 어느 날 갑자기 부두에서 끌려가 성노예로 짓밟히는 순이, 혹은 가시와자키 해변에서 북한으로 끌려가 이십사 년 만에 일본에 돌아온 H 같은 사람의 이름을 굳이 거론하지는 않았다.

나는 얼치기 목사처럼 그냥 욥기의 이야기를 했다. 욥의 고통에는 이유가 없다. 신이 악마에게 그냥 그를 괴롭히도록 허용했을 뿐……이라는 이야기를. 그리하여 욥은 아내와 자식과 재산과 건강을 잃고 고통의 구덩이 한가운데로 던져진다. 왜? 훌륭하신 분들은 욥기가 성서에 포함된 이유에 대해 말했다. 그것은 고통의 불가해성에 대한 인류의 통찰이라고.

카인과 아벨은 어떠할까? 아벨은 죄가 없고 의로웠으나 죽었다. 요컨대 너의 종교나 희생 제사로도 이런 살해를 촉발하는 원인이 되는 것을 피하지 못할 것이다. 우리 모두는, 약자가 아니요 무고한 자였지만 죽어 사라질 존재로 선고된 자였던 아벨의 족속이다. 우리 모두란, 권세, 무기, 통치권을 소유한 카인의 족속들을 포함한다. 카인과 아벨은 둘 다 헛됨의 내부에서 분리될 수 없는 한 쌍이다, 라는 말을 읽은 적이 있어. 나는 두서없이 말했다. 그러나 나의 말들은 헛되고 헛되었다.

왜? 라는 질문에 왜냐하면, 이라는 대답은 듣지 못한 채로 조카는 할머니 댁으로 돌아갔다. 밤일을 좋아하지 않는 나이지만 글을 쓰기 위해 진한 커피를 세 잔이나 마시고 있는데 학원에 갔던 딸이 돌아왔다. 딸은 그 무렵 글을 힘겨워하고 있던 나를 이해하고 있었다. 내 허무한 시선을 알아차린 영리한 딸은 사과를 베어 물고 내게 다가오면서 무심히 말을 꺼냈다.

"왜 그러고 있어?"

"그냥 써야 하나? 정말 써야 하는지 생각하느라고."

"그래? 엄마 좀 오래전에 말하곤 했어…… 언젠가 나도 글을 다시 쓸 거야. 꼭 써야 해."

순간 오래된 일기장의 고통스러운 기록을 발견한 것처럼 잠깐 숨이 멎는 듯했고 가슴 한구석으로 긴 시간들이 지나갔다. 칠 년이라는 시간이었다. 내가 글을 쓰지 못하고 지냈던 그 시간들. 나는 벌써 그때의 시간들을 다 잊고 내가 언제나 글을 써왔다고 생각하고 있었다는 것을 알았다.

11

딸은 대학 2학년이었다. 그 무렵의 나도 대학 2학년이었다. 그 무렵 변증법적 유물론과 유물론적 세계사와 인식론과 경제학들, 내가 밑줄을 그어가며 청춘을 지불했던 그 활자들은 내게 많은 것들을 주었다. 나는 처음으로 세상을 움직이는 거대한 힘이 있다는 것을 알게 되었고 그것의 도면을 그려낼 수 있다는 것도 인지했었다.

아주 쉬운 예를 들어 1차 대전은 교과서에 씌어 있던 대로 세르비아인에 의한 오스트리아 황태자 암살 사건 때문에 일어난 것이 아니라

선발 제국주의와 후발 제국주의 시장 다툼에서 일어났다는 사실 같은 것 말이다. 그 지식들은 내게 돈이 세상을 움직이는 위력에 대해 알려주었으며, 교과서가 늘 바른말을 하는 것이 아니라 대개는 정권이 알려주고 싶은 말을 알려준다는 것을 알려주었으며, 아직도 1차 세계대전이 오스트리아 황태자의 암살 때문에 일어났다고 믿는 사람들은 바보이거나 정권에 적당히 기대고 싶어하는 보수 꼴통일 거라는 지레짐작을 알려주었다. 그리하여 그 결과, 나는, 돈이 없어도, 권력이나 직함이 없어도 오스트리아 황태자의 암살 때문에 1차 세계대전이 일어났다고 믿는 부류들보다 내가 훨씬 더 세상을 많이 안다는 오만을 가지고 살게 되었다. 그리고 그것은 얼마간은 옳았고 얼마간 옳은 것이 가지는 얼마간의 미덕이 늘 그렇듯이, 한동안은 빈 지갑을 가슴에 품고도 당당하게 거리를 활보하는 데 쓸모가 있긴 했다.

하지만 그 책들은 내가 깊은 밤, 슬픈 꿈에서 깨어나 아직도 귓가로 흘러내리는 눈물을 닦으며, 대체 내가 무슨 꿈을 꾸었지, 하고 생각하는 동시에 아직도 남은 울음의 끝을 입 밖으로 쏟아내다가 스스로 내 입을 틀어막아야 할 때, 그때는 아무 소용이 없긴 했다. 집을 나가 돌아오지 않는 남편을 기다리며, 경찰서와 병원과 예전에 남겨두었던 그의 친구들에게 전화를 걸어 "예에…… 아니요, 걱정이 되는 건 아니구요, 그렇게 시간이 많이 흐른 것도 아니구요, 그냥 한번 혹시나 해서요." 하고 애매한 웃음을 흘리던 그런 시간에, 난장판이 된 집 안에서 아이가 다칠까 집 안 곳곳의 유리 파편을 치우며, 내 생애의 기록들 중에 이혼의 기록이 하나 더해진다면, 이제는 나 자신마저 나를 배반하게 될까, 생각하던 귀기 어린 시간 속에서는 소용이 없긴 했다. 그때 1차 대전이 오스트리아 황태자를 암살해서 일어났든, 제국주의

열강들의 식민지 세력 다툼으로 일어났든 그건 아무 소용이 없다는 것을 알게 되어버린 것이었다. 그리하여 누군가 제1차 세계대전은 왜 일어났나요? 묻는다면, "네, 그건 당연히 오스트리아 황태자가 암살되었기 때문이에요!"라고 소리를 지르고 싶은 충동에 시달렸다. 물론, 아무도 내게 그것을 묻지 않았다.

  그렇게 비슷한 스무 살을 보낸 친구와 나는 비슷한 환경에서 자란 고만고만한 여대생들이었다. 친구와 나는 오스트리아 황태자의 암살이 제1차 세계대전을 일으키지 않았다는 것을 안다는 사실이 우리의 지적 허영심을 은밀하게 채워준다는 것을 알고 있었고, 조셉 콘라드의 《암흑의 핵심》을 가지고 함께 논문을 썼다. 거기까지 우리 삶의 행로는 지나치게 일치했다. 다만 결혼을 하고 친구는 시인이 되고자 했으나, 나 혼자 소설을 쓰게 되었고 그녀는 그저 눈 밝은 독자로 남아, 마음이 따뜻한 남편과 두 아들과 함께 내 이웃 도시에 살고 있었다. 그녀의 남편은 그녀가 아이를 낳고도 언제나 틈틈이 지역 도서관에서 책을 빌려 읽는다는 사실을 아내에 대한 최고의 자랑으로 삼는 사람이었다. 언젠가 내가 결혼 생활 중에 손톱으로 얼굴을 잔뜩 긁힌 채로 정형외과의인 그녀의 남편에게 진단서를 떼러 갔을 때, 나는 그만 그의 따스하고 연민 어린 눈길을 보아버렸다. 그것은 그저 내 친구가 "좋은 남편하고 행복하게 산다"라는 한 문장으로 치환될 수 있는 종류의 경험은 아니었다. 그때 내 친구는 남편에게 이렇게 선하고 따스한 눈길을 받으며 산다고 생각하자, 얼굴을 손톱으로 북북 긁힌 채로 그녀의 남편 앞에 앉아 있는 것이 생각보다 훨씬 더 비루하고 비참하게 느껴져서 아무리 부끄러워도 그냥 다른 병원으로 갈걸 깊이 후회하기도 했다. 그제야 나는 그 애와 내가 영영 다른 왕국의 시민인 것을 알았고 우리가 한때 아무리 1차 대전이 오스트리아의 황태자 암살 때문에 일어난 것이 아니라는 것에 동의해도 이제 다시는 그녀에게 나와의 동질성을 이야기할 수 없을 것만 같았다. 나는 그녀를 이웃 왕국에게 영원히 빼앗긴 것 같은 느낌이 들었다. 나는 갑자기 가슴이 죄는 듯한 아픔을 느끼고 두 손으로 얼굴을 가렸다. 병원을 나서는데 비가 내리고 있었다. 내게는 우산이 없었는데 하늘까지 언제나 내 편이 아닌 것 같았다.

"만일 하느님이 너를 만들었다면, 어쩌면 네가 그냥 평범한 결혼 생활 속에 안주하는 것을 바라지 않을지도 모르잖아. 말하자면 너의 소명…… 같은 게 그게 아닐 수도 있잖아."

나는 무표정했고 착한 내 친구는 울먹였다. 친구는 아직도 내가 조금만 노력을 한다면 자신의 왕국의 입장권을 사서 그 시민이 될 수 있다고 생각하는지도 몰랐다. 얼굴에 피 비가 내리듯 죽죽 그어진 상처에 앉았던 딱지가 떨어질 무렵이었던 것 같다. 나는 그 겨울 내 얼굴을 가리고 다니던 마스크를 벗고 깊은 숨을 내쉬었다.

"운명이 생을 덮치는 경험을 했던 사람들은 안다. 그 포충망 속에 사로잡히고 나면 시간은 흘러가는 것이 아니다. 그것은 단지 회전하고 있을 뿐이다. 고통을 중심으로 하여 빙글빙글 돌아가고 있는 것이다. 다만 하나의 슬픔의 계절이 있을 뿐이다."라고 어느 날 갑자기 동성애자라는 이유로 구경거리가 되어 런던 감옥에 갇혀야 했던 오스카 와일드는 썼다.

12

나는 H와 세 번을 더 만났다. 두 번은 도쿄였고 한 번은 서울이었다. 그와 함께 도쿄 거리를 걸어갈 때 많은 사람들이 그를 알아보고 인사를 건네거나 사인을 받으러 왔다. 문득 중얼거리듯 그가 말했다.

"영원히 평범해질 수 없는 그런 슬픔 아시죠?"

그가 내게 물었다. 내게 왜 그런 질문을 하냐는 듯이 내가 그를 잠시 올려다보았지만 그는 딱히 나를 보고 있지는 않았다. 그래, 운명의 수용소 출신들은 서로를 알아본다. 그것은 그들의 마음속에 피로 새겨진 수인 번호일지도 모른다. 그것은 투명하나 이미 그 낙인을 찍혀본 사람들은 그것을 본다. 미묘한 냄새로 동족을 감지하는 것이다. 처음 만난 순간 그와 나는 그 냄새를 감지했던 것일까?

그리고 일 년 후 와세다 대학 한국문학의 밤에서 우리는 다시 만났다. 국제 문학대회였던 것으로 기억하는데 많은 사람들이 참석한 자리였다. 아마도 스웨덴인이라고 기억하는 사람이 내게 물었다.

"북한이라는 사회가 대체 문학이라는 것이 있기나 한 사회이며 당신은 같은 한국인으로서 어떻게 그것을 생각합니까. 여기 H라는 사람은 거기에 납치되어 이십사 년이나 억류되어 있다가 풀려난 사람이라는데 거기에 대해 어떻게 생각합니까?"

마음이 구정물을 뒤집어쓴 듯 울컥했다. 나보다 먼저 H가 마이크를 들었다.

"그것은 여기 이분과는 아무 상관이 없습니다. 그곳의 독재자가 민중 그 자체와는 아무 상관이 없는 것처럼요. 그곳에 사는 작가들도 한때 당신들이 2차 대전이나 아우슈비츠에서 그랬듯 혹독한 운명을 겪고 있는 것은 아닐까요?"

나는 눈을 들어 새삼 H를 보았다. 나는 H를 떠올릴 때마다 그 생각을 하고 있었던 터였다. 그날 저녁 H는 사람들과 떨어져나와 몇몇이서만 따로 술을 마시자고 했다. 뜻밖의 제안이었다. 약간의 취기가 올랐을 때 H가 말했다.

"어떻게 살았느냐고 당신은 내게 여러 번 물었지요? 죽고 싶지 않았느냐고 당신은 내게 여러 번 물었지요? 아니요, 죽겠다, 하는 생각은 했지만 신기하게도 죽고 싶지는 않았어요. 그 말 알아요? 아우슈비츠에서 자살한 사람보다 지금 도쿄에서 자살하는 사람이 훨씬 더 많다는 것. 그런데 어떻게 살았느냐? 희망을 버리니까 살았죠. 아이들이 태어났고 저 아이들을 위해서 살자, 일본에 돌아갈 꿈을 포기하자…… 아니 희망을 버린 것이 아니라 운명이 내 맘대로 내가 원래 계획했던 대로 돼야 한다는 집착을 버린 거죠…… 그래서 살 수 있었어요."

그리고 잠시 후 그는 물끄러미 나를 바라보더니 너무나도 선량한 얼굴로, 그러나 서글픈 얼굴로 씨익 웃었다.

13

밤새 마음이 지쳐서 어둠에조차 위안을 받지 못한 채 속수무책으로 맞이해야 하는 그런 아침이 있다. 그렇게 육체를 데리고 있기 힘들었던 어느 날 아침, 나는 일어나 습관처럼 촛불을 켜놓고 십자가 앞에 앉아 있었다. 언제나 그렇듯 시편으로 이루어진 기도를 바치려고 책을 폈다. 그런데 그날의 시편의 첫 구절을 보는 순간 언어들이 화염처럼 내게 쏟아졌다.

지나온 상처마다 악취가 가득하오니, 내 어리석은 탓이오이다.

이른 아침이었는데, 이제 곧 잠에서 깨어날 아이들이 들을까봐 한 손으로 내 입을 틀어막았다. 활자들이 내 고름 고인 가슴을 갈고리처럼 파고 있었다. 그러나 그것이 고통이라 하더라도 정확히 과녁을 맞히는 모든 것들은 어떤 쾌감을 동반한다. 그 구절에는 분명 그런 것이 있었다. 그런 고통은 우리를 불꽃처럼 정화한다. 우리는 불필요한 것들을 다 태워버리고 숯덩이처럼 맑아진다.

그러나 모호한 고통, 희뿌연 연기를 피워 올리는 듯 악의 어린 말투, 몸짓. 입으로는 미소 짓고 있으나 경멸 어린 눈빛들. 이중으로 해석될 수 있어서 미묘한 뉘앙스에 따라 욕도 칭찬도 될 수 있는 말들. 그런 것들은 우리를 서서히, 그러나 치명적으로 병들게 한다. 나는 안다. 인간은 언어로써가 아니라 영혼으로 소통한다. 나는 가끔 어떤 사람을 떠올려야 할 때, 내가 기억하고 있는 영상에서 음을 소거시켜버린다. 그러면 뜻밖에도 그때, 나의 기억과는 아주 다른 영상들이 그 소리 없는 화면 속에서 드러난다.

힘이 있는 인간들은 힘이 없는 인간들을 죽게 할 방법을 천 가지쯤 가지고 있다. 가끔 정신과 물질을 모두 내게 의지하고 있는 내 아이들을 보면서 나는 권력이 얼마나 악에 물들기 쉬운 것인가를 깨닫고 소스라친다. 내가 마음먹으면 나는 아이들을 때리거나 고문하지 않고도 아이들을 정신병자로 만들거나 불구가 되게 하거나 이상행동을 하는 사람으로 만들 수 있다. 그들이 나를 사랑할수록 그들이 나를 의지할 수록, 나 이외의 것에 그들이 속수무책일수록 그것은 너무나도 쉬운 일이다.

   희망이 절망적인 유혹이 되지 않기 위해서 우리가 제일 먼저 해야 할 일은 희망을 버리는 것이라는 것을 나는 그때는 몰랐다. 풍랑을 만난 배가 물결을 헤치고 그저 앞으로 갈 수밖에 없듯이 온몸으로, 온몸으로 물결을 받아들이는 수밖에는 아무 방법이 없다는 것을 나는 몰랐다. 그리하여 그것을 받아들일 때까지, 그것이 운명이라는 것을 받아들일 때까지, 쓰나미처럼 우리를 덮치는 불행이라는 것이 생의 한 속성이라는 것을 받아들일 때까지, 우리는 늪 같은 운명 속으로 빨려들어간다. 그리하여 어떤 순간 정신을 차려보면 과거의 어리석음이 고름처럼 악취를 풍기는 인생의 어떤 해안에 서 있는 것이다. 운명은 그것을 알아차리지 못하는 인간들 앞으로 너무도 다양한 방식의 불행을 동원해, 잔혹하고도 정확한 조준을 하며 각개 약진해오는 것이다.

14

   H와 만나던 그 무렵 나는 위안부 할머니들이 거주하는 나눔의 집에서 열린 학술 세미나에 참석하게 되었다. 일본의 공식 사과와 배상을 받아내기 위한 여러 가지 모색을 도모하고 국제사회에 이를 알리는 방향에 대한 세미나가 끝날 무렵 몇몇 할머니들의 소감을 듣는 자리가 마련되었다. 그때 어떤 할머니가 말했다.

   "안 돼!(아마도 무언가 온건한 방법으로는 안 된다는 이야기였을 것이다) 그런 걸로는 못 갚아! 일본인 젊은 기집애들 강제로 끌어다가 우리 젊은 애들한테 던져줘버려!"

정확한 기억이 맞는지 모르겠으나 내용은 이보다 더 충격적이었던 것 같았다. 세미나가 마무리되던 실내로 일순, 경악스러운 침묵이 정전처럼 찾아왔다. 나 역시 앞이 약간 캄캄해지는 기분이었다. 할머니는 두 다리를 탁탁 비비며 어린아이처럼 울부짖고 있었다. 그녀가 위안부로 끌려간 지, 혹은 그녀가 위안부에서 풀려난 지 반세기가 지나가고 있었다. 그런데 아직도 울 수 있는 저 회한…… 저주, 혹은 원한. 비로소 상처의 깊이가 실감이 났고, 가해자와 피해자가 뒤엉켜 아수라장이 되어버린 광경이 환영처럼 선명해졌다.

말 사시미를 먹으며 유쾌하게 이야기를 나누던 일본인들…… 북한에 끌려갔다 돌아온 H의 생에 대해 어떻게 생각하느냐 묻던 일본인들을 나는 떠올리고야 말았다. 진정으로 가슴이 아팠기에, 가슴 아팠다고 대답했다. 그리고 잠시 후, 빨간 말 사시미를 겨우 삼키고 내가 물었다.
"위안부 문제에 대해서는 어떻게 생각하십니까?"
올 것이 오고야 만 것일까. 해쓱해지던 그들의 얼굴. 그들이 말했다. 약간 웃으며 그랬다.
"그거야 아직 역사적으로 해명된 일도 아니고……."

북한 역시 납치에 대해 공식 시인한 일이 없다.

사시미를 사주던 유쾌한 일본인들은 나를 애국자로 만들었고 나는 그게 정말 싫었다.

15

　친구와 나는 그 이후로는 그냥 책 이야기만 했다. 아이들 이야기도 했다. 가끔 그녀의 시댁 이야기와 나의 친가 이야기도 했다. 그리고 우리는 프레모 레비 이야기를 했다. 가끔 그의 글이 아우슈비츠의 절망에 대한 이야기인 것조차 잊을 때가 있다고 나는 고백하곤 했다. 화강암에서 빛나던 반짝이는 그것이 운모였구나, 생각하고 초록 연필로 '운모' 밑에 밑줄을 그었다는 이야기. 그러고는 잠시 고개를 들어 창밖으로 투명한 가을볕을 바라보면 온 세상이 화강암 위의 운모처럼 빛 아래서 반짝반짝했다는 이야기. 그리고 그중 어떤 구절이 나를 건드리고 지나갔다는 이야기. 그건 바로 이런 구절들, "나는 속으로 말했다. 이게 뭔지 알게 될 거야. 이 모든 것을 알게 될 거야. 하지만 그들이 원하는 식으로 알고 싶지는 않아…… 자물쇠를 열 도구를 내가 직접 만들 거야. 억지로라도 문을 열 거야." 이 희망찬 구절들이 나를 속수무책으로 멍하게 만들었다고. 그러면서 나는, 오래오래 지나 어쩌면 전생처럼 느껴지는 어떤 여름을 생각해보게 되었다고. 눈시린 푸른 바다, 흰 갈기를 휘날리며 말 떼처럼 달려들던 파도들, 상앗빛 모래사장, 그 위에 앉아 한 움큼 내 손에 움켜쥐었다 놓았을 때 손바닥에 납작 붙어 떨어지지 않던 반짝이는 작은 가루들. 내가 그때 만일 스물두 살이었다면 그것을 사금이라고 부른들 무엇이 두려웠을까, 하고.

　하지만 삶은 뼈저린 궤도로 원을 그리며 운행하고 있었다. 돌고 돌아도 그 자리에 서면 또 어깨가 시렸다. 하지만 외로웠기 때문에, 고통스러웠기 때문에 나는 돌진하고 있었다. 어디로? 이제 와 생각하면 그 방향은 문제가 되지 않는다. 내가 만일 좋은 사람과 좋은 사람이 되어 살고 있었더라면 어떻게 되었을까? 글쎄, 그것은 아무도 알지 못한다. 나는 다만 친구에게 재잘거렸다.

이런 구절을 읽었어. "다만 우리가 숨 쉬는 공기 속에는 이른바 비활성 기체라는 것이 있다. 이것들은 박식하게도 그리스어에서 따온 진기한 이름을 갖고 있는데 각각, '새로운 것(네온)' '숨겨진 것(크립톤)' 그리고 '낯선 것(제논)' '움직임이 없는 것(아르곤)'이라는 뜻을 지닌다. 이들은 정말 활성이 없어서, 그러니까 자신들의 처지에 만족하고 있어서 어떤 화학반응에도 개입하지 않고 다른 원소와 결합하지도 않는다. (…) 그 가운데는 공기의 일 퍼센트를 차지할 정도로 상당히 많은 양이 존재하는 아르곤, 곧 '움직임이 없는 것'이 있는데도 말이다. 다시 말해 그 양은 이 지구상에서 생명체의 흔적이 유지되는 데 없어서는 안 되는 이산화탄소보다 스무 배 또는 서른 배나 많은 양이다." 신기하지 않니? 원소들이 제 처지에 만족하고 있다는 표현이라니.

네온 크립톤 제논 그리고 아르곤 들 같은 친구는 가만히 고개를 끄덕였다. 그녀 주변에는 그렇게 네온 크립톤 제논 들이 있었고 한때 그렇지 않은 내 친구들도 모두 그런 원소로 변해 있었다. 나는 아르곤이 되고 싶었지만 이미 그럴 수 없었다. 하다못해 크립톤, 하다못해 제논, 하다못해 안정된 그 무엇이라도 되고 싶었지만 언제나 그 원소 군에의 입장을 제지당했다. 마지막 출구도 봉쇄되었다. 내 인생은 난파했고, 나는 이곳이 어디인지 도무지 알 수 없었다. 내 온몸은 상처들로 가득했다. 나는 먼 훗날 있을 싸움을 유리하게 이끌기 위해 병원에 가서 떼어두었던 진단서들을 다 찾아 찢어버렸다. 나는 내 인생이 이런 진단서를 제출하고 그 남자가 나쁜 인간이라는 것을 만천하에 증거하고 불타는 전투욕으로 이 세상 모든 핍박받는 여성들을 위하여 법정에 선, 전사가 되도록 만들고 싶지 않았다. 하지만 나는 이제 더는 내려갈 수 없이 비뚤어졌고, 모든 행복해 보이는 것들에 대해 극도로 민감했으며 망가지고 있었다. 나는 "그만둬라 한스 한젠, 외로워서 우는 왕이 네게 무슨 상관이겠니?" 울부짖던 토마스 만의 토니오 크뢰거 같았다. 그러던 어느 날 친구가 문자메시지를 보내왔다. 《우리들의 행복한 시간》을 읽었어. 넌 왜 이 책을 썼니? 프레모 레비가 아니라 너." 나는 그것을 들여다보았다. 그리고 물었다. 넌 왜 이 책을 썼니? 프레모 레비가 아니라 너…… 그러니까 나.

16

삶의 어떤 순간, 우리는 바람결이 바뀌는 것을 느낀다. 초가을의 어느 날, 초봄의 어느 날…… 혹은 서풍이 불어 비를 예고하는 무더운 여름날. 그날 그 순간 나는 내 마음속에서 미세하게 변화하는 바람결을 느꼈다. 아직 그것이 서풍인지 동풍인지 알 수는 없었지만 서서히 무언가가 방향을 선회하고 있었다.

나는 뜨거운 욕조에 몸을 담그고 가만히 있었다. 마음속에서 내가, 오래도록 재잘거리던 나에게 말문이 막혀 침묵하던 내가 더듬거리며 내게 물었다.

"너는 왜 이 책을 썼니?"

대답할 새도 없이 입술이 뒤틀리며 눈물이 쏟아지기 시작했다. 이런 당황스러운 사태에 처하면 언제나 그랬듯 내 마음은 둘로 갈라지고 있었다. 그 첫 번째 감정은 어이가 없다는 것이었다. 책이 출간된

지 벌써 이 년이 지난 시점이었다. 거의 백 번에 가까운 인터뷰, 독자들과의 대화를 통해 나는 이 질문을 들었었다. 나는 대답했었다. 생명, 소통, 용서…… 그리고 그 질문들에 당연히도 너무나 작가다운 대답들을 했었다. 그런데 벌거벗은 채로, 욕조에 몸을 담근 채로 나는 울고 있는 것이다. 너는 왜 이 책을 썼니, 하는 그 물음 하나에 말이다.

하지만 무언가가 분명 내 속에서 방향을 틀고 있었다. 운명이 직접 우리를 겨냥해서 우리의 이름을 부르면, 두려움과 불안의 저 밑바닥에서 일종의 끌어당기는 힘. 인간은 어떤 대가를 치르고라도 목숨을 부지하려고 하면서, 다른 한편으로는 무슨 일이 있더라도, 위험과 죽음을 무릅쓰고라도 운명을 접해보고 받아들이려고 하기 때문이라고 말한 이가 프레모 레비였던가 아니면 역시 아우슈비츠에서 살아온 빅토르 프랭클이었던가 아니면 나였던가. 나는 욕조의 미지근한 물속에서 벌거벗고 웅크린 채로 운명의 부름에 답하겠다고, 내가 계획했던 모든 희망을 버리고 가보겠다고, 그 끝에 무엇이 있는지 보러 가기 위해서가 아니라 그냥 그가 부르니까 내가 대답하겠다고, 봄이 오면 꽃이 피고 바람이 불면 잎이 지듯 그렇게 단순하고 단순하게, 그렇게 하겠다고 마음먹었다.

17

H는 대학 3학년생이었다. 그는 스물두 살, 여자친구와 해변에서 데이트를 하고 있었다. 여자친구의 부탁을 받은 그가 잠시 음료수를 사러 간 사이, 여자친구는 바다에서 솟아오른 정체불명의 검은 물체 둘

에 의해 입을 틀어막힌 채 바다 속으로 끌려간다. 데이트를 하는 여자 친구를 기쁘게 해주려고 음료수를 손에 든 채로 바닷가로 돌아온 H 역시 잠시 후 잠수함에 태워져 끌려간다. 그때 그는 신발이 벗어져 맨발이 되었다고 했다. 옛이야기에 나오는 어떤 나라 어떤 바다, 신화 속의 용이, 이렇듯 경쾌하고 신속하며 비밀스레 두 남녀를 해치울 수 있단 말일까.

18

돌아보니 새벽이 이미 절정처럼 창을 덮친 후였다. 보랏빛과 오렌지빛, 잿빛과 푸른빛 들이 하늘을 휘돌고 있었다. 나는 이제 잠들기를 포기하고 내일, 아니 몇 시간 후 떠나게 될 아침을 맞으려고 결심했다. 막 자리에서 일어나려는데 문자메시지가 오는 소리가 들렸다. 시계를 올려다보니 새벽 다섯 시, 친구였다.

함부르크에서 자동차로 한 시간 반을 달려 도착한 뤼베크는 동화처럼 아름다운 도시였어. 내가 이야기하지 않아도 넌 결국 쓰게 되겠지. '그럼에도 불구하고' 말이야. 토마스 만의 말대로 "그야 어쨌든! 한 인간이 성장해가는 것은 운명이다." 나 내일은 아우슈비츠로 떠난다. 잘 지내!

19

몇 년 전 나는 폴란드 여행길에 그곳을 들렀었다. 예정되어 있던 일정이었다. 여행을 떠나기 며칠 전부터 나는 그곳에 들를 일이 실은 걱정이었다. 언젠가 음악을 하는 후배가 그곳에 들어서자마자 허리를 휘청 꺾으며 그대로 기절했다는 이야기를 들었기 때문이었을 것이다. 사춘기 시절, 그 지겨운 조회시간에 기절 한번 해보는 것이 소원이었을 만큼 튼튼한 나는 내 신경이 혹시 그 후배처럼 섬세할까봐 겁이 났었나 보다. 크라카우를 출발한 버스가 아우슈비츠에 도착할 무렵엔 비가 내리고 있었다. 머리카락보다 가느다란 비였다. 멀리서 몇 킬로미터나 되는 거대한 아우슈비츠 수용소가 연한 회색 구름 아래로 펼쳐지고 있었다. 그것은 뜻밖에도 고즈넉하고 평화로워서 얼핏 아름다운 유럽의 일상적 풍경처럼 보였다. 그 입구에 쓰인 독일어 구호 "노동만이 너희를 자유롭게 하리라"라는 글귀는 건전하기까지 했다. 나는 기절하지 않았다. 그 수용소 진열장에 작은 언덕처럼 쌓인 잘려진 머리카락들, 신발들, 아이들의 부서진 인형들의 규모가 내 상상을 훨씬 더 넘는 것들이어서 그저 어안이 벙벙했을 뿐이었다. 단테가 《신곡》에서 묘파해낸 지옥의 입구 "여기 들어오는 자 모든 희망을 버려라"라는 말이 입가를 뱅뱅 돌았다. 두 시간 남짓 우리는 그 죽음의 수용소를 돌았다. 마지막으로 당도한 곳은 시체를 태우는 소각장이었다. 반지하라고나 할까, 텅 빈 듯한 공간에 난로 같은 것들이 놓여 있었다. 죽음의 흔적도, 기미도 느껴지지 않는 것이 이상할 정도로 평범한 공간이었다. 아니, 이미 나 자신이 그 죽음 속에 들어와 있기에 모든 것이 무감각했는지도 모른다. 군데군데 뚫린 작은 창문 밖으로 잘린 머리카락처럼 가느다란 비는 쉴 새 없이 내리고 있었다. 그때 시체를 소각하는 난로 같은 기구 옆으로 영국의 가톨릭교도들이 아우슈비츠에서 죽어간 사람들을 위해 바친 비석 하나가 눈에 띄었다. 우리를 인솔한 분이 비석에 새겨진 그 글귀를 해석해주었다. 성서의 한 구절이었다.

어두움이 빛을 이겨본 적이 없다.

순간 다 합쳐서 오십 개도 되지 않는 이 철자들이 아우슈비츠를 떠받치고 있는 그런 이상한 느낌에 나는 사로잡혔다. 몇십만 평방킬로에 이르는 아우슈비츠에서 행해진 악과 비참과 말살과 공포를 한쪽추에 달고 이 글자 조각들을 다른 쪽 추에 단다면 양쪽이 아주 팽팽해질 것 같은…… 그때처럼 언어의 위대함을 생생하게 느껴본 적은 그후로도 다시 없었다.

20

"세련되고 상궤를 벗어난 것, 악마적인 것을 궁극적 목표로 삼고 그것에 깊이 열중하는 자는 아직 예술가라 할 수 없습니다. 악의 없고단순하며 생동하는 것에 대한 동경을 모르는 자, 약간의 우정, 헌신,친밀감 그리고 인간적인 행복에 대한 동경을 모르는 자는 아직 예술가가 아닙니다. 평범성이 주는 온갖 열락悅樂을 향한 은밀하고 애타는동경을 알아야 한단 말입니다!"

평범성이 주는 온갖 열락을 향한 은밀하고 애타는 동경! 이라는〈토니오 크뢰거〉의 이 구절을 넌 이해할 수 있을까? 토마스 만이 평생 단 하나 이 구절만을 썼다 해도 나는 그를 좋아했을 거야…… 라고, 라고 쓰다가 나는 문자메시지를 취소해버렸다. 그리고 처음부터다시 썼다.
"그래 어쨌든 한 인간이 성장해가는 것은 운명이다! 좋은 여행 되기를!"

21

결국 나는 한잠도 자지 못했다. 눈이 빡빡하고 피곤했다. 그러나 마음속 깊은 곳으로부터 어떤 따뜻한 기운들이 올라오는 듯했고 그것은 약간의 나른함을 내포한 것이었다. 전화벨이 울렸다. 신 기자였다.

"일본 가서서 H씨에게 물어야 할 거 대충 정리해서 메일로 보냈어요, 너무 신경 쓰실 필요는 없고 참고로만요. 아무래도 나보다는 선배가 H씨를 더 잘 알겠지?"

우리는 그리고 날이 차가워지니 옷을 따뜻하게 입으라는 등의 소소한 일상의 이야기를 했다. 그러다가 그녀가 내게 불쑥 말했다.

"실은 나 한 달 전 출장 다녀오는 길에 유산했어요."

나는 대꾸를 할 수가 없었다. 그녀 나이 서른둘. 고만고만하게 자라 고만고만한 다른 이들보다 많이 뛰어나서 고만고만한 언론사에 들어간 그녀.

"이토록 운명의 벽이 단단하다는 것을 느껴본 것은 처음이었어. 투명 유리창에 머리를 꽝 부딪친 것 같다고나 할까? 그때 선배 생각했어."

"내 생각을 왜?"

"글이 우리를 구원할 수 있다는 말…… 선배가 그런 말 했거든. 그 말 생각한 거야. 그래서 병가 내고 책 많이 읽었어. 읽었던 책도 또 봤는데 세상으로 향하는 문이 하나 더 열리는 그런 느낌. 그 문을 여는 열쇠는 고통이었어, 운명처럼 보였던."

"그래? 내가 그렇게 거창한 말을 한 거 보니 꽤 젊었던 시절이었나

보지?"

신 기자는 웃었다.

"어제 H씨에게 질문할 거 뽑으려고 하다가 선배랑 내가 인터뷰한 글을 다시 보았지, 선배가 그랬더라구. 죽고 싶었지만 신기하게도 진짜로 죽으려는 생각은 하지 않았어요. 이상하게 운명에 대한 대결 같은 거. 그것은 맞서는 대결이 아니라 한번 껴안아보려는 그런 대결이었는데, 말하자면 풍랑을 당한 배가 그 풍랑을 이기고 가는 유일한 방법은 그 풍랑을 타고 넘어가는 것 같은 그런 종류의 대결…… 내게 이것을 가르쳐준 것은 글이었는데 글은 모든 사람의 가슴에서 넘치다가 엎질러져 나오는 것이고 그렇게 엎질러져 나온 글들은 상처처럼 빨간 속살에서 터져나온 석류 알처럼 우리를 기르고 구원하니까요, 했더라구."

나도 모르게 내 입에서 낮은 탄성이 나왔다. 신 기자는 음, 하고 망설이더니 대답했다.

"겨우 삼 년 전이야. 그때도 선배는 망설이다가 이렇게 말했댔어. 적어도 내게는 그랬어요. 그리고 그렇게 되고 있고, 아마도 앞으로도 그럴 거예요. 그래 적어도 내게는…… 그래…… 그래야 하지 않을까요? 이랬다구."

나는 여행가방 안에 토마스 만의 〈토니오 크뢰거〉를 끼워넣었다. 아마도 밤을 지새운 탓에 비행기를 타자마자 곯아떨어지겠지만 그러므로 나는 그 책을 굳이 다시 읽기 위해 지니고 가는 것은 아니었다. 그것은 그 속의 구절들, 이를테면 "내가 지금까지 이룩한 것은 아무것도 아니고 별로 많지 않습니다. 아무것도 하지 않은 것이나 마찬가지

입니다. 리자베타, 나는 더 나은 것을 만들어보겠습니다.—이것은 일종의 약속입니다. 지금 이 글을 쓰고 있는 동안 바닷물 소리가 내게까지 올라옵니다. 그래서 나는 눈을 감습니다. 그러면 아직 태어나지 않은, 그림자처럼 어른거리고 있는 한 세계가 들여다보입니다. 그 세계는 나에게서 질서와 형상을 부여받고 싶어서 안달입니다. 그들은 부디 마법을 걸어 자기들을 풀어달라고 나에게 손짓하고 있습니다. 나는 이것들에게 큰 애정을 가지고 있습니다. 그러나 마음속 아주 깊은 곳에 있는 나 혼자만의 사랑은 금발과 파란 눈을 가진 사람들, 행복하고 사랑스럽고 일상적인 사람들에게 바쳐진 것입니다."라는 그의 약속을 지니고 가는 것이기 때문이었다.

나는 신 기자에게 문자메시지를 보냈다. "어쨌든 한 인간이 성장해 가는 것은 운명이다."

나는 어서 H가 보고 싶었다.

---

*소설 제목에 쓰인 '글목'이란 말은 '글이 모퉁이를 도는 길목'이라는 뜻으로 작가가 지어낸 것임.

| 대상 수상 작가 자선 대표작 |

진지한 남자

공지영

1

그는 화가였다. 내가 이십 년 전 처음 그를 보았을 때 그는 그 시대 반항적인 젊은이들의 상징이던 검게 물들인 군복을 입고 있었고, 거기에 어울리는 낡은 군화를 신고 있었으며 당시 장발을 단속하던 경찰의 눈을 용케 피해 야금야금 기른 긴 머리를 하고 있었다. 피부는 흰 편이었고, 늘상 술을 마시고 담배를 입에 달고 살고 있었음에도 불구하고 얼굴은 아주 맑았다. 하지만 그의 매력은 무엇보다 김수영의 초상화에서처럼 빛나는 크고 검은 눈동자에 있었다. 하지만 그 크고 검은 눈동자도 그의 진지한 자세나 삶에 대한 열정을 빼놓고 본다면 한낱 사치에 불과했으리라.

그러니까 벌써 이십 년 전, 내가 그를 처음 보았을 때만 해도 그는 유신 말기를 사는 여느 젊은이들처럼 시대와 독재자에 대한 분노에 차 있었고, 시대의 중압감 때문에 가끔씩 술자리에서 늑대처럼 고독하고 갈매기처럼 무력해 보이기도 했다. 하지만 그는 또 그 시대의 여느 젊은이들처럼 은밀하게 민중운동 쪽에 가담하고 있는 듯이 보였다. 화가들의 대량구속을 가져왔던 시내 모처의 과격한 벽화가 거의 그의 작품이라는 소문이 돌기도 했으니까. 그러나 그것도 소문이었을 뿐. 그는 그저 그런 화가 지망생 중의 한 사람이라고만 알려져 있었다. 물론 그 소문이 돈 다음부터 그가 자주 가던 인사동 대구집의 아주머니나 혹은 미술평론가들이 그를 조금씩 주목하고 있다는 것을 그는 당시에는 알지 못했다.

그는 화가들이 모이는 인사동에 자주 얼굴을 나타냈다. 그는 거기서 다른 젊은이들과 함께 이 암울한 시대에 미술이 과연 무엇을 해야 하는 것인가에 대해 목에 핏대를 불끈불끈 세우며 토론을 하기도 했고 그러다가 갑자기 자리에서 일어나 고래고래 노래를 부르기도 했으며 한번은 골목길에서 토하고 토하다가 기진한 채로 나자빠져 몇 시간 동안 방치되기도 했다. 그때 그를 발견한 동료에 의하면, 그는 가까운 여인숙으로 옮기려는 동료를 향해 짐승처럼 울부짖었다고 했다. 나를 내버려둬 제발! 어쨌든 그는 괴로운 것 같았다.

아마 그 무렵이었을 것이다. 중첩되어진 음울함과 광기가 자욱이 깔리던 인사동에서 그의 모습이 사라진 것은. 그가 나타나지 않는 것을 두고 동료들은 가끔 그의 소식을 궁금해하기도 했지만, 그가 부천의 어느 작은 공장에서 일하고 있다거나 아니면 머리를 깎고 중이 되었다거나 그도 아니면 묘령의 여성과 동거하고 있다는 확인할 수 없는 소문만 무성할 뿐이었다.

그를 아끼던 사람들은 가끔, 그의 이야기를 나직하게 했다. 그는 좋은 사람이고, 참으로 겸손하고 진지하며 진정으로 이 시대를 괴로워하는 예술가라고 말이다. 그랬다. 그는 진지하고 열정적인 사람이었다. 그는 술을 마실 때도 진지하게 마셨고 토론을 할 때도 진지하게 했으며 심지어 누군가의 재미없는 농담에 좌중이 어색해질 때도 혼자서 끝까지 진지하고 열정적으로 웃었다. 그래서 사람들은 가끔씩 그가 그리워졌지만 때가 되면 언젠가 나타나겠지 하는 생각들을 했다. 그렇게 몇 년이 흘렀다.

누군가가 다시 그를 보았다는 말을 했다. 87년 시위 때였는데 그는 여전히 물들인 군복을 입고 땡볕 아래 서 있더라고 했다. 다만 달라진 것은 그가 예의 그 열정적이고 얼마간은 충동적인 자세로 시위대에 합류했던 지난날과는 달리, 그저 박수만 치는 넥타이 부대들 사이에 끼여 있더라는 것이다. 그 무렵 사람들은 인사동 허름한 화랑에서 열리던 "젊은 작가들 초대전"에서 그의 그림을 발견했다. 그의 그림들은 회색으로 가득 찬 유화들이었다. 열 명의 젊은 작가들 중 이미 평론가들에게서 과분한 칭찬을 받고 있던 사람들 몇의 이름이 신문지상에 올랐다. 하지만 그의 이름은 빠져 있었다. 다만 그때 조야하게 인쇄된 도록 속에는 그의 이름이 예의상 언급되어 있었고, 거기에는 "가라앉은 회색빛의 힘"이라는 단어가 씌어 있었다. 그의 그림의 주제는 일하는 노동자들의 하루를 흑백사진 톤으로 그린 것이어서, 사람들은 막연히 그가 부천의 어디쯤 공장에서 일을 했다는 것이 사실인가 보다, 생각할 뿐이었다. 그는 여전히 술자리에 모습을 드러내지 않았기 때문이었다. 그러는 동안 지구는 약속을 지키며 스물네 시간 만에 한 번씩 자전을 했고 그럭저럭 해가 떠서 머쓱하니 지면서 삼 년이 흘렀다.

그동안 소비에트 연방이 해체되고 동구권이 서방을 향해 문을 열었다. 인사동 술자리에서는 화가든 문인이든 술을 마시러 오기만 하면, 처음에는 곤혹스럽고 슬픈 표정으로 술잔을 들다가 나중에는 상을 엎어버리고 서로들 멱살을 잡는 일이 잦아져서 술집 주인들이 골머리를 앓고 있을 바로 그 무렵이었다. 더러는 짐을 싸가지고 고향으로 낙향하고 더러는 폐병을 얻어 약값을 마련하기 위해 동네 꼬마들을 상대로 학원을 차리던 그 무렵 사람들은 뜻밖에도 그의 개인전 소식을 접하게 되었다. 그는 판화로 장르를 바꾸어 개인전을 열었는데 그 제목은 "일그러진 부처"였다.

그것은 화단에 작은 파문을 일으켰다. 젊은 평론가들은 그의 판화에 나타난, 고통으로 일그러진 부처들의 형상에 대해 미술잡지에 기고하기 시작했다. 미간에 주름이 잡힌 고뇌에 찬 부처의 얼굴이나, 고행으로 말라빠진 부처의 얼굴, 손이 잘린 부처, 발이 잘린 부처, 혹은 화상을 입어 참혹한 얼굴을 한 부처들의 목판화 작품이 미술잡지에 심심찮게 오르내렸다.

파문은 젊은 화가들과 평론가들 사이에서 일었다. 이들은 그 당시 '젊은 화가들'이라는 모임을 구성하고 있었는데 그들은 자신이 내는 무크지를 통해 그의 "일그러진 부처"를 특집으로 기획하고, 기존 평단의 안이한 자세에 대해 일격을 가했다. 이념이 사라지고 지표를 잃은 듯한 우리 화단에 일그러진 부처 판화야말로 80년대와 90년대를 이어주는 동아시아적 가교라는 것이었다. 부처의 얼굴은 곧 민중의 얼굴이며 이제 더 이상 우리 미술은, 호사스런 살롱에 폼을 잡고 앉은 수집가에 의해 좌지우지되어서는 안 되며 어찌 됐든 대중의 아픔을 표현하고 대중의 방으로 들어가야 한다는 것이 그 선언의 요지였다. 그들은 그의 그림들을 내세워 인맥과 친분 그리고 학맥에 의해 좌지우지되는 화단을 준엄하게 질타했다. 그는 주류를 이루지 못하는 한 변두리 대학의 미대 출신이었던 것이다.

그런데 일이 엉뚱한 방향으로 전개되려고 그랬는지 갑자기 그의 판화들이 날개 돋친 듯이 팔려나가기 시작했다. 처음에는 화랑에 들렀던 몇몇 사람들이 인사차 판화를 몇 점 샀다. 거기까지야 크게 이상한 일이 아니었다. 그의 전시 날짜도 사흘 정도밖에 남지 않았다. 젊은 평론가들은 그를 불러내 용기를 북돋아주는 술을 샀다. 가난한 신진 화가의 첫 개인전은 그렇게 평범하게 끝나는 듯했던 것이다. 거기까지는 모든 것이 좋았다. 그런데 화랑의 아가씨가 전하는 바에 따르면 여주 ○○사 여신도들이 떼를 지어 화랑에 들어선 것이 전시회가 마무리되기 바로 이틀 전의 일이라고 했다. 그들은 강남에 사는 한 보살에게 이야기를 들었다며 일그러진 부처 판화를 겁 없이 사들였다는 것이다. 강남에 사는 여신도의 말에 따르면, 일그러진 부처를 부엌에 한 점 걸어놓으니 품위와 교양이 갑자기 집 안에 가득 찬 기분이었다는 것이다. 게다가 부처의 얼굴은 하도 고통스러워서 눈물이 날 뻔했으며 자주자주 착하게 살아야 한다는 생각을 저절로 하게 되었다고 했다. 하지만 강남에 사는 그 여신도는 고행하는 부처 판화를 통해 아이들과 남편의 반찬투정을 막은 것이 가장 큰 효과였으며, 더 솔직히 이야기하자면 그 부처의 얼굴이 하도 흉측해서 밥맛이 떨어지는 바람에 허리가 1.5인치나 준 일이 돈으로도 살 수 없는 최고의 효과였다고 했다. 여주의 ○○사 여신도회가 다녀간 그날 오후, 막 화랑이 문을 닫으려는데 다른 몇몇 절의 여신도회들이 전세버스로 도착했다. 전시회장은 갑자기 바자회장처럼 북적거렸고 전세버스의 엉덩이가 하도 커서 인사동 좁은 골목의 교통이 갑자기 막혀버렸다. 화랑에 있던 여직원은 처음에는 아줌마들이 뭔가 번지수를 잘못 찾았나 싶어서 당황했다고 한다. 여신도들 중 한 명이 그들을 대표해 그의 그림이 효험이 있다는 소문이 쫙 퍼졌다고 말했다고 한다. 그 부처님은 무슨 소원이

든 들어준다는 것이었다. 그중에는 허리살을 빼고 싶은 소원도 들어 있음은 물론이었다. 나중에 도착한 한 신도는, 그의 그림이라고는 화상을 입은 참혹한 부처의 얼굴 딱 한 점밖에 남지 않았다는 말을 듣고는, 저걸 식탁에 붙여놓아도 진짜 품위가 있다고 자신의 집에 오는 외국 바이어들이 생각할까 어쩔까 망설이다가 다른 여신도가 그거라도 달라는 말을 하는 걸 듣고는 이내 마음을 결정해 그 그림을 빼앗듯이 사갔다.

이십여 장씩 찍어 팔던 그의 판화 오십 종은 순식간에 동이 났고, 평소에는 늘 바빠서 얼굴도 마주하기 힘들던 화랑 주인은 갑자기 시간이 많아진 듯 점심도 사고 저녁도 사면서 기존의 관습과는 달리 판화를 한 열 장씩만 더 찍으면 어떻겠냐는 제의를 은근히 그에게 했다. 그렇게만 한다면 다음 예약이 잡혀 있는 화가의 전시회를 취소하고 그의 전시회를 더 연장해줄 수도 있다는 것이었다. 화랑 주인은 그가 들어본 일이 있는 유명한 중진 평론가며 모모 화백이며 교수들과 자신의 친분이 얼마나 두터운지를 내비치는 것도 잊지 않았다. 그는 진지하고 겸손한 자세로 그 제의를 거절했다. 그는 상업적 이유로 해서 판화를 더 찍어낸다는 것은 자신의 신념에 맞지 않는다는 말을 진지하게 했고, 더구나 다른 화가에게 피해를 입히면서까지 전시회를 연장한다는 것은 나쁘지 않겠느냐는 요지의 말을 더욱 진지하게 덧붙였다. 화랑 주인은 자신도 충분히 이해한다면서 애매하게 웃었다. 하지만 거의 소동에 가까운 그의 전시회의 성공은 더 이어졌는데 작품이 동이 난 다음에도 작품을 사겠다는 문의가 빗발친 것은 물론 이제는 그의 작품들이 걷히고 분명 다른 화가의 작품이 전시되고 있는 화랑에 와서 그의 작품을 한 점이라도 사겠다고 떼쓰는 사람들까지 생겨났다. 동구권이 무너진 후, 이쪽저쪽 눈치만 보느라 미적거린 탓에 제대로 된 기삿거리를 찾지 못해 고심하던 미술기자들이 이를 놓칠 리 없어서 이 일은 대번 화젯거리가 되었다. 이런 그의 놀라운 전시회 상황이 신문에 실리고 처음으로 그의 얼굴이, 대문짝만 하게 신문에 박혔다. 단군 이래 인사동 화랑가에서 이발소 그림도 아닌 작품을 평범한 중년 여성들이 떼를 지어 사간 것은 처음이라는 것이었다.

그를 두둔하고 옹호하던 젊은 평론가들은 그의 성공을 놓고 크게 두 부류로 갈라졌다. 첫째 부류는 어쨌든 고생하던 한 화가가 성공했으니 좋다는 심정적 열성파들이었고, 한 부류는 이 상업적 성공이 혹시나 젊은 화가 하나를 망치지나 않을까 걱정하는 비판적 지지파들이었다. 전자는 마치 자신들이 큰 성공이라도 거둔 것처럼 비싼 술을 시켜 마시고, 다른 사람들에게 그 비싼 술을 철철 넘치게 따라주며 고래고래 노래를 불렀으며 후자는 될 수 있는 대로 맛있고 영양가 있는 안주들을 골라 집어먹으며, 너무 술에 취하지 않도록 조심하면서 어쨌든 이 전시회의 성공이 부르주아 평론가들의 도식성을 공격할 수 있는 좋은 기회라는 계산을 하느라 건성으로 심정적 열성파들의 노래를 듣고 있었다. 하지만 그 두 부류들 모두 마음 깊은 곳에서는, 자신들만이 일찍이 알아본 그의 작품의 훌륭한 점을 하찮은 아줌마들이 모두 좋아라, 했다는 면이 은근히 불쾌하긴 했다.

2

그의 이름은 이제 신문에서 낯선 것이 아니었다. 그는 유명해져버린 것이다. 아직 드문드문이긴 하지만 길거리에서 그를 알아보는 사람들이 하나둘 늘어나기 시작했고 돈도 벌었다. 그를 잘 알던 친구의 말에 따르면 그는 원래 돈에는 별로 관심이 없는 사람이라고 했다. 그는 여전히 물들인 검은 군복을 입고 있었고, 늘 신고 다니던 밑창이 빠져버린 군화를 그대로 신고 있으면서도 가난한 옛 친구들에게 선뜻 돈을 빌려주었고, 별로 되돌려받을 생각도 없는 듯했다. 다만, 창작열에 들뜬 그의 눈은 가끔 이상하리만치 빛났고 성취감을 느껴본 입매는 자신감 있게 다물어졌다. 그는 그동안 그의 머릿속에 있었으나 한 번도 실현되지 못했던 다른 이미지들을 체현해내느라 다른 생각을 할 겨를이 없었다.

하지만 그의 집 전화통은 불이 나기 시작했다. 그는 착하고 진지한 사람이었기 때문에 그 전화들을 받느라 거의 작업을 할 수가 없었다. 여성지와 신문, 방송 그리고 미술 무크지와 젊은 화가들이 주최하는 바자회까지, 그의 수첩은 그런 스케줄로 늘 빽빽했다.

한번은 인천에 있다는 강원도 출신 군인들의 부인으로 구성된 부녀회에서까지 전화가 왔다. 그의 그림들을 좋아하고 몇 점 샀으니 강연을 와달라는 것이었다. 그는 진지한 사람이었으므로 그들의 말을 진지하게 들은 후 진지하게, 자신은 강원도의 군인들과는 아무 상관이 없다고 거절했다. 그러자 그쪽에서는 그러면 강원도에 무슨 연고가 없느냐고 물었다. 그는 강원도라면 설악산에 수학여행 갔던 기억밖에 없는 사람이었다. 그들은 그가 방위로 서울 변두리 동회에서 근무한 것까지 꼬치꼬치 묻고는, 강원도에 그토록 아무 연고가 없는 그 이야기라도 와서 해달라고 했다. 자신들은 그의 팬이며 이미 그의 그림을 산 소비자들이라고 했다. 그는 강원도에서 복무한 경험이 있는 군인 출신 부인으로 이루어진 부녀회의 대표가 하도 간곡하게 묻고 늘어지는 바람에 인천으로 갔다. 그는 그림 이야기를 하고 싶었으나 강원도에서 군복무를 한 사람들의 부인으로 이루어진 부녀회 회원들은 그가 왜 강원도에 아무 연고가 없는지를 알고 싶어 질문을 퍼부어댔고 그는 하는 수 없이 왜 강원도에 연고가 없는지에 대해 진지하게 답변했다. 그는 마지막으로 꼭 강원도에 연고를 가지도록 노력하겠다는 말로 강연을 끝마치고 집으로 돌아왔다. 그는 돌아오는 길에 〈강원도의 힘〉이라는 영화포스터를 보았고 그 말이 맞다고 생각했다.

이어지는 스케줄은 그뿐만 아니었다. 미술기금을 마련하기 위한 바자회에서 그는 가장 열심이었다. 그는 진지했기 때문이었다. 그는 거기서 열심히 표주박이나 목걸이 등을 팔았고, 그래서 물건을 가장 많이 팔았다. 물론 거기에는 참석자들이 이미 신문지상을 통해 유명해진 그의 얼굴을 알아보고 환호한 탓도 있긴 했다. 후에 그중의 몇몇은 그 표주박이나 목걸이도 그의 작품인 줄 알았다면서 그가 사기꾼이 아닌가, 라며 크게 분노했다는 후문도 있었다.

그는 낮이면 바자회나 강연회에 나갔다가 저녁이면 집으로 돌아와 놀라운 정열로 판화들을 그렸고 이번에는 슬픈 부처에서부터 기쁨에 찬 부처까지 그 폭이 더욱 넓어진 작품들을 선보였다. 그래서 몇 개의 화랑이 경합한 끝에 신의를 지키자는 그의 뜻에 따라 처음 전시회를 열어주었던 화랑에서 두 번째 전시회가 열렸다. 이번에는 지난번의 ○○사 여신도회뿐만 아니라 다른 절의 여자 남자 신도회, 게다가 그의 얼굴을 보려고 몰려든 대학생들까지 끼였다. 대학가에서는 그의 판화를 사기 위한 계가 결성되었다는 것이다. 하지만 그 무렵 얼마간의 성취감과 자기 자신에 대한 확인으로 인해 밝아졌던 그의 얼굴이 다시금 우울해지기 시작했다. 그의 미소는 점점 더 애매해졌고 그는 자신이 더 이상 진지하게 사람들을 대할 수가 없다는 것을 알았다. 그의 신조에 의하면 진지하게 그림을 그리지 않는 것은 물론, 진지하게 한 사람 한 사람을 대하지 못하는 것은 죄악이었다. 게다가 강연 요청은 쏟아져서 그는 그중의 대부분을 거절해야만 했는데, 그런 뒤에는 으레 그가 오만방자해졌다, 라는 말이 떠돌아다니곤 했다.

그때 어떤 미술계간지에 그의 기사가 실렸다. 제목은 "상업적 성공과 화가의 길"이었는데 필자는 보수적 중진 평론가였다. 《미술이 이념의 시녀가 되어버린 현실을 개탄함》이라는 책을 쓴 보수적 중진 평론가는, 만일 이념이 사라지지만 않았어도 이런 일은 없었을 텐데 애석하게도 이념이 무너진 후 지표를 잃은 젊은 화가들이 대중적 성공에만 매달리고 있다고 화가들을 준엄하게 질타하면서 그의 전시회를 예로 들었다. 그의 전시회는 마치 젊은 대중가수의 콘서트장처럼 북적거렸는데, 이는 진정한 미술감상을 해치는 행위라는 것이었다. 진정한 미술감상은 한적하고 쾌적한 곳에서 조용히 이루어져야 하므로 화랑을 콘서트처럼 만들어버린 이 화가는 진정한 화가의 길을 걷기 위해 반성해야 한다는 것이 그 요지였다. 그는 이 글을 읽고 매우 괴로워했다. 그는 여러 날을 고민한 끝에 전화코드를 뽑고 다시 잠적했다. 자신이 미술판을 콘서트판처럼 북새통으로 만든 죄책감이 들었던 것이다. 그는 그 무렵 만나는 사람들에게 그림이고 뭐고 다 때려치우고 평범한 여자와 결혼이나 하고 싶다는 말을 자주 하며 괴로워했다고 한다.

신참내기 여성지 기자가 있었다. 기자는 어떤 경우에도 철저하게 사건의 당사자를 쫓아야 한다는 데스크의 훈계를 들은 다음, 그를 취재하기로 마음먹었다. 하지만 그는 집과 작업실을 먼 곳으로 옮긴 후

아주 친한 몇몇 외에는 아무에게도 연락처를 전하지 않았기 때문에 신참내기 여성지 기자가 아무리 애를 써도 그의 집과 작업실을 찾아낼 수는 없었다. 그런데도 다음 달 모 여성지에는 그에 대한 기사가 실렸다. "실연의 아픔을 잊기 위해 잠적해"라는 제목이었다. 신문에 난 여성지 광고에서 그 기사의 제목을 읽은 사람들은 그제야 고개를 끄덕였다. 그가 왜 그림이고 뭐고 다 때려치우고 평범한 여자와 결혼이나 하고 싶다고 말하며 괴로워했는지 알 것 같았기 때문이었다. 하지만 막상 그 잡지를 사서 그 기사를 끝까지 읽어보면 그 내용은 제목과는 전혀 달랐다. 그러니까 그가 깊은 실연을 해서 잠적을 했다는 말을 듣고 취재를 하러 갔는데 그는 집과 작업실을 모두 옮기고 전화번호도 바꾸어버려서 그가 정말 실연을 당했는지 아닌지 알 수 없으니 그가 하루빨리 좋은 작품을 가지고 우리 앞에 나타나기를 빈다는 그런 기사였던 것이다. 하지만 아무도 그 여성지를 산 사람은 없었고, 샀다 해도 이승연이나 최진실의 사생활 이야기가 더 궁금했으므로 소용이 없었다. 다만 술자리에서는 그 기사의 제목을 두고 호사가들의 입방아가 이어졌다.

그때 그를 잘 안다는 대학 시절의 동창 하나가 분연히 나서서 그 말은 아마도 사실이 아닐 거라고 했다. 그가 대학 시절 같은 과 여학생과 사귄 적이 있는데, 여자 쪽 집안의 반대로 결혼이 성사되지 않아 젊은 한때 몹시 상심했다는 것이었다. 그 동창의 주장에 따르면 그는 그때 다시는 여자를 사랑하지 않겠다고 맹세했으며 그는 한번 맹세를 하면 하늘이 두 쪽이 나도 그것을 지키는 사람이니, 그것은 여성지 기자의 오보라는 것이었다. 그러자 그다음다음 날, 인사동 모처의 술자리에서는 그가 유명해지자 대학 때부터 사귀어온 여자를 부담스러워서 차버렸고, 그래서 그 여자 쪽 집안의 추적을 피하기 위해 잠적했다는 말이, 이건 너만 알고 다른 데서는 절대 말하지 말아야 한다, 라는 단서와 함께 와자해졌다.

소문만 무성하게 남겨놓고 그는 여전히 소식이 없는 가운데 그의 그림들은 무단으로 복제되어 여기저기에 실려나갔고 거리의 리어카나 초등학교 앞의 문구점에서 파는 노트 표지에도 그의 작품들이 복제되어 팔리고 있었다. 그는 그제야 사람들 앞에 모습을 드러냈다. 저작권이 침해당한 것 같은데 어떻게 하면 좋은지 평소 내심으로 존경하던 미술계 인사 몇 명을 만나러 나온 것이었다. 그가 평소 내심으로 존경하던 인사들은 제각기 세 의견으로 분류되었는데, 첫 번째 부류는 이것은 화가들의 권익을 위한 것이므로 소송을 해서 작은 권리라도 찾아야 한다는 축이었고, 또 하나는 같은 미술판에서 서로들 다 아는 사이인데 그걸 가지고 송사까지 간다면 젊은 너의 앞날이 걱정스러우니 다 잊고 그저 진지하게 작품에만 몰두하라는 이야기였다. 나머지 한 사람은 두 사람이 다른 의견을 가지고 논쟁을 벌이는 것을 보면서 은근히 이기는 쪽 편을 들리라 마음먹고 신중해 보이도록 표정 관리를 하면서 천천히 술만 들었다. 소송을 하자는 쪽과 안 된다는 쪽이 격론을 벌이는 동안 그는 묵묵히 앉아 있는, 내심 존경하던 선배의 의견을 진지하게 물었다. 그 선배는 그의 질문을 받고도 입을 열지 않다가 잠시 후 무겁게 입을 열었다.

그건 자네가 신중히 생각해서 처리할 일인 것 같아.

그러자 소송을 해야 한다, 말아야 한다, 로 싸우던 두 사람도 돌연 입을 다물고 그 말이 맞다고 했다. 그는 그들에게 정말 고맙다고 인사를 하고는, 그 고마움을 표시하기 위해 그들이 겉으로 소리 나게 표시하지는 않았지만 은근히 강권한 룸살롱에 가서 많은 돈을 쓴 다음 녹초가 되어 집으로 돌아왔다. 그는 그 이후로 며칠 동안 내내 신중하게 해야 한다는 그 말을 진지하게 생각하느라 몸살이 나서 몹시 앓았다.

3

그는 몹시 앓는 동안 소송을 할 것인가 말 것인가의 문제보다는 자신이 얼마나 열심히 그림을 그리느냐가 더 중요한 것이 아닐까 하는 생각을 하게 됐다. 진실이 있다면 언젠가는 다 밝혀질 일이었다. 그러자 그는 자리에서 일어날 수 있었고 자신이 예전에 숭배했던 그 진지하고 구도적인 화가들의 사진을 그의 작업실 한 모퉁이에 붙여놓고 다시 조각도를 들었다. 그는 그림 앞에서는 진지해야 하며 어떤 경우에라도 세속적 허명이나 분란에 끼어들지 않겠다고 그 사진들 앞에서 맹세했다. 그가 소송을 하지 않은 관계로 그의 그림의 모작품들은 이제 이발소에까지 붙어 있는 형편이었다. 하지만 그것이 그의 명성을 없애지는 못했다. 그의 판화집은 전국 각처에서 날개 돋친 듯이 팔려 나갔다. 그가 새긴 부처의 얼굴들로 달력이 만들어지고 사찰용 그림엽서까지 제작되었다. 출판사들은 그를 찾으려고 아우성쳤으며 화랑들은 그에게 정말 아무 이유도 없이 그저 얼굴이나 보고 싶어서, 라는 단서를 달고 술을 사주고 싶어했으며 가난한 옛 동창들은 돈을 꾸기 위해 그를 찾아다녔고 그가 예전에 사귀던 여자들은, 헤어지고 나서 분명 다른 여자를 만나지 않겠다고 맹세한 그가 약속을 지키지 않은 이유를 따지려고 그를 찾았다. 신문에는 베스트셀러 1위에 진입한 그의 화집 광고가 날마다 일면에 실렸고 사람들은 따분한 정치기사보다는 일면 하단에 통단으로 실린 그의 광고를 더 먼저 보았다. 그 광고에는 그가 새긴 부처의 일그러진 얼굴과 그의 사진이 나란히 붙어 있었다.

그 무렵 그는 한 신문사의 문화부 망년회에 갔다. 그는 예전보다 더 핼쑥한 얼굴이었고, 어딘가 모르게 불안해 보였으며 될 수 있는 대로 말을 하지 않으려는 기색이 역력했다. 그러자 사람들은 그가 더 그럴듯하게 예술가다워졌다는 느낌을 받았다. 그들은 일차로 식사를 하고 이차로 단란주점에 갔다. 그때 한 무리의 미대생들이 한 켠에서 술을 마시고 있었는데, 그중의 한 미대생이 무대에서 노래를 부르고 있다가 기자들을 따라 들어서는 그를 보고는 분연히, 마치 광야에서 외치는 자의 소리처럼 커다란 제스처를 써가며, 잘생긴 외모를 팔아 그림을 더럽히는 일을 당장 중지하라!고 고함을 질렀다.

순간 좌중은 조용해졌다. 주인이 달려와 마이크를 뺏고 다른 미대생들이 광야에서 외치는 자의 소리를 내는 듯한 미대생을 억지로 끌어앉히는 동안에 기자들은 그의 얼굴을 뜯어보았는데 미대생의 말을 듣고 보니 정말 잘생긴 것도 같았다. 사람들은 그날 술을 먹고 즐거운 한 해를 보내고 보람찬 새해를 맞자며 건배를 했지만, 내심으로는 그가 잘생긴 것이 판매에 도움이 꽤 되었을 거라는 생각들을 했고, 작품을 가지고 승부하지 않고 잘생긴 외모를 가지고 아줌마 부대를 끌어들여 성공한 것이 천박하게 생각되었으며 생각하면 할수록 그 말이 옳은 것 같았다. 그가 정말 진정한 화가의 길을 가려고 마음먹었다면 찌푸린 사진을 게재하거나 그도 아니면 뒤통수를 게재하거나 그도 또 아니면 전시회 팸플릿이나 출판사 혹은 신문에 사진을 주지 말았어야 하는 것이 아닌가. 며칠 후 신문 문화면에는 한 시대 미술을 정리하며, 라는 기사가 실렸는데 그 한 켠에는 그의 판화를 예로 들며

요즘은 비디오시대라서 남자든 여자든 잘생긴 사람들의 그림이 그 작품의 질과는 상관없이 팔려나간다는 비평이 실린 채로 집집마다 배달되었다.

그 무렵 새로 창간한 여성지가 있었다. 그 잡지사 사주는 원래 참기름을 제조해 팔던 사람이었는데 환갑을 맞아 참기름 말고 뭔가 더욱 향기로운 문화사업을 하고 싶다는 취지를 밝힌 바 있었다. 그래서 그 여성지는 여성문화예술 교양지라는 타이틀로 창간을 준비하는 중이었다. 편집회의에서 기자들은 그를 창간호의 표지로 내세워 문화예술 교양지임을 세상에 천명하자는 데 의견을 모았다. 그래야 다른 여성지와 변별력이 생긴다는 것이었다. 더구나 그는 잘생기기까지 했으니 아줌마들이나 여대생들 혹은 오피스레이디들의 관심을 모을 수 있다는 것이었다. 기자 중의 몇몇이 그건 위험한 발상이라고 끝까지 반대를 했지만 자신이 낸 돈으로 만드는 잡지도 아닌데 끝까지 반대해봤자 데스크의 미움만 살 것이었으므로 나중에는 좋다고 해서 그것은 참신하고 좋은 의견으로 낙착되었다. 하지만 교섭은 잘되지 않았다. 그는 지난번 '실연' 건으로 이제 여성지라면 끔찍하게 생각하고 있는데다가, 화가가 미술잡지라면 몰라도 여성지의 표지가 된다는 것은 있을 수 없는 일이라고 생각하는 사람이기 때문이었다. 그가 진지한 사람이라는 소문을 듣고 그를 잘 구슬리면 일을 성사시킬 수 있다는 자신감에 사로잡혀 사장에게서 표지모델로 그를 쓰기로 결재까지 맡은 편집장은 일이 난처하게 되었다는 것을 알았다. 편집장은 자신들의 잡지가 분명 그냥 여성지가 아닌 여성문화예술 교양지인데도 불구하고 그가 통화 중에 표지모델을 할 수 없다고 고집을 부리면서 여성지, 여성지, 하는 바람에 화가 나서 다른 평기자들이 야근을 하는 동안 가까운 술집으로 나가 술을 마셨는데 거기서 뜻밖에도 이 난관을 벗어날 이야기를 듣게 되었다. 그와 술을 마신 상대는 일간지 기자였는데 일간지 기자는 혹시 그가 기독교 신자라면 참 재미있지 않겠느냐는 농담을 했다. 편집장은 술이 번쩍 깨는 기분이 들어 잡지사로 돌아왔고, 급하게 몇 군데 전화를 해보고는 회심의 미소를 지었다.

그다음 달, 창간호를 낸 그 여성지는 주요 신문의 일면에 언제나 실리던 그의 판화집 광고를 이면으로 제쳐버리고 창간 광고를 실었는데 톱뉴스는 바로 그에 대한 기사였다. "실제로는 기독교 신자였던 그 화가의 독점고백, 불교계 신도들 충격에 휩싸여"라는 제목이었다. 사람들은 일면에서 그 광고를 읽고는 정말 충격에 휩싸여야 되나 어쩌나 하면서 이면으로 신문을 넘겼다. 고뇌에 찬 부처의 얼굴이 그의 얼굴과 함께 이면의 통단광고로 실려 있었다. 사람들은 그가 이런 이중성 때문에 이토록 괴로운 부처상을 그려낼 수 있다는 것을 깨달았다. 그들은 주식시세가 실린 기사를 펴놓았다. 그날은 주가가 곤두박질친 날이었다. 사람들은 오늘 내가 잃은 돈이 얼마인가를 계산하느라 정말로 충격에 휩싸여버렸다.

"실제로는 기독교 신자였던 화가 독점고백, 불교계 신도들 충격에 휩싸여"라는 그 잡지의 기사는 주의 깊게 읽어보면 그가 집에 가는 길에 다섯 군데나 되는 교회 앞을 걸어간 것을 보았다는 것이 그 요지였다. 기사 한 켠에는 전문가의 의견을 듣습니다, 라는 박스가 있었는데, 전문가는 전문가답게, 요즘 신도시의 버스정류장에서 내리면 집까지 보통 대여섯 군데의 교회가 있는데 그 앞을 걸어간 걸 가지고 우리들이 그를 신자라고 할 수는 없고 조금 더 지켜보자고 했다. 불교계의 반응 또한 처음에는 조금 놀랐지만 다 같이 신성한 종교이고 사람이 잘살자고 하는 짓인데 뭐 문제될 거 있냐는 것이었다. 다만 불교계는 신도시 버스정류장에서 내려 집까지 걸어가는 동안 다섯 군데쯤 되는 절이 생기도록 노력하겠다는 멘트를 덧붙였다. 기사는 젊은 그의 앞날이 더욱 번창하기를 바란다는 말로 끝났다.

이 기사까지 읽은 그는 점점 소심하게 변해갔다. 버스를 타면 버스 안에서 지하철을 타면 지하철 안에서 술집에 가면 술자리에서 사람들은 노골적으로 그를 보고 수군거리는 것 같았다. 한번은 길을 걸어가는데 어떤 술 취한 남자가 갑자기 주먹으로 그를 때려눕혔다. 그는 때마침 개봉된 영화 〈똑바로 살아라〉 포스터 앞에서 정신을 잃었고 경찰이 그를 구해준 일도 생겨났다. 나중에 밝혀진 일이지만 그 술 취한 남자는 그가 유명한 화가인 줄은 전혀 몰랐으며 불경기로 사업이 되지 않는데다가 마누라까지 속을 썩여서 누구든 패고 싶었는데 마침 골목길에 그가 나타난 것뿐이라고 말했다. 그러자 이건 너만 알고 다른 데 가서는 말하지 마라, 라는 단서를 단 말들이 퍼졌는데 그가 똑바로살기운동협회 회원들에게 정식으로 고소를 당해 경찰에서 조사를 받는다는 것이었다.

그는 점점 사람을 기피하는 증상이 심해져서 파주의 한 농가를 개조한 작업실에서 낮에도 문을 잠그고 커튼을 내린 채로 박혀 있었다. 마을 사람들의 증언에 의하면 그는 가끔 벽에 붙여놓은 서양 사람들의 조그만 사진을 향해 두 손을 모으고는 중얼중얼한다고 했다.

그 무렵 대학 시절부터 그를 아끼던 한 선배가 그를 방문했다. 선배가 보기에 그는 몹시 불안해 보였다. 그는 그를 둘러싼 무성한 소문을 들었을 때는 아니라고 생각했지만 막상 그의 얼굴을 마주 대하고 보니 그가 성공하자 옛 여인을 버렸고, 기독교도로서 부처를 그린 위선자일지도 모른다는 생각을 잠시 했다. 아니면 그가 이토록 불안할 리가 없었다. 자신은 그를 십 몇 년 전부터 알고 있긴 했지만 원래 한 길 사람 속은 모르는 법이 아니던가. 그래서 선배는 불안한 그의 어깨를 두드리며, 나와서 사람들과 인사를 하고 즐거운 이야기를 나누어라, 화단이라는 것이 좁아서 자주 나오는 사람들에게는 심한 욕을 할 수가 없다, 왜냐하면 내 말을 들은 사람이 내일쯤이면 내가 욕한 그 사람을 만날 수도 있고 그렇게 되면 둘이서 자신의 욕을 할지도 모르니까, 하지만 나타나지 않는 사람의 욕은 얼마든지 할 수 있다는 요지의 충고를 했다.

선배가 돌아간 뒤, 그도 잠시 마음이 흔들렸다. 도대체 자신이 무엇을 잘못했는지 알 수 없었는데 선배의 말을 들으니 이제 자신의 잘못이 분명해졌던 것이다. 그래서 그는 다시 사람들과 어울리기 시작했다. 이제 화단에는 자신이 아는 얼굴보다 모르는 얼굴이 많았지만 그래도 그는 열심히 나가서 진지하게 그들과 어울렸다. 그러자 며칠 후 PC통신의 미술동호인란에는 다음과 같은 논쟁이 벌어졌다.

"그는 매우 정치적인 사람이다. 그가 그의 그림을 왜 그렇게 잘 팔았는지 이제 알겠다. 내가 그를 한 번 보았는데 그는 술자리에 들어오자마자 평론가들과 다른 화가에게 열심히 눈을 맞추며 공손한 척 인사를 하더라. 그는 매우 정치적인 사람이다."

그러자 그다음 날 그것을 반박하는 글이 떠올랐다.

"그렇지 않다. 그는 자신이 매우 잘났다고 생각하는 거만한 인물이다. 그의 안하무인에 온 미술계가 치를 떨고 있다. 내가 저번에 그를 만났는데, 그는 좌중을 본체만체 잔을 돌리지도 않고 혼자서 급하게 술을 따라 제 갈증만 채우고 있더라."

4

　그 무렵 그는 어떤 술자리에 갔다가 PC통신에 실린 자신에 대한 글 이야기를 듣게 되었다. 그는 그 후로 술자리에서 인사를 할 수도 안 할 수도 없었고, 술잔을 돌리지도 안 돌리고 혼자서 마시지도 못한 채 불안하게 사람들 눈치만을 살폈다. 사람들은 그가 좀 이상한 사람이 라는 것을 대번에 알아차렸고 점점 그를 기피하기 시작했다. 그는 다시 앓아누웠다. 나이 탓인지 이번의 몸살은 꽤 오래갔다. 그는 자리에 누워 자신이 숭배해 마지않는, 불행했던 화가들의 사진을 보면서 자신을 반성했다. 자신이 그들에게 했던 맹세를 잊고 세속의 일에 신경을 너무 썼던 것이다. 그는 눈물을 흘리며 그들을 향해 자신의 잘못을 뉘우쳤고, 이제 이 병에서 자리를 털고 일어나면 정말로 열심히 그림만 그리겠노라고 스스로에게 맹세했다. 그러다보면 진실은 언젠가 밝혀질 것이었다. 하지만 그런 맹세 뒤에도 그는 몇 달 동안 조각도를 잡지 못했다. 그는 벌써 근 몇 년째 작품을 내지 못하고 있었던 것이다. 그러는 동안 눈먼 강물들이 서로의 손을 잡고 더듬거리며 뭐 가다 보면 바다가 나오겠지 하며 흘러갔고, 대개는 바다로 갔다.

　그해는 마침 미술의 해였다. 문화부 장관은 미술에 대해 별 관심도 없었고 관심이 있을 필요도 없다고 생각하는 사람이었는데 어느 날 골프에서 돌아와 오랜만에 차관의 보고를 받았다. 차관은 자신을 끼워주지 않고 혼자만 골프를 치러 다니는 장관이 괘씸했지만 겉으로는 표정을 바꾸지 않은 채 미술의 해에 배정된 예산이 너무 많이 남아 곤란하다는 이야기를 했다. 장관은 왜 미술 쪽에 예산을 그리 많이 배치

했느냐고 불같이 화를 냈다. 그러자 차관은 자신을 끼워주지 않고 혼자서 골프를 치러 갔다 온 것도 얄미운데 화까지 내는 장관이 더욱더 괘씸했지만 올해는 어쨌든 미술의 해이고 예산이 많이 편성된 것이 아니라, 예산을 하도 쓰지를 않아서 그렇다고 이번에는 좀 퉁명스레 대답했다. 문화부 장관은 방금 전 내기에서 진 골프의 필드가 눈에 뱅뱅 돌아서 건방진 차관의 태도에 신경을 쓸 겨를이 없었다. 분명 그가 이기기로 짜고 친 내기골프였다. 그런데 그놈의 신문사 사장이 마음이 변했는지 악착같았던 것이다. 그는 그 신문사 사장의 태도를 보고 장관 경질이 곧 있을지도 모른다는 것을 확신하고 있었으니 예산이 얼마가 남든 상관할 바가 아니었던 것이다. 문화부 장관은 그 정도 일이야 자네가 알아서 하라고 화를 냈고 차관은 돌아와 국장에게 화를 냈으며 국장은 과장에게, 과장은 주사에게, 주사는 막 공무원 시험에 합격한 신참내기에게 화를 내며 그 정도의 일은 자네가 알아서 하라고 소리쳤다. 신참내기는 하는 수 없이 이 예산을 어디에 쓸까 궁리하다가 조카가 글짓기하는 것을 보고 힌트를 얻어 남은 예산 모두를 상금으로 걸고 "미술에 대한 아무 글이나 공모함"이라는 기사를 신문에 냈다.

그래서 전 국민을 대상으로 '미술에 대한 아무 글'이 현상공모되었다. 지하철에서 이 광고를 읽은 미술평론을 전공하던 한 여자 대학원생은 그 신문을 버리지 않고 집에 가지고 돌아와 밤새 곰곰 생각에 잠겼다. 대학을 졸업하고 대학원에 진학할 때까지만 해도 그녀는 미술평론을 하는 교수가 되고 싶었다. 그녀는 밤잠을 자지 않고 공부에 매달렸다. 하지만 가만히 살펴보니 영 가망이 없었다. 경호원을 뽑는 데도 그토록 남자만 뽑아가는 일은 없지 않을까 싶을 정도로 남자들만 교수자리에 뽑혀나갔다. 여자가 교수가 되기보다는 낙타가 바늘구멍으로 들어가는 것이 쉬울 것이었고 예수가 살아온대도 자신의 비유가 틀리다고는 말 못할 것이었다. 다만 한 가지 묘수가 있다고 한다면 튀어야 했다. 언론이나 책을 통해 유명해진 여자들의 경우에는 어떻게 가망이 있을 것도 같았다. 그녀는 몇몇 미술잡지에 글을 기고했지만 그저 그런 반응을 얻었을 뿐이었다. 그녀는 곰곰 생각했지만 유명해질 방법이 잘 생각나지 않았다. 그녀는 예쁘지도 않았고 날씬하지도 않았으며 짧은 다리에 뭉퉁한 얼굴을 가지고 있었다. 그러니 무슨 일이 있더라도, 대학원을 그만두고 미술공부를 작파하더라도 튀어야, 튀어야만 교수가 될 수 있을 것이었다. 그녀는 술자리에서도 튀었고 수업시간에도 튀었고 나중에는 입도 두툼하게 튀어나오도록 표정을 관리했으며 말할 때도 될 수 있는 대로 침을 많이 튀기려고 했다. 지성이면 감천이었는지, 신문을 보고 잠든 바로 그날 밤 그녀는 꿈을 꾸었다. 작고 귀여운 낙타가 검은 눈망울을 또로록또로록 굴리면서 바늘구멍으로 들어갔다 나갔다 하는 꿈이었다. 꿈에서 깨어보니 낙타의 속눈썹 길이가 3.5센티미터였다고 확신할 수 있을 만큼 생생했다. 그녀는 이것이 하늘이 자신에게 사명을 주시려고 내린 길몽이라 확신하고, 좋은 꿈은 정오까지는 발설하면 김이 샌다는 점쟁이의 말에 따라 정오가 지나기 전까지는 애인한테도 이 말을 발설하지 않으리라 다짐했다. 강의도 없고 애인과의 약속도 없었으므로 그녀는 미장원으로 가서 아주 멋진 스타일의 파마를 주문했다. 그때 미장원 여자가 그녀에게 철 지난 여성지를 갖다 주었는데 그만 그에 대한 기사가 그녀의 눈에 띈 것이었다. 부처만 그리던 그가 기독교도라는 제목의 바로 그 기사였다. 그렇다. 이미 유명해진 사람을 붙들고 튀면, 뛰어오를 수 있을 것이다!

그녀는 문화부가 예산을 마저 다 쓰기 위해 주최한 '미술에 대한 아무 글' 공모에 당당하게 장원으로 당선되었다. 당선된 논문의 제목은 "튀려고만 애쓰는 이 시대 미술을 슬퍼함"이었는데 '전통의 가면을 쓴 상업주의의 파멸'이라는 부제가 붙어 있었다. 심사평에 의하면 그녀는 힘차고 당찬 신세대 특유의 논조로 그의 그림의 문제점들을 날카롭게 혁파해갔다고 했다.

그녀는 기존 미술계가 그를 옹호하고 있는 것은 상업주의와의 결탁이며 그가 상업주의와 결탁하기 위해 순정한 애인을 버린 것은 물론 자신이 기독교도임을 숨겨온 것은 다 아는 사실이라고 했다. 게다가 기존의 화랑과 출판사 들은 그의 잘생긴 얼굴을 이용하고 있는데, 이는 비단 한 작가의 문제일 뿐만 아니라 이 시대 예술의 도덕적 타락을 보여주는 슬픈 세태라고 했다. 한때 그는 민중미술을 지향한 젊은이였음에도 불구하고 그의 그림을 보면 그가 도대체 인간에는 관심이 없고 오로지 부처에게만 관심이 있으니 이것이 그의 한계이자 이 시대 젊은 예술가들의 한계를 드러내는 것이라고 썼다. 그녀는 하지만 이 화가는 아직 젊고 앞날이 창창하니 좀 더 애정을 가지고 지켜보아야 한다, 라는 말로 글을 맺었다.

심사위원들은 사실, 그녀의 글이 논리의 비약이 심하고 감정에 치우친 것이라는 것을 알고 있었으나, 문화부의 의도가 원래 대중들에게 문화부가 얼마나 미술을 육성하려고 애쓰는지 알리는 것이 목적이라는 것을 귀에 못이 박이게 들었고, 공모의 제목이 '아무 글'이나 써도 되는 것이니 학위를 주듯 책임질 일도 아니었고, 더구나 당선자가 여자라면 자신들의 진보성도 은근히 드러낼 수 있을 것 같아서, 더더구나 당선작이 나와야 막대한 심사료를 받을 수 있었으므로, 그리고 더더군다나 어차피 관에서 주도하는 일이 그렇고 그런 것이란 의견의 일치를 보고는 대중적으로 유명한 젊은 그를 대상으로 한 그녀의 글을 뽑았던 것이다.

그래서 잡지에 그녀의 기사가, 그의 대문짝만 한 얼굴과 함께 실리고 아홉 시 뉴스에도 그녀의 얼굴과 그의 얼굴이 나왔으며 신문에도 그녀의 글이 그의 사진과 함께 게재되었다. 그는 어느덧 튀려고만 애쓰는 이 시대 미술의 표본이 되어 전 국민의 입에 오르내렸다.

문을 걸어 잠그고 커튼을 내리고 조각도만 잡고 있던 그는 날마다 헛소리를 내며 앓았다. 언젠가 그를 찾아왔던 선배가 다시 그를 찾아왔다. 선배는 그의 하소연을 듣고는 남 탓을 하지 말고 자기 자신을 먼저 반성해야 한다고 했다. 사실 네가 전시회를 열면서 은근히 작품이 잘 팔렸으면 하고 바란 것이 아니냐, 가슴에 손을 얹고 그런 점을 반성해야 한다고 말했다. 하지만 그 선배는 그와 만나기 전에 아내와 함께 자신의 빤스와 러닝을 가지고 무당에게 가서는 빤스와 러닝을 찢어 액막이를 하고는, 자신의 이번 개인전이 제발 성황을 이루어 작품을 많이 팔아 집을 사게 해달라고 빌고 왔다는 말은 하지 않았다. 그 선배는 갑자기 자신의 작품세계를 바꾸어 일그러진 예수의 얼굴을 그린 전시회를 열 예정이었는데 그 선배는 그 준비를 위해 지난달부터 아내를 교회의 여신도회에 들도록 했던 것이다.

선배가 돌아간 후 그가 곰곰 생각해보니 선배의 말에는 일리가 있었다. 자신은 화가였고 예술가였다. 전시회를 열면서 작품이 많이 팔리기를 은근히 바란 것도 사실이었다. 그러다가 이 꼴이 된 것이었다. 자신은 죄인이었다. 그는 이제 그림에 대한 열정보다 자신에 대한 소문이 괴로워서 아무 일도 할 수 없는 지경이 된 것이 그에 대한 벌이라 생각하고 한 번만 더 예전의 열정이 살아와준다면 일곱 번씩 일흔 번이라도 참회를 할 수 있을 것 같았다. 세상의 평판 따위는 사실 아무 문제도 아니었다. 자신이 참회하느냐 아니냐가 문제인 것이다. 그는 오뚝이처럼 다시 일어섰고 그러던 어느 날 드디어 새로운 판화 49점을 가지고 화랑가에 나타났다.

사람들은 처음에 그것이 정말 그인가 의심했다고 한다. 아무렇게나 기른 머리가 어깨까지 내려와 있고 몸은 야윌 대로 야위어 흉측해졌다. 다만 진지하게 빛나는 그의 눈빛만이 그가 그라는 것을 겨우 알아보게 하였다. 그는 자신을 대하는 화랑의 태도가 이전과 같지 않다는 것을 느끼고 있었지만 이번에 조각한 49점의 아기부처의 얼굴은 그 자신이 보아도 마음에 흡족한 것이었으므로 그답지 않게 두 시간 동안 아기부처를 그리게 된 이유를 말할 수 없이 진지하게 설명했다. 화랑 주인은 그가 이야기를 하는 동안 코를 후비고 전화를 받고 싶다는 애인에게 한 번만 더 만나자고 애원을 하고 커피를 날라오는 급사에게 신경질을 부리고 하다가 못마땅한 어투로 그럼 속는 셈 치고 한번 전시회를 열어보자고 했다. 속는 셈 치자고 말한 것은 요즘은 대중들의 변덕이 하도 심해서 자신도 도무지 종잡을 수가 없다는 것이었다. 그는 목판에 물감을 칠하고 표구를 하고 하느라 자주 거리를 오갔다. 자신을 바라보는 사람들의 표정이 예전과는 달라진 것을 눈치챘지만 그는 그림 이외에는 아무것도 신경 쓰지 않으리라 다짐했다. 표구점에 있는 아가씨가 그를 보더니 약간 애매한 얼굴로 생각보다 코나 입이 그렇게 튀어나오지는 않으셨네요, 하며 웃었다. 그는 그게 아니라, 하고 설명하려다가 선배의 말을 떠올렸다. 화가는 그림만 잘 그리면 될 일이었다. 게다가 모든 것은 내 탓이었다. 그는 아가씨의 말에 크게 신경을 쓰지 않기로 했다.

그리고 전시회가 열렸다. 거짓말처럼 전시회장에는 아무도 오지 않았다. 불교신도회는 부처를 그려 돈을 번 그가 기독교도인 것이 괘씸해서 오지 않았고, 기독교신도회는 그가 기독교도이면서 부처를 그리는 것이 못마땅해서 오지 않았다. 여자들은 그가 오래도록 사귀어오던 여자를 성공하자 버린 것에 대해 분개해서 오지 않았고 남자들은 그가 잘생긴 것이 기분 나빠 오지 않았다. 이발소 주인들은 그의 그림의 모작들을 얼마든지 구할 수 있으므로 오지 않았고 평론가들은 튀려고만 애쓰는 이 시대 미술의 타락한 표본인 그 화가의 전시회라서 오지 않았다. 화랑 주인은 한물간 그를 아직도 믿고 있었던 자신의 경영적 무감각에 화가 나 오지 않았고 그는 중병이 나 누워버려서 오지 않았다. 그러던 어느 날 딱 한 사람이 거짓말처럼 문을 열고 화랑에 나타났는데 바로 화랑 주인이었다. 화랑 주인은 오랫동안 생각했다는 듯한 얼굴로 뚜벅뚜벅 들어와 에어컨 스위치를 꺼버리고는 곧바로 나가버렸다. 유일하게 화랑에 나오는 사람인 화랑의 급사는 바람 한 점 불지 않고 개미 한 마리 오지 않는 화랑에 이 주일 동안이나 우두커니 앉아 있어야 했다. 이런 그림은 얼마든지 있었다. 이발소에 가도 있고, 미장원에 가도 있고, 카페에 가도 있고, 달력에도 있고 엽서에도 있었다. 흔해빠진 그림을 그리는 이 화가 때문에 비 오듯 땀을 흘리며 앉아 있는 자신이 한심해서 급사는 눈물이 다 나왔다. 이게 다 그 화가 탓이었다.

다음다음 날, 이건 정말 너만 알고 있어라, 하는 단서를 단 말이 왁자하게 퍼졌는데 그가 중병을 앓고 있어서 곧 죽을 거라는 것이었다.

의사도 알 수 없고, 한의사도 알 수 없고, 기공치료를 하는 사람도 알 수 없는 병으로 그는 한 달째 송장처럼 말라가고 있었다. 그 무렵 선배가 다른 이들 둘을 데리고 작업실 앞에 모습을 나타냈다. 그들은 모두 검은 양복을 입고 안주머니에 "근조"라고 쓰인 흰 봉투를 하나 씩 넣고 그의 작업실을 노크했다. 그는 몹시 아파 겨우 눈을 뜨고 있었다. 그들은 그가 살아 있는 것을 보자 충격에 싸여 한동안 말을 잃었다. 그중의 하나는 미술잡지에 "아깝게 요절한 우리 시대 마지막 진정한 화가"라는 제목으로 이미 죽은 그에 대한 회고담을 부치고는 원고료를 선불로 받아가지고 오는 길이었고, 다른 하나는 그가 죽으면 작품 값이 배는 뛸 것으로 예상하고 빚을 얻어 그의 작품을 열 점이나 사들이고 오는 길이었으며, 다른 하나는 그의 추모전시회에 오는 젊은 화가들을 상대로 다음번 미협 회장 선거에 당선되기 위한 선거운동을 하려는 심산이었다. 하지만 어쨌든 그는 살아 있었다. 충격에 휩싸인 것도 잠깐, 그들은 난감했고 그가 괘씸했다.

하지만 그들 셋 모두 자신의 속마음을 다른 둘에게 들켜서는 안 되므로 애매하게 미소를 지으며 그가 살아 있어서 정말 기쁘다고 이구동성으로 이야기했다. 그러자 더 할 말이 없어서 머뭇거리고 있는데 그들 중 하나가 그를 위로해주어야 한다고 했고 다른 두 사람 역시 그 말이 맞다고 했다. 그래서 그를 어떻게 위로할 것이냐는 문제를 두고 세 사람은 제각기 다른 의견으로 갈라졌는데, 한 사람은 그에게 유명해지면 누구나 구설수에 오르는 법이니 크게 상심하지 말고 사내답게 툭툭 털고 일어나라고 말했다. 하지만 다른 이는 달랐다. 그는 이제부

터라도 늦지 않았으니 이 일을 거울삼아 원만한 인간관계를 맺어야
한다고 했다. 그리고 그보다 더 중요한 것은 그렇게 인사도 다니고 예
의 바르게 술자리도 참석하고 강연에도 참석하고 바자회에도 참석하
고 여성지의 표지모델도 되면서 오직 그림에만 몰두하라는 것이었다.
두 사람은 툭툭 털어야 한다는 쪽과 원만해야 한다는 의견을 두고 소
리 높여 싸웠다. 하지만 그 목소리들은 공허했다. 왜냐하면 그가 죽어
야만 일이 제대로 될 것이기 때문이었다. 나머지 한 사람은 두 사람이
소리 높여 자신의 의견이 옳다고 싸우는 것을 보고, 그가 죽는 것이
제일 좋겠지만 그의 눈빛이 아직 초롱한 것으로 보아 죽으려면 너무
나 많은 세월을 더 기다려야만 할 것 같아서 우선 싸우는 두 사람 중
한 의견이 우세해지면 거기에 동의하리라 생각하고 표정을 관리하며
앉아 있었다. 그러자 누워 있던 그가 진지한 목소리로 깊은 생각에 잠
긴 듯 앉아 있는 사람에게 의견을 물었다. 그는 그의 질문을 받고도
한참 동안 진지한 표정으로 앉아 있다가 무겁게 입을 열었다.

　―사람은 결국 혼자가 아니겠나.

　그러자 툭툭 털어버리라고 주장하던 쪽과 그래도 원만해야 한다는
쪽이 모두 입을 다물면서 그 말이 맞다고 했다. 세 사람은 서둘러 그
를 혼자 남겨두고, 안주머니에 든 "근조"라고 쓰인 봉투의 돈으로 단
란주점에 가서 노래를 부르고 아가씨들을 껴안고 폭탄주를 마시고 대
취해버렸다. 그 바람에 그들은 잡지사나 미협에 그가 아직 살아 있다
고 전화를 거는 것을 잊어버렸다. 그래서 그의 추모전시회는 며칠 후
예정대로 진행되었고 일주일 후, 요절한 그의 그림을 추모하는 잡지
가 발간되었다. 추도회장에서 마주친 세 사람은 누가 묻지도 않았는
데, 그날은 너무 취한 바람에 아침의 일부터 하나도 기억이 나지 않는

다는 말을 했고, 다른 한 사람은 어쩌면 선생도 나와 똑같으냐며 반색을 했다. 또 다른 한 사람은 둘이 예전과는 다르게 싸우지도 않고 의견이 일치하는 것을 보고는 표정을 관리할 새도 없이 그 말이 맞다고 했다.

이런 사실도 모르는 그는 사람은 결국 혼자가 아니겠느냐는 말을 진지하게 고민하며 그 후로도 오랫동안 혼자서 앓아누워 있었다. 진실이란 언제든 밝혀질 것이니 어서 털고 일어나 이번에는 아이들을 조각하고 싶었다. 고통으로 일그러진 아이들의 얼굴, 손과 발 그리고 몸뚱이.

그것도 모르는 사람들은 가끔씩 술자리에서 그의 이야기를 했다. 그가 천벌을 받은 것 같다는 소문이었다. 불교계에서는 그가 기독교도임을 숨겨서 천벌을 받았다고 하고 기독교계에서는 기독교도이면서 우상인 부처를 그렸으니 천벌을 받았다고 하고 여자들은 그가 순정한 옛 애인을 버려서 천벌을 받았다고 했으며 남자들은 조금 잘생긴 걸 가지고 뽐내다가 천벌을 받았다고 말했으며 그가 예전에 사귀던 애인들은 맹세를 지키지 않아 천벌을 받았다고 말했고 그에게 돈을 꾼 친구들은 그가 돈을 그냥 주지도 않고 빌려준 죄로 천벌을 받았다고 했다. 하지만 그들은 이건 그저 남의 말을 하기 좋아하는 사람들의 말이므로 크게 신경을 쓰지 말아야 한다고 했고, 다른 하나는 우리는 지성인들이니 그 말이 옳다고 했다. 그들은 그가 죽었으니 하는 말이지만, 그는 좋은 사람이었고 참으로 겸손하고 진지했으며 진정으로 이 시대를 괴로워한 예술가였다고 했다. 그래서 그들은 그 좋은 화가의 판화를 놓쳐서는 안 되므로 모두 한 점 이상씩 그의 작품을 소장했고 그 좋은 화가의 작품 값이 점점 오르고 있는 것은 너무나 당연하다는 말도. 빼놓지 않았다.

그랬다. 그는 진지하고 열정적인 사람이었다. 그런데 그는 죽었을까?

---

*출처: 《존재는 눈물을 흘린다》(창비 1999) 중에서

| 수상 소감 · 문학적 자서전 |

대상 수상 작가 공지영의
수상 소감과 문학적 자서전

수상 소감 _ 백지 앞, 자유로운 희망

아직도 백지 앞에 앉으면 "대체 소설은 어떻게 쓰는 걸까?" 막막하지만
나는 앞으로도 더 자유롭게 희망을 노래하련다.
인간은 그리 작은 존재가 아니고, 삶은 한 번쯤 도전해볼 만한 가치가 있는 것이며,
사람들 사이의 연대는 소중한 것이다……라는 희망을.

문학적 자서전 _ 나의 치유자, 나의 연인 그리고 나의 아이들

이렇게 글을 쓰고 있다. 행복하다.
아니, 글을 쓰는 한 나는 최소한 불행해지지는 않을 것이다.
글은 내 소녀 시절에 그랬던 것처럼 다시 내 스승이고
내 친구이며 고해신부이고 치유자이며 내 연인, 그리고 내 아이들이다.

백지 앞, 자유로운 희망

참 이상하다. 삶이 날 얼마나 사랑하기에 열망했을 때는 주지 않고 다 내려놓으면 이렇게 주는 걸까? 버려도 버려도 누군가 밤새 분리수거해서 다시 내 가슴 한복판으로 가져다 놓은 것처럼 돋아나는 내 헛된 욕망들을 그래도 부지런히 내다버린 정성을 하늘이 조금은 알아주었나 보다.

연락을 받은 날은 아주 추운 날 아침이었는데 집을 나서다 말고 소식을 들었다. 찬바람이 뺨에 부딪히는데 섬뜩하지 않은 것을 보고 생각보다 내가 많이 기뻐한다는 것을 알았다. 세상은 춥고 죽음은 도처에서 우리를 엄습해오지만, 아직도 백지 앞에 앉으면 "대체 소설은 어떻게 쓰는 걸까?" 막막하지만 나는 앞으로도 더 자유롭게 희망을 노래하련다. 인간은 그리 작은 존재가 아니고, 삶은 한 번쯤 도전해볼 만한 가치가 있는 것이며, 사람들 사이의 연대는 소중한 것이다……라는 희망을.

심사위원 선생님들, 새해 복 많이 받으세요. 그리고 저를 지켜주었던 독자분들, 선생님 때문에 우리 엄마와 화해했어요, 선생님 때문에 제 인생이 바뀌었어요, 선생님 때문에 자살하지 않았어요…… 그런 말들로 이미 내게 큰 상을 주었고 나를 울게 만든 수많은 독자들과 이 기쁨을 함께하고 싶다.

나의 치유자, 나의 연인 그리고 나의 아이들

~〈동트는 새벽〉

한 번도 소설가가 되겠다는 생각을 한 적이 없다. 글은 생활하고는 별개의 것이라 생각해서일까? 무언가 글을 쓰는 사람이 되리라는 생각은 했지만 그게 소설이라고는 생각해본 적이 없다는 것이다. 하지만 내가 두 다리로 일어설 무렵부터 글은 내 인생에 끼어들어 나를 점령한다. 활자와의 첫 기억은 세 살 무렵일 것이다. 나보다 다섯 살 많은 오빠가 초등학교 1학년이었으니까. 오빠가 학교에서 돌아와 란도셀이라고 부르던 가방을 대청마루에 툭 던져놓고 놀러 나가면 나는 살금살금 다가가 그 가방을 뒤졌다. 국어라고 부르는 책과 도덕이라고 부르는 책에 글씨가 제일 많다는 것을 알고 있었기에 그 두 책을 꺼내놓고 들여다보다가 이, 라는 글자, 가, 라는 글자, 다, 라는 글자가 제일 많이 등장하고 또 쓰기 쉽다는 것을 알고 연필로 백지에 그것을 베껴 쓰며 놀았다. 우리 집은 그리 어려운 살림살이가 아니어서 소꿉도 있었고 인형도 있었고 집짓기 블록 같은 것도 있었는데 세 살짜리 아이가 앉아서 오빠가 행여 밖에서 돌아와 왜 내 가방을 뒤지냐고 화를 낼까 조마조마하면서 그런 놀이를 하고 있었다는 것을 생각하면 지금도 약간 의아하다. 어쨌든 그 무렵 혼자서 그렇게 익힌 글씨를 외우고 곧 책을 읽어내려간다. 한글을 배운 게 아니라 한글이 내 몸으로 그냥 그렇게 스며들어버린 것이다. 그러고는 닥치는 대로 활자를 읽는다. 동화책은 물론이고 화장실에 뒹굴던 《선데이서울》, 피아노 레슨을 기다리는 동안 거기 뒹굴던 《주부생활》…… 어른들의 세계를 이차원적 활자로 여과 없이 섭렵하고 나서 나는 터무니없이 스스로를 조숙하다고 생각했다. 이 잘못된 판단이 마흔이 되어서야 깨어지는데 조숙 혹은 성숙은 철저히 삼차원적 문제였다는 것을 알아차리게 된 것이다.

다른 모든 작가가 그러하듯이 글과 가까운 재능은 곧 사람들의 눈에 띄게 되고 학교 대표로 자주 불려나간다. 아이들이 모두 공부하고 있는 길고 조용한 복도를 조용히 걸어 나 혼자 학교 밖에서 열리는 대회에 나가는 것이 좋아 적극 참여한다. 몇 번의 상을 타고 고등학교 때는 모 대학에 입학할 자격도 얻는다. 그러나 글짓기대회의 용도는 수업을 빠질 수 있는 합법적 권리 외에는 아무 의미가 없다. 오히려 식구들이 모두 잠든 밤, 혼자서 노트를 꺼내 사각사각 글을 쓰는 시간이 그렇게도 행복하다. 커다란 노트 몇 권에 시를 쓰고 그림을 그리고 장편을 구상하고 단편을 쓴다. 글은 내 스승이고 내 친구이며 고해신부이고 치유자이며 아직은 만나지 못한 내 연인이다.

연세대 입학 후, 《연세춘추》에 발표하는 시로 약간의 명성을 얻는다. 공지영이 누구냐고 묻는 사람들이 생겨나고 팬레터를 받기 시작한다. 내친김에 친구들과 돼지갈비를 먹기 위해 여기저기 현상금이 있는 곳에 응모해 돈을 번다. 주로 시를 쓰다가 소설이 더 상금이 많다는 것을 알고 소설도 쓴다. 첫 소설 〈마리아의 초상〉이 연세지 공모에 당선된다. 그때 내가 존경하던 이선영 교수가 심사를 맡았는데 앞으로 작가로서의 재능을 충분히 엿본다, 라는 평이 가슴에 와서 박힌다. 그 무렵 평론가 홍정선 씨의 편지를 받는다. 우연히 연세지를 보다가 내 시를 발견했고 자신들의 동인지에 내 시를 싣고 싶다는 내용, 그토록 어려운 시인의 관문을 너무 쉽게 허락한다. 《문학의 시대》 2집에 시 다섯 편이 실리고 시인이 된다. 그리고 쓴 시는 이후 두 편…… 시가 써지지 않았고 방황은 길어진다. 술을 입에 대기 시작했고, 자주 게워냈다. 전두환의 압정 때문에 곳곳에서 친구들이 사라졌고 나는 자주 울었다. 그냥 도서관에서 천천히 시집을 읽고 싶었고 고흐나 세잔의 화집을 사서 책꽂이에 꽂아두고 언제든 꺼내보고 싶다는 평범한 소망은 죄책감으로 부풀려졌다. 거리에서는 날마다 최루탄 냄새가 났다. 민족문학작가회의 간사로 일하다가 몇 달 만에 그만두고 출판사 편집자로 들어갔다가 몇 달 만에 그만두고 번역으로 생계를 이어가며 대학원에 진학한다. 그리고 한 학기 만에 등록금을 낭비하고 있다는 것을 자각하고 그만둔다. 가끔 누가 나이를 물으면 스물넷이라고 대답했는데 내가 왜 마흔둘이 아니라 스물넷이지, 스스로 의아했다. 백만 년쯤 세상을 살아버린 듯 모든 것이 지루하고 고통스러웠다. 시대의 압력에 밀려 스스로 공장으로 가서 노동운동에 참여하기로 결정한다. 그리고 떠난 공장에서 한 달 만에 해고. 우연히 들른 농성장에서 경찰에 체포되고 며칠 후 백여 명의 여자들 중 혼자, 정말 혼자, 넓은 유치장에 남는 경험을 한다. 책도 없고, 아무것도 없는 그 겨울. 먼지가 풀썩이는 담요를 뒤집어쓰고 추위에 이가 딱딱 부딪치게 떨며 스물넷의 여자가 혼자 앉아 아무것도 하지 않은 채 일주일을 보낸다. 그때 내 마음 깊은 곳에서 소설이라는 단어가, 최루탄과 경제학과, 끌려간 친구와 변사체로 발견된 친구와 고문 후유증으로 미쳐버린 선배의 괴로운 형상들을 뚫고 심연에서 솟아나와 찬 대기를 접하고는 머리를 부르르 떠는 푸른 용처럼 솟구쳐오른다. 그것은 내 평생 처음 맞이해보는 전율 같은 희열이었다. 드, 디, 어, 나는 내가 무엇을 하고 싶은지 알게 된 것이다. 활이 과녁의 가장 붉은 심장부를, 그 심장 안의 심장인 검은 점을 한 치의 오차도 없이 정확히 꿰뚫듯 엄청난 기쁨이 솟아올랐고, 나는 망설이지 않고 돌진했다. 그리고 돌아와 소설을 쓴다. 공병우식 한글 타자기를 사용했는데 글이 써지는 것이 아니라 내 안에서 뭉텅뭉텅 각혈처럼 터져나왔다. 타자가 빠른 내 손가락도 그 속도를 따라가기가 힘들어 몇 번을 내 가슴에게 조금만 천천히 조금만 천천히 주문해야 했다. 하루를 그렇게 앉아 있었는데 내 손에 120매짜리 단편이 들려 있었다.

《더 이상 아름다운 방황은 없다》《그리고, 그들의 아름다운 시작 1, 2》《무소의 뿔처럼 혼자서 가라》《고등어》《인간에 대한 예의》《미미의 일기》《상처 없는 영혼》《착한 여자 1, 2》《봉순이 언니》《존재는 눈물을 흘린다》

이렇게 많은 소설들을 발표하고 내 이름이 널리 알려지는 것과 비례해서 통장의 잔고는 늘어갔고 한편 그것과 반비례해서 내 인생은 나락으로 떨어지고 있었다. 나는 동물원에서 나고 자랐으나 겁도 없이 야생으로 탈출해버린 톰슨가젤처럼 무심한 정글의 잔인한 법칙에 상처 입고 다친다. 단련되어지고 피를 흘렸다. 내가 상처를 보여주면 얼마 후 그곳으로 공격이 시작되었다. 나는 점점 더 불안해지고 점점 더 숨고 싶어하며 점점 더 사람을 두려워하기 시작한다. 모든 접촉에의 차단은 나에 대한 비난들을 누룩처럼 부풀렸고 내 특질과는 아무 상관 없는 헛소문들이 내 귀에까지 자주 들려온다. 좋은 학교, 좋은 집안, 그럴듯한 외모, 젊은 여성, 이혼녀, 베스트셀러 작가, 이 반짝이는 모조구슬 같은 딱지들은 무대의상처럼 화려하고, 그 안에서 내 영혼은 썩은 내를 풍기며 곪아가고 있었다. 그런데도 쓰고 있는 나를 보며, '글은 피투성이 삶을 먹고 자라는 나무 같다'라는 생각에 전율했다. 인터뷰 중 심드렁한 목소리로 "언제든 글이 써지지 않으면 국숫집을 하고 싶어요. 저에겐 글보다 삶이 중요해요."라고 말했고, 잘난 척하는 여자의 표본으로 사람들에게 오르내렸다. 그렇게 입을 꼭 다물고 구두 소리를 또박또박 내며 걸어나와 나는 신경정신과를 찾아갔다. "더욱더 철저하게 혼자가 돼라"라는 처방을 받아들었으나 결국 그것조차 지키지 못하고 다시 삶의 격랑 속으로 흘러들어간다. 그리고 나는 결국 글마저 놓아버린다. 칠 년의 시간이 속수무책으로 흘러간다. 친구들이 묻는다. "행복하니?" 나는 대답한다. "그럭저럭 괜찮아." 친구들은 고개를 갸웃한다. "그런데 이상해. 왜 글을 못 쓰니?" 친구들의 얼굴에서 나는 내 행복이 글을 쓰지 않으면 증명될 수 없다는 것을 깨닫는다. 그리고 그 말들이 나를 아프게 한 것을 보면 그것은 진실했다. 지독하게 우울한 시간들이 흘러간다. 담배 하나를 사러 50미터 떨어진 곳에 가면서 걸을 수가 없어 차를 가지고 간다. 아무도 만나지 않았고 아무도 더 이상 나를 찾지 않았다. 작가회의 문인 명단에 내 주소는 "행불"로 표시된다. 내 인생의 중세. 결국, 나는 화형선고를 받은 마녀가 된 채로 모든 가진 것을 잃고 그곳에서 추방된다.

《별들의 들판》《우리들의 행복한 시간》《사랑 후에 오는 것들》《빗방울처럼
나는 혼자였다》《즐거운 나의 집》《네가 어떤 삶을 살든 나는 너를 응원할 것이
다》《도가니》《아주 가벼운 깃털 하나》《지리산 행복학교》

  칠 년 동안 굳어버린 손가락은 원고지 한 매를 채우지 못하고 그대
로 멈추어 선 채 공포에 질려 있다. 머릿속으로 소설의 모든 내용이
구상되어 있고 그것은 영상처럼 돌아가고 있는데 문장이, 문장이 써
지지 않는다. 식은땀이 겨드랑이에서 뚝뚝 떨어져내리고 머릿속이 하
얗게 화이트아웃된다. 생애를 두고 단 한 번이라도 내가 글을 쓰지 못
할 거라고는 상상해본 일이 없었다. 그 칠 년의 시간 동안 손에서 책
을 떨어뜨려본 적도 없다. 그런데 한 문장을 써놓고 육 개월이 흐른
다. 막 초등학교에 입학한 막내를 공부시킬 수 있을까 하는 공포가 엄
습해와서 술이 없이는 잠들지 못한다. 빚은 날마다 내 머리 위에 얹혀
있고 이제는 소소한 생활마저 불가능해질지도 몰랐다. 미국에서 조카
가 왔는데 탕수육을 시켜주지 못하고 자장면으로 대신한다. 세 아이,
세 번의 이혼. 쇠사슬처럼 무거운 생의 낙인들이 치렁치렁 내가 가는
곳마다 철렁거렸다. 아이들만 없다면 사막으로 도망치고 싶었다. 혹
은 북극, 혹은 아프리카. 나는 사슬을 끌고 천천히 말도 안 되는 문장
을 채워넣었다. 이제는 국숫집을 차릴 자신도 없었다. 나는 무능한 이
혼 여성일 뿐. 그 이상도 이하도 아니었다. 그나마 겨우 내가 할 수 있
는 것은 한때, 라는 것을 믿고 왕년에, 라는 것을 믿고 글에 매달려보
는 것이었다. 내가 조금만 더 잘하는 것이 있어도 이렇게 되지 않는
일에 매달리지 않았으련만 태어나서 책을 읽고 책을 쓰는 일 외에는

정말 아무 재주도 취미도 없었기에 어쩔 수가 없었다. 그렇게 100매를 쓰는 데 육 개월이 걸렸다. 나는 몰랐는데 그때 내 친구들과 문단의 사람들은 나를 보고 고개를 저었다고 했다. 안 돼, 라는 쪽에 패를 던지지 않은 사람이 없었다. 그런데 그렇게 힘겹게 육 개월이 지나고 다음 단편이 두 달 걸려 완성되었다. 그래도 썼다. 나이가 어린 상사에게 시달리는 재입사한 기혼 여성들처럼 나는 나의 모든 비굴을 다해 글에 아부했다. 어쨌든 책상에 앉았다, 무엇이라도 썼다. 붓을 오래 놓은 화가가 데생이 되지 않듯 손은 서툴렀지만 중요한 것은 그래도 멈추지는 않았다는 것이다. 《별들의 들판》 원고 마지막 부분을 쓰는 데 감이 화아악!!! 올라왔다. 혼신의 힘을 다해 오래전 잃어버린 내 아이를 찾아낸 것 같았다. 그날 내가 좋아하는 사람들을 다 불러내 술을 샀다. 그리고 그들이 이해하든 말든 밤거리를 걸으며 외쳤다. "이제 써져. 이제 써진다구. 다시는 손을 놓지 않을 거야. 이제 처음 알았어. 글이 나라는 걸!!"

〈맨발로 글목을 돌다〉~
이렇게 글을 쓰고 있다. 행복하다. 아니, 글을 쓰는 한 나는 최소한 불행해지지는 않을 것이다. 글은 내 소녀 시절에 그랬던 것처럼 다시 내 스승이고 내 친구이며 고해신부이고 치유자이며 내 연인, 그리고 내 아이들이다.

| 우수상 수상작 |

목욕 가는 날

정지아

1965년 전남 구례 출생.
중앙대 대학원 문예창작학과 박사과정 수료.
1990년 《빨치산의 딸》을 출간하며 등단.
1996년 《조선일보》 신춘문예에 단편소설 〈고욤나무〉 당선.
소설집 《행복》《봄빛》 등.
이효석문학상, 한무숙문학상, 오늘의소설상 수상.

빌라 입구에 들어서기도 전에 맥이 탁 풀렸다. 2층에서부터 거침없이 새나오는 고함 소리는 언니의 것이 분명했다. 엊저녁에도 언니는 수화기를 들자마자 안부인사 한마디 없이 버럭 소리를 질렀다.

"니는 엄마가 죽었능가 살았능가 궁금하도 않냐?"

손에 들고 있던 트레이닝 바지가 힘없이 주르륵 미끄러졌다. 야근을 하고 막 퇴근해 옷을 갈아입으려는 참이었다. 지난 설 직후만 해도 고질병인 관절염을 제외하고는 멀쩡하던 어머니였다. 무슨 일이냐고 차마 물을 용기가 나지 않았다. 혈압으로 쓰러진 것일까, 아니면 운동 나갔다 교통사고라도 당한 것일까. 오만 가지 생각들이 기세등등 머릿속을 휘젓고 다녔다. 의도하지 않은 긴 침묵이 화를 가라앉힌 것인지 언니가 한숨을 푹 내쉬고는 말을 이었다.

"가시내야, 암일도 없응게 숨이나 펜히 쉬그라. 각설허고, 내일은 무슨 일이 있어도 니가 와야 쓰겄다. 엄마 목욕 가는 날인디, 시댁에 일이 있어서 내가 못 가겄다. 궁게 니라도 내려와야제."

친정과 한 시간 거리의 소도시에 사는 언니는 이 주에 한 번씩 어머니와 목욕탕에 다녔다. 그게 내일인 모양이었다.

"한 주만 미루면……."

마감 때문에 주말 내내 근무라는 말을 하기도 전에 언니가 싹둑 말을 잘랐다. 말 자르는 데는 언니 따라올 사람이 없었다.

"아이, 니만 일허냐? 나도 일해야. 누구는 시간이 펑펑 남아돌아서 엄마헌티 댕긴 중 아냐? 느그 애는 어리기라도 허제. 우리 집 큰애는……."

언니네 큰아이는 고3, 게다가 언니는 고3 담임이었다. 아무리 지방이라고 해도 언니의 일상 역시 바쁠 터였다. 그래도 언니는 천성이 부지런하고 몸이 재서 나라면 석 달 열흘 해도 모자랄 일을 하룻밤에 뚝딱 해치우곤 했다. 그런 언니에게 기대 고향에 홀로 있는 어머니를 잊고 있었던 것이야 변명의 여지가 없지만 가만히 있으면 절로 고마워할 것을 굳이 제 입으로 떠들어 고마운 마음까지 싹 가시게 만드는 게 또 언니의 타고난 품성이었다.

"긍게 이번만이라도 니가 좀 오란 말이다."

"다음번에 갈게. 내일은 출근이야. 언니 시간이 정 안 되거든 그냥 어머니 혼자 가시라고 해."

"가시내가 속 펜한 소리허고 자빠졌네. 내가 열쳤다고 만날 어머니 모시고 댕기겄냐? 가지 말란다고 안 갈 양반이가니? 노친네 혈압이 높아서 혼차 때 밀고 나오면 반은 까무라진단 말이다."

"때 밀어주는 사람 있잖아. 내가 돈 줄게."

"하여간에 싹퉁머리하고는. 가시내야. 내가 돈 만 원 아낄라고 때밀이헌티 안 맡긴 중 아냐? 니가 엄마를 설득해서 때밀이헌테 때를 밀라고 허든가 니가 허든가, 양단간에 니가 알아서 해야!"

그러고는 전화가 툭 끊겼다. 생색내기 좋아하는 사람이긴 해도 언니가 자기 일을 떠맡긴 적은 별로 없었다. 그게 되레 짜증을 돋웠다. 가만두면 알아서 할 일을 자기 성질 자기가 못 이겨 도맡아 해놓고 생색을 낼 건 뭐란 말인가. 하여간 그런 언니가 내려오라면 만사 제쳐두고 내려가긴 내려가야 할 터였다. 하여 부랴부랴 다른 사람에게 일을 넘기고 새벽부터 달려온 참인데 시댁에 있어야 할 언니 목소리가 쩌렁쩌렁 3층 연립을 뒤흔들고 있는 것이다.

"이미 돈 다 줬당게! 몇 푼 허도 않는다고 내가 몇 번을 얘기했잖애. 딸네들이 용돈 한 푼 안 준 것맹키 워째 돈 몇 푼 갖고 징징거려쌌소. 용돈 준 거 다 모다났당가 저승 갈 차비 헐라요? 맛난 것도 사묵고 사람들 불러서 멋도 멕이고 기분 좀 내고 살란 말이요, 쫌!"

언니의 고함 소리에 뒤이어 어머니가 뭐라 중얼거리는 소리가 들렸다. 듣지 않아도 뻔했다. 우세스럽게 왜 소리를 질러대냐며 눈을 흘기고 있을 터였다.

"내가 몇 번을 말해도 못 알아묵응게 글제. 소리나 잘 들린가 보씨요 쫌."

쿵쾅쿵쾅 마룻장을 울리는 언니의 걸음이 가까워졌다. 걸어오는 동안에도 언니는 씩씩거리며 혼잣말을 늘어놓았다.

"황소를 삶아 묵었능가 워쨌능가, 먼 놈의 고집이 고래심줄보다 더 씬가 몰라. 늙음시로 고집만 는당게. 아이고 징해라."

아귀가 잘 맞지 않아 삐걱거리는 현관문이 언니 목청처럼 요란하게 열렸다. 열린 문 사이로 고래 힘줄보다 고집 센 어머니의 불만 가득한 혼잣말이 밀려나왔다.

"누가 지 애비 딸 아니랠까비 승질머리허고는……. 벨라 필요도 없는 놈의 것을 멀라고 비싼 돈 들여감시로 단다고 저 지랄인가 모리겄

네. 돈이 썩어빠졌는갑다. 찾아올 사램도 없그만은……."

"아적 귀묵을 나이 아니요. 다 들리요이. 찾아올 사램이 없기는. 초
인종 달 생각을 왜 했가니? 불러도 대답이 없응게 우편배달부가 그냥
가가꼬 그 귀한 전복을 다 베레놓고는. 당뇨에도 좋고 혈압에도 좋다
길래 엄마 멕일라고 일부로 학부형헌티 부탁해서 자연산으로 산 것이
구만. 전복만 생각하면 내가 안즉도 속이 쌔름쌔름하요, 시방."

언니가 한마디도 지지 않고 따박따박 말대답을 하며 새 초인종을
연거푸 눌렀다. 귀먹은 노인네들용으로 따로 나온 건지 초인종 소리
가 빌라 입구까지 쩌렁쩌렁 울렸다.

"아이고, 고만 눌러라. 전기세 아깝다."

"걱정 마셔. 그럴까비 천 원짜리 건전지 넣는 것으로 했네. 일 년도
넘게 쓴다요. 그나저나 이 가시내는 왜 안 온다냐? 못 오먼 못 온다고
말이라도 허제."

마중이라도 나올 셈이었는지 계단참으로 불쑥 머리를 내민 언니가
자지러지게 놀라며 뒷걸음질 쳤다.

"워매. 가시내야. 간 떨어질 뻔했다. 시커먼 것이 서 있길래 귀신인
중 알았어야. 왔으먼 들어오제 거그서 멋허고 있냐?"

시댁에 일 있으니 이번에는 네가 책임지라고 종주먹을 대던 엊저녁
일을 까맣게 잊은 채 언니가 환한 웃음을 지으며 한걸음에 달려왔다.

"언니는 일이 있어 못 온다며?"

"워찌 그리 됐다. 이참에 니 얼굴도 보고 잘됐제 머."

내 손에 들린 과일 박스를 낚아챈 언니가 잰걸음으로 계단을 오르
며 소리쳤다.

"엄마! 오매불망 꿈에도 못 잊던 둘째 딸 왔소!"

언니의 고함 소리를 들었을 텐데도 내가 문 앞에 당도할 때까지 어머니는 나오지 않았다. 아니 나오지 못했다. 이제는 세상에 다시없는 반가움도 어머니의 쇠한 기력을 순간이나마 번쩍 일깨우기에 역부족인 것이다. 어린 시절, 어머니는 늘 마을 입구에서 우리 자매를 기다렸다. 몇 시에 도착한다는 기별도 하지 않았건만 어머니는 번번이 배바위 아래, 아스라이 굽이진 신작로 끝에 시선을 던져둔 채 아픈 다리를 두드리고 있었다. 길게 드리운 산 그림자 속에 고즈넉이 서 있는 어머니에게 나는 한 번도 얼마나 기다렸냐고 다정히 묻지 못했다. 괜히 마음이 울컥하여 뭐하러 나와서 청승이냐고 되레 타박이나 주기 일쑤였다. 읍내로 이사를 한 뒤에는 빌라로 올라가는 언덕길이 어머니가 나를, 혹은 언니를 기다리는 장소였다. 몇 년 전까지만 해도 언덕이 시작되는 길 초입에서 어머니는 무슨 바위인 양 우두커니 앉아 있곤 했다. 마음은 그때보다 간절하여, 어머니는 지금 다리를 절뚝이며 허겁지겁 달려나오는 중일 터였다. 스물다섯 평, 거실에서 현관까지의 거리가 어머니에게는 아득히 멀었다. 지팡이도 없이 기우뚱기우뚱 문밖으로 달려나온 어머니는 맨발이었다. 그 발이, 또 신경을 건드렸으나 무엇하러 나오느냐는 말을, 이번에는 꿀꺽 삼켰다.

"아가, 왔냐? 바쁠 것인디 멀라고 이 먼 길을 왔으까이. 니는 괜스리 씨잘데기 없는 소리를 해가꼬……."

어머니가 내 손을 붙잡아 끌며 언니를 향해 눈을 흘겼다.

"아이고, 입만 열면 둘째 타령을 늘어논 게 누군데?"

"궁금헝게 그랬제 누가 오라는 말이었가니……. 니는 시키잖은 일만……."

"알았소. 알았응게 목간이나 갑시다."

언니가 손도 재게 내가 사온 사과를 냉장고에 척척 넣으며 말했다.

"아이, 놔둬라. 고러크롬 너가꼬 되가니. 요새 사과는 신문지에 싸 놔도 메칠 못 가야."

"아이고. 상하도록 냅두지 말고 후딱 먹어치우면 되제."

"나가 혼차 월매나 묵어서. 니는 살림허는 여자가 만사 대충대충, 그래가꼬 먼 살림을 산다고……."

어머니가 사과를 바닥에 죄 꺼내고는 하나씩 일일이 신문지로 싸기 시작했다. 마주치기만 하면 개와 고양이처럼 아옹다옹, 잠시도 조용할 짬이 없는 두 사람이었다.

"아이고 참말로 못 말리겠네. 알아서 허씨요. 나도 어디 가면 알아주는 살림꾼이그만. 우리 엄마 깔끔 떠는 거야 워느 장사가 말리겠어."

성이 난 언니가 자리를 툭툭 털고 일어났다. 두 사람의 신경전은 늘 그렇듯 언니의 완패로 끝났다. 비누를 물에 불게 해놨다, 머리카락이 수챗구멍을 막았다, 책가방을 아무 데나 던져놨다, 도시락을 안 내놨다, 어린 시절, 언니는 하루에도 수십 번씩 어머니의 잔소리를 들었다. 잔소리가 지겨워 버릇을 고칠 법도 하건만 언니는 날이 밝으면 어머니의 잔소리를 깨끗이 잊었고, 친구 만날 생각에 혹은 영화 볼 생각에 아무 데나 책가방을 던져놓은 채 밖으로 달려나갔다. 그럴수록 어머니의 잔소리는 강도가 높아졌고, 언니는 천성이 그렇기도 했겠지만 어머니가 그럴수록 뻐득뻐득 어깃장을 놓았다. 말다툼의 끝은 언제나 나였다.

"둘째만 친딸이고 나는 다리 밑서 주워왔제? 긍게 죽어라고 나만 잡는 것이여, 글제? 글제? 이럴라면 멀라고 나를 주워왔능가. 둘째나

끼고 살제."

언니가 번번이 나를 물고 늘어지면 어머니는 쯧쯧 혀를 찼다.

"온냐. 니 말 한번 잘했다. 쟈가 원제 책가방 던져논 거 한 번이라도 봤냐? 쟈는 철 듦시로 지 빤스 한 번을 내 손에 안 맡겼다. 나는 쟈 월경이 원젠가도 몰러야. 니는 니 손으로 니 서답 한 번 빨아봤냐? 아이고, 황송허게 서답 빨래는 무신…… 수돗가에 휙 던져놓지나 않으면 나가 업드레 절을 했겄다. 말만 한 처녀가 낯 부끄럽도 안 헌가 원……. 니 월경 날짜는 동네 개들도 다 알 것이다, 아매."

그쯤 되면 언니는,

"누가 요로크롬 나노라고 했간디! 이것이 다 엄마 작품이여, 엄마 작품!"

버럭 소리를 지르고는 쾅 방문을 닫았다. 그런 언니가 자라 세 아이의 엄마가 되었고, 세 아이의 엄마가 된 지금도 어머니와의 다툼은 예전 그대로였다. 나도 모르게 피식 웃음이 나왔다.

"니는 불난 데 부채질허냐? 내가 열 살 묵은 애기도 아니고, 썽질이나 죽겠그마 웃기는! 후딱 인나기나 해. 목간이나 가게."

가슴이 봉긋해진 후로 나는 언니와도 어머니와도 목욕을 하지 않았다. 목욕탕 다닐 돈이 없어 너나없이 집에서 목욕을 하던 시절, 나는 행여 누가 볼세라 부엌문을 꽁꽁 걸어 잠갔다. 밖에서 어머니가 뜨거운 물을 더 부어주겠다고 해도 나는 절대 문을 열지 않았다. 워쩌믄 저런 것꺼정 빼닮았으까이. 너무 깨끔을 떨어도 팔자가 외로운 벱인디. 혹 물이 식었을까, 잠긴 문밖에서 서성거리던 어머니의 한숨 소리가 아직도 귀에 선했다.

"목욕은 무슨. 나 새벽에 샤워하고 출발했어."

"아따, 한 번씩 아조 정내미가 떨어지게 해야 니는. 누구는 샤워 못해서 목간 가잔 중 아냐? 말뽄새허고는."

"아니다. 후제 나 혼차 가도 뙹게 오늘은 그냥 집에 있자. 느그도 피곤할 텐디 쉬야제. 서울서 여그가 워딘디."

어머니가 얼른 언니를 막아 나섰다. 열 살 땐가 목욕하는 모습을 고모에게 들킨 뒤 사나흘 밥도 안 먹고 울기만 했던 나를 어머니는 아마 기억하고 있을 터였다. 아이, 정제가 침침해서 참말 암것도 못 봤어야. 결국 고모가 달려와 어르고 달랜 끝에 나는 겨우 울음을 그쳤다. 언니는 그 일을 까맣게 잊은 모양이었다. 어쩌면 언니는 나와 함께 목욕한 적이 없다는 것조차 잊었는지 몰랐다. 언니는 정말 중요한 일이 아니고는 돌아서서 잊어버리는, 산뜻하기 짝이 없는 그런 사람이었다.

"아이고. 원제는 목간 갈 때가 뙹게 근질근질해 죽겄담서? 왜? 나는 못 부려묵어 안달이등만 둘째 딸 봉게 물고 빨고 헐 시간도 모자랄 것맹키요?"

쏘아붙인 언니가 내 등짝을 야무지게 후려쳤다.

"가시내야. 엄마 가신 뒤에 나헌티 고맙다고 헐 날이 올 것이다. 긍게 잔말 말고 따라나서야."

주춤주춤 언니 뒤를 따랐다. 성큼 앞서 나간 언니는 현관 앞에서 어머니 신발을 가지런히 놓고는 귀퉁이에 놓인 지팡이를 집어들었다. 지팡이를 산 것도 언니였다. 내가 몇 번 사주겠다고 했는데도 어머니는, 아직 괜찮다, 할망구맹키 지팽이는 무신. 번번이 고개를 저었다. 늙은 티 내고 싶지 않은 어머니의 마음을 헤아려 사지 않은 것인데, 어느 추석 다니러 왔더니 어머니가 지팡이를 짚은 채 언덕 아래 서 있었다. 어머니 마음을 내 것인 양 헤아릴 수 있다고 짐작한 것이 어쩌면 내 자만이었을까.

"잡으씨요."

언니는 팔걸이라도 되는 양 자기 왼팔을 내밀었다. 어머니가 익숙하게 그 팔을 붙잡고 걸음을 내디뎠다. 계단 난간 앞에서 언니는 지팡이를 받아들었다. 어머니는 오른팔로 언니에게 의지한 채 왼손으로는 계단 난간을 짚고 걸음을 옮겼다. 나와 있을 때, 어머니는 언제나 계단 앞에서 여그서부터는 나 혼자 갈 수 있어야, 가만히 내 팔을 놓았다. 언니와 보조를 맞춰 느릿느릿 계단을 내려가는 어머니를, 천천히 뒤따랐다. 말없이도 두 사람의 행동이 더할 수 없이 자연스러웠다. 반층을 겨우 내려온 어머니가 걸음을 멈추고는 숨을 몰아쉬었다.

"업힐라요? 보는 사람 암도 없소. 업히씨요."

언니가 답삭 등을 내밀었다. 어머니는 기겁을 하며 아무도 없는 사방을 두리번거리더니 휘휘 손사래를 쳤다.

"야가 왜 이런댜? 내가 무신 얼둥애기도 아니고 업히기는……. 씰데없는 짓 고만허고 가자."

언니의 옷소매를 잡아당기는 어머니 얼굴이 반짝반짝 윤이 났다. 계단참 창문으로 쏟아지는 초여름의 햇살 탓만은 아니었다.

두어 달 전인가, 좀처럼 먼저 전화하는 법 없는 어머니가 웬일로 전화를 걸어왔다. 잘 지내지야? 안부를 묻고는 무슨 할 말이 있는 듯 어머니는 잠시 머뭇거렸다. 혹 돈이 필요한가 싶어 캐물었는데 어머니의 답이 뜻밖이었다. 생각해봉게 큰 뒤로 니를 뽀듬아본 기억이 없어야. 후제 니 오먼 한번 뽀듬아볼란다. 헐 일이 없응게 싱겁게 벨 생각을 다 허지야? 그랬는데 안아보지 못한 것은 나 하나인 모양이었다. 정다운 남편이라도 되는 듯 언니 팔에 기댄 어머니의 얼굴이 수줍은 소녀처럼 발그스름했다.

언니는 어머니를 조수석에 앉혔다. 뒤에 앉은 내가 안전띠를 매주려고 하자 언니가 끼어들었다.

"냅둬야. 굽은 허리도 아프신 것맹키고 답답해하셔서 일부러 안 맨 것이여."

나는 무참하게 손을 거뒀다. 묘한 기분이었다. 그건 언니의 말이 아니라 내 말이어야 했다. 말없이도 어머니 마음을 헤아리는 건 언제나 내 몫이었다. 언제부터 어머니와 언니가 이렇듯 가까워진 것일까.

언니의 운전 실력은 나보다 한 수 위였다. 호기심 많은 언니는 80년대 말, 선생이 되자마자 차부터 덜컥 뽑아서는 주말마다 이리저리 쏘다녔다. 경력도 경력이지만 언니 운전은 여느 김 여사들과 달리 거침이 없었다.

차가 오거리를 지났다. 읍내에는 목욕탕이 하나였다. 댓 살 무렵 간 적 있는 읍내 목욕탕은 설 전에 묵은 때를 벗기려는 사람들로 초만원이었다. 그 사람들 틈에서 하얗게 질려 어머니 뒤만 졸졸 따라다닌 게 목욕탕에 관한 내 기억의 전부였다. 그날도 언니는 부산을 떨고 다니다 어머니에게 등짝이 벌겋게 달아오르도록 맞았다. 언니 등에 남은 어머니의 붉은 손 모양이 그날의 몇 안 되는 기억 중 하나였다.

"명성탕이 아직도 있나봐."

"있기야 허제. 하도 낡아가꼬 할매들 말고는 아무도 안 가서 글제."

"명성탕이 원제적 명성탕이냐……."

어머니가 무심히 말을 받았다. 옛날 그대로 온천 표시가 그려진 낡은 명성탕 간판이 휙 스쳐갔다. 명성탕 가서 홀홀 때나 벗겼으면 쓰겠다. 한창때의 어머니는 밭일을 마치고 돌아와 대문을 꽁꽁 잠그고 등목을 할 때마다 입버릇처럼 말했다. 어머니는 몇 푼 하지 않는 목욕탕조차 맘대로 가지 못하는 세월을 살았다. 그 세월이 주름처럼 깊이 박혀 지금도 어머니는 이 주일에 한 번 이상은 목욕탕에 가지 않는다.

"쩌번에 차 수리허는 바람에 차 없이 와서 가차운 명성탕으로 갔등 만은 바가지에 때가 꼬질꼬질허드라. 우리 엄마, 의자허고 바가지 씻니라 힘 다 뺐제. 그담부터는 엄마가 나서서 쫌 비싼 온천탕으로 가자고 허신다야."

"언니가 쫌 씻어드리지."

"지는 오도 안음서 가시내가 누구를 불효자석으로 만들라고 허네. 나가 첨부터 안 했가니. 해봤자 엄마가 도로 허는디 머."

"엄마 성에 차게 하면 될 거 아냐? 언니 나이가 몇이야. 엄마를 오십 년을 보고도……."

"시끄러 가시내야. 고로크롬 잘났으면 손끝 야문 니가 와서 허등가. 지 혼차 먼 대단한 일을 한다고 명절 때 말고는 오도 않은 년이 말은 청산유술세."

어머니가 곁에서 피식 웃음을 흘렸다.

"아이가. 사둔 넘말 헌다. 청산유수로 말함사 니 따라올 사람이 있가니. 기억 안 나냐? 장날이면 댓 살 묵은 어린것이 대문 앞에 쪼그리고 앉아 별 참견을 다했니라. 고추 팔러 가요? 요번 장에는 고추금이 좋아야 쓸 것인디 워쩌끼다, 험시로 니가 쯧쯧, 쎄를 차면 어른들이 배꼽을 잡았당게."

"아따 엄마도 뻥이 쪼깐 쎄요. 다섯 살배기가 멀 그랬겄소? 쫌 나이든 뒤등가 글겄제."

"아이가. 니는 발 떼기 전에 입부텀 뗐어야. 새살이 월매나 좋았는디. 그 새살 덕택이 매도 반으로 줄었그만은. 니는 눈치도 월매나 빨랐능가 나가 매타작을 허끄나 워쩌끄나 생각만 혀도 제까닥 눈치를 채고는 내 바짓가랑이를 붙잡고 달구똥 겉은 눈물을 뚝뚝 흘렸어야. 엄마, 나가 잘못했소. 나가 죽일 년이요. 다시는 안 그럴랑게 한 번만 봐주씨요이 험시로. 어린것이 그러는디 매타작을 헐 수가 있어야제. 매야 우리 둘째가 오지게 맞았제. 쟈는 먼 놈의 고집이 쇠심줄맹킹가 이날 입때껏 잘못했단 소리 한 번을 안 했어야. 그래놓게 워쩌다 한 번썩 다리가 터질 때꺼정 맞았제."

"아무튼지 징글징글헌 년이여. 원제지? 다리 터질 때꺼정 맞고 지 성질 못 이겨 눈 뒤집은 날 있잖애. 멋 땜시 그랬능가는 생각도 안 나네."

나 역시도 가물가물한 기억이었다. 우리 자매 일이라면 어머니 기억이 제일 환했다.

"중학교 입학식 날이었제. 니 교복 물려 입으랬다고 몇 날 메칠 울고불고 하덩만은 입학식 당일 아침에 학교 안 가겄다고 머리 싸매고 누웠잖애."

까맣게 잊었던 기억이 볕 좋은 봄날의 새싹처럼 들썩들썩 솟아올랐다. 두 살 위인 언니가 그해 겨울, 살이 6킬로나 찌는 바람에 3학년인 언니는 새 교복을 얻어 입고, 신입생인 나는 헌옷을 물려받았다. 그게 분했던 것일까? 어떤 마음이었는지는 기억나지 않지만 그날 아침 한바탕 난리를 치른 기억은 선명했다.

"울고불기는 누가. 그냥 말을 안 했지."

"말 안 하고 밥 안 먹는 고것이 니헌티는 울고분 것이나 매한가지 아녀?"

"그래, 기억났다. 아이고, 고래심줄이 누굴 닮긴 누굴 닮아. 엄마 닮았제. 거품 물고 쓰러진 애헌티 엄마가 찬물 끼얹은 것은 생각나요? 기어이 등 떠밀어 보낸 엄마가 더 징허고 독허네."

"나가 그리 안 독했으면 나 혼차 니그 둘 대학꺼정 보낼 수나 있었가니? 느그들은 나가 날 때부텀 독했는 중 알지야?"

운전을 하던 언니가 문득 옆자리를 돌아보았다. 어머니는 무슨 생각에 잠겨 먼 산자락을 바라보는 중이었다. 백내장 수술을 했는데도 시력이 마이너스인 어머니에게 먼 산은 아련한 아지랑이처럼 어른거릴 터였다. 저 산자락 어디, 학이 둥지를 튼대서 학말이라 불리는 어머니 친정이 있었다. 어머니에게도 우리와 같았던 어린 시절이, 소녀 시절이 있었을 것이다. 외조부모가 일찍 돌아간 터라 그러고 보니 나는 어머니의 친정에도 가보지 못했다.

"엄마는 어린 시절에 어땠어?"

"워쩌긴 뭐가 워째. 꼭 니 같앴제머."

어머니 대신 언니가 냉큼 말을 받았다.

"큰외삼촌이 그러드라. 공부 뻗치는 것도 글코, 말없는 것도 글코, 자존심에 고집꺼정 니가 엄마 판박이랴. 외할아버지 몰래 야학 갔다가 머리를 잘렸는디, 그러고도 보재기 뒤집어쓰고 담 날 또 도망갔다메? 독하기는 어릴 때부텀 독했그만 뭐."

붙임성 좋은 언니는 외가 식구들하고도 사이가 좋았다. 외삼촌들 다 돌아간 지금까지도 외사촌들과 연락을 하고 지내는 모양이었다. 어린 시절, 언니가 어머니 졸라 외가에 다니러 간 방학에도 나는 어머니 뒤를 졸졸 따라다니거나 방 안에 틀어박혀 책만 읽었다. 그 사이, 언니는 어린 어머니와 조우하고 있었던 것이다. 세상에는 책을 읽는 것보다 더 좋은 공부가 숱하다는 것을, 애석하게도 그때의 나는 알지 못했다.

"공부가 하고 싶었응게……. 공부나 실컨 하다 죽으면 원도 한도 없 겄드라. 그때는 살기가 어찌 그리 폭폭했능가. 느그는 모릴 것이다. 내가 보낸 그 험한 세월을 느그가 짐작이나 허겄냐……. 허기사 알 필요도 읎다. 느그는 존 세상 살아야제. 암만."

"존 세상을 우리만 살면 쓰가니. 엄마도 같이 살아야제. 더도 말고 한 오십 년만 더 사씨요. 더 살면 나도 쪼깐 귀찮아질랑가 모릉게."

가슴 먹먹한 어머니 말을 언니가 산뜻하게 낚아챘다. 부러운 재주 였다. 공부야 그럭저럭 했지만 뒤끝 야물지 않고 오지랖만 넓은 언니 가 남부럽지 않게 잘살아가는 비법일지 몰랐다.

"오십 년? 아이고 징허다. 니는 안즉 젊어 사는 것이 재밌을랑가 몰 라도 나는 징글징글허다. 먼놈의 날이 그리 더디 새고 더디 저무는지 하루가 천 년인디 오십 년? 재미난 니가 내 몫꺼정 다 살아라. 아나, 오십 년!"

어머니도 우스갯소리를 할 줄 아는 사람이었구나. 나는 새삼스런 마음에 어머니의 옆모습을 찬찬히 살폈고, 언니는 깔깔 호탕한 웃음 을 터뜨리며 온천탕 앞에 차를 세웠다.

"니는 어머니 모시고 들어가그라. 나는 차 세우고 올랑게."

어머니가 언니 팔 대신 내 팔을 붙잡았다. 붙잡는 시늉만 한 것인지 무게가 거의 느껴지지 않았다. 언니와 걸을 때보다 걸음새도 부자연 스러운 것 같았다.

"힘을 주지 왜?"

"지팡이 짚는디 뭐."

울컥 뜨거운 것이 목울대를 건드렸다. 언니한테는 잘만 기대더니, 라는 말이 입안에서 맴돌았으나 나는 끝내 말하지 못했다. 어머니가 아니라 내 자신에게 해야 할 말이었다. 멀리 산다는 핑계로, 직장에 다닌다는 핑계로, 아이들 핑계로, 대학을 졸업한 후 나는 나날이 어머니로부터 멀어졌다. 어떠한 세월도 그냥 사라지지 않는다. 아옹다옹 서로 부대끼며 살아온 어머니와 언니의 지난 세월이 오늘 고스란히 내 눈앞에 펼쳐지고 있는 것이었다. 나와 어머니의 세월도.

어머니와 나는 말없이 묵묵히 걸었다. 어머니의 걸음이 점점 느려졌다. 명절에나 다녀간 나는 어머니의 관절염이 얼마나 심해졌는지 눈치조차 채지 못했다. 30미터 남짓 걸은 어머니가 로커들 사이에 놓인 평상에 털썩 주저앉아 숨을 몰아쉬었다. 나는 어머니의 작은 키를 고려하여 맨 아래쪽 로커를 열었다. 어머니가 로커 앞에 주저앉아 옷을 벗기 시작했다. 팔이 아픈 것인지 윗옷을 벗는 데도 시간이 걸렸다. 유월 초인데도 어머니는 십수 년 전 내가 사다 준 분홍색 내복을 입고 있었다. 내복을 벗은 어머니의 왼팔이 팔꿈치부터 손목까지 거무죽죽했다. 만져보니 굳은살이었다. 쑥스러운 듯 어머니가 배시시 웃음을 빼물었다.

"다리가 아퐁게 밥할 때마둥 왼팔을 싱크대에 걸쳐놓고 힘을 안 주냐. 그러다봉게 원제부턴가 굳은살이 박혔어야. 보기는 흉해도 아프든 않응게 암시랑도 안타."

자리에서 일어난 어머니가 한쪽 팔로 평상을 짚은 채 남은 팔로 힘겹게 바지를 벗었다. 반쯤 내린 바지 밑으로 헐겁게 늘어난, 요즘은 시골 노인네들도 입지 않는다는 하얀 면 팬티가 드러났다. 새로 넣은 듯한 검은 고무줄이 얇아진 천 사이로 내비쳤다. 삭은 세월의 흔적에도 불구하고 팬티는 막 삶은 듯 새하였다. 민망하여 나는 고개를 돌렸다.

"아이, 니가 좀 벗겨드리제 멋흐고 있냐? 가시내, 인정머리하고는!"

쿵쿵 발소리도 요란하게 등장한 언니가 짜증 섞인 타박을 늘어놓으며 얼른 어머니를 붙잡았다.

"엄마도 그요. 쫌 도와달라고 헐 것이제 때도 밀기 전에 옷 벗다 진다 빠지겠소."

"내가 얼둥애기냐. 옷도 못 벗게."

"쫌! 땀 좀 보씨요."

언니가 소맷자락으로 어머니 얼굴을 훔쳤다. 그제야 콧잔등이며 인중에 송송 돋아난 땀이 보였다. 언니는 어머니를 평상에 앉히고는 엉덩이를 이쪽저쪽으로 들어올리며 순식간에 옷을 벗겼다. 군더더기 없이 날렵하고 깔끔한 솜씨였다.

"아이, 수건, 수건 좀 다오."

양팔로 재빨리 거웃을 가린 어머니가 다급하게 소리쳤다. 내가 건넨 수건을 어머니는 가슴부터 아랫도리까지 늘어뜨리고는 한 손으로 가슴을 부여안았다.

"아이고, 참말로. 유난을 떨어요. 유난을. 다 늙어빠진 엄마 몸을 누가 본다고 그요? 그냥 편하게 들어가면 좀 좋아."

언니가 팔을 내밀었고, 어머니는 눈을 흘기면서도 얼른 그 팔을 붙잡았다. 나는 욕실용품이 든 비닐 가방을 들고 가만가만 뒤를 따랐다. 뒤에서 바라본 어머니의 벗은 엉덩이는 팔꿈치처럼 굳은살투성이였다. 어머니는 앞에 있었고 걸음은 거북이처럼 느리기만 하여 나는 지

난한 세월의 흔적이 새겨진 어머니의 벌거벗은 엉덩이를 보지 않을
도리가 없었다.

집에 다니러 올 때마다 나는 무슨 핑계를 대서든 애초 계획보다 앞
당겨 돌아갔다. 어머니가 싫어서는 아니었다. 다리를 절뚝이며 싱크
대에 왼팔을 걸쳐놓고 나 먹일 나물을 데치는 어머니를 지켜보는 것
이 나는 죽기만큼 괴로웠다. 눈에 보이지 않으면 머지않아 잊을 수 있
었고, 그래서 나는 번번이 도망치듯 어머니 곁을 떠났다. 내가 도망친
다고 세월이 어머니를 비켜가는 것은 아닐 터, 반년 만에 만나면 어머
니는 더 늙어 있었고, 그만큼 더 괴로웠으며, 하여 더 빨리 떠날 핑계
를 찾았다. 더 이상 도망칠 수도 없게 언니는 나를 늙은 어머니와 정
면으로 맞닥뜨리게 한 것이다. 그것이 시댁 운운하며 나를 고향으로
불러내린 언니의 교활한 목적이었다. 우리 집 여자 중 독하기로는 언
니가 최고였다.

어머니를 팔에 매단 채로 언니가 구석을 가리켰다.

"의자 세 개, 대야 세 개, 바가지 세 개. 손끝 야문 니가 엄마헌티 퇴
짜 안 맞게 야무지게 닦아봐라, 한번."

나는 어머니와 나 사이, 멀어진 세월의 묵은 때를 벗기듯 목욕타월
에 비누를 흠뻑 묻혀서는 박박 닦기 시작했다. 의자의 가운데 구멍까
지 샅샅이. 비누칠을 한 후 가장 뜨거운 물로 몇 번이나 헹구는 것도
잊지 않았다.

"봐라, 니보담 백배 낫지야?"

어머니가 자랑스러운 듯 언니의 옆구리를 질꺽이며 말했다. 어린
시절, 어쩌다 내가 설거지라도 하고 나면 어머니는 저렇듯 자랑스러
운 얼굴로 살강을 죽 훑어보곤 했다. 니가 설거지를 하면 그릇들이 반

짝반짝 윤이 나야. 아이고, 손끝도 야무지제, 우리 강아지. 친정에만 오면 석 달 열흘 밀린 잠이나 자고 가기 전, 아주 오래전의 일이다.

"헹. 쓰잘데기 없는 짓 허느라 노상 바쁘구만. 가시내야. 아토피가 왜 생긴 중 아냐? 사램이 세균허고도 적당히 어울려 살아야 헌단다. 니맹키 깔끔을 떨어싼께 옛날에는 없던 벵이 생기는 것이여. 요새 겉은 최첨단 과학의 시대에 말이여. 작작 쫌 허고 펜히 살아 펜히."

"아이고, 새살 떠는 것맹키 일을 쫌 해보제. 깔끔헌 것이 멋이 나빠야? 세균이 고로크롬 좋으먼 니나 세균허고 동무해 살그라. 누가 니 새살을 이기겄냐? 세균도 앗 뜨거 도망갈 것이다 아매."

"엄마 새살도 나 못지않구만. 괜히 힘 빼지 말고 앉기나 허씨요."

깨끗이 닦아놓은 의자 위에 수건을 펼치고는 어머니가 힘겹게 엉덩이를 내려놓았다. 목욕 가방을 연 언니가 초록색 때수건을 내게 건넸다.

"아나. 오늘은 나, 펜히 쉴란다."

그러니까 초록색 때수건은 어머니 것인 모양이었다. 무좀이 있는 어머니는 수건도 때수건도 당신 것을 절대 쓰지 못하게 했다. 심지어 비누도 따로 썼다. 언니가 샤워젤 대신 비누를 건넸다.

"엄마는 때 밀기 전에 비누 써야. 비누칠 끝내면 깨끔허게 헹궈서 온탕으로 모셔라이."

어머니의 주름진 몸은 비누칠하기가 쉽지 않았다. 수십 겹으로 늘어진 뱃살이 밀가루 반죽인 양 밀렸다. 어머니가 내 손을 붙잡았다.

"아이, 비누칠 정도는 나도 할 수 있어야. 혼차 헐란다. 이따 등이나 쪼깐 밀어주면 돼야."

나는 어머니의 손을 가만히 뿌리쳤다. 살 한 겹을 한 손으로 붙잡아

한껏 당긴 후에야 비누칠을 할 수 있었다. 나와 언니가 이 뱃속에서 열 달을 머물렀다. 있는 대로 팽창하여 두 생명을 품었던 뱃가죽이 팽창했던 그만큼 늘어진 것이리라. 한 겹 한 겹 젖혀가며 정성스레 비누칠을 했다. 어머니는 그런 나를 물끄러미 바라보고 있었다. 어머니 또한 내 벗은 몸을 본 것은 참으로 오랜만이었다. 당신 몸에서 생명을 얻어 알몸으로 세상에 나온 딸이 당신 못 보게 몸도 마음도 꽁꽁 싸매고 저 혼자 살아온 지난 세월 동안, 어머니는 적적했을까, 쓸쓸했을까. 같은 어머니가 되고도 나는 아직 어머니의 마음을 짐작하기 어려웠다. 어머니 눈길은 때를 미느라 출렁이는 내 가슴을 향해 있었다. 한때는 내 가슴도 어머니 닮아 자그마하니 봉긋했었다. 애 낳고 마흔 넘어 나이만큼 늘어진 내 가슴을 더듬는 어머니의 시선이 애처로웠다.

"아이, 인자 니도 늙은 티가 난다이. 허기사 니가 올해 마흔여섯이제? 아이고, 징허게도 오래 살았다. 하도 몸이 안 좋아 니 국민학교 입학허는 것이나 보고 죽을랑가 어쩔랑가. 내 속도 모르고 방긋방긋 웃는 니 얼굴만 보면 애가 탔는디 니가 벌써 마흔여섯이여이?"

내 손길이 허벅지를 향하자 어머니가 움찔 다리를 오므렸다.

"아이, 인자 됐다. 내가 할란다. 이?"

어머니가 애원하듯 내 손을 다시 부여잡았다. 아따, 참말로. 가만히 좀 있으씨요. 부모 자식 사이에 멋이 부끄럽다요. 언니라면 당연히 했을 그 말을 나는 차마 입 밖에 내뱉지는 못했다. 대신 힘주어 어머니 가랑이를 벌렸다. 거웃 무성해야 할 둔덕이 초경도 하지 않은 소녀의 것인 양 맨질맨질했다. 나이 들면 어느 순간 여자는 다시 소녀로, 아이로 변해가는 것일까. 그 긴 순환의 고리를 겪은 후에야 생명은 한없이 기꺼이 이승을 떠나는 것인지도 몰랐다.

　나는 다시 한 번 비누를 묻혀 어머니의 둔덕을 어루만졌다. 하얗게
센 거웃 몇 개가 수줍은 듯 고개를 숙였다. 움찔거리긴 했으나 어머니
는 내 손에 몸을 내맡겼다. 몇 번만 더 권하면 마지못하는 척 어머니
가 했을지도 모르는 일들이 많았다. 외식이나 여행도 그중 하나였다.
멀라고 비싼 돈 주고 맛도 없고 달기만 한 음식점 음식을 먹느냐는 어
머니 성화에 못 이겨 언젠가부터 외식을 하지 않았다. 몇 번 더 잡아
끌었다면 기꺼이 맛있게 그 음식을 먹을 수도 있는 어머니라는 것을,
어리석게도 나는 오늘까지 알지 못했다. 어머니에게 맛있는 것을 먹
이고 좋은 데 데려간 것은 어머니 쪽 빼닮았다는 내가 아니라 어머니
의 타박덩어리, 언니였다.

　"아이. 내가 느그 아부지헌티 지은 죄가 많아야."

　내 손은 이미 종아리를 향해 있는데 어머니는 꿈꾸는 듯한 눈길로
자신의 거웃께를 내려다보고 있었다.

　"몸이 아픙게 니 아부지가 곁에 오는 것이 무서웠어야, 나는. 아부
지 잠들 때꺼정 없는 일을 만들기도 허고, 기미가 보이면 얼릉 벤소로
내빼기도 허고, 월경 핑계도 대고, 그러다 딱 잡힌 날에는 염치도 없
제, 아파 죽겄는 사람 붙잡고 그 짓이 허고 싶냐고, 됩대 큰 소리를 쳤
어야. 한번은 느그 아부지가 그럴라믄 첩을 얻든 바람을 피든 자개 맘
대로 할란담시로 느그 언니맹키 있는 디로 고함을 질르고는 한밤중에
집을 나가부렀는디…… 그날이 안즉도 눈에 선해야. 그날 밤새워 술
묵다 피를 토함시로 쓰러져가꼬 벵원에 갔는디 암이라고 안 허냐. 암
만 아파도 한번 해줄 것을, 고로크롬 쌀쌀맞게 내친 것이 마지막일 중
누가 알았가니……."

아버지는 내가 세 살 때 세상을 떴다. 아버지가 곁에 없었던 탓일까. 어머니가 여자이기도 하다는 사실을 나는 자꾸 잊어버렸다. 아니, 아버지가 세상을 떠난 후 어머니는 더 이상 여자가 아니었다. 어머니였을 뿐이다. 그런 어머니도 욕정으로 잠 못 드는 밤이 있었을지, 나는 난감하기도 하고 궁금하기도 했다.

"두고두고 느그 아부지헌티 미안해야. 왜 그렁가 늙을수록 더 미안 탄 말이다. 아프다고 노상 밀어내고는 나 혼차 이리 오래 살고 있어서 그렁가 워쩡가⋯⋯. 이러다 백 살 채우면 워쩌끄나. 느그 아부지헌티도 미안코, 느그한테도 미안코."

나는 어머니의 다리를 툭 쳤다.

"언니가 오십 년만 더 살라고 안 합디여? 오지랖 넓은 언니가 오직이 잘 챙길 것인디 먼 걱정이요."

나도 모르게 까맣게 잊고 있던 사투리가 줄줄 흘러나왔다.

"니는 언니만 못허가니? 니는 니대로 죽을 동 살 동 참말 잘했어야. 니가 철철이 사 보낸 옷이 옷장 한가득이잖애. 옥매트랑 멋이냐, 생선 굽는 것이랑⋯⋯ 아이고 세도 못허겄다. 그 돈 버니라 몸도 약헌 니가 월매나 힘들었을 것인디⋯⋯. 니 생각허면 아까와서 나가 쓰덜 못허겄어야."

마음의 짐 덜자고 개중 하기 쉬운 일로 면피한 것을 아까워 쓰지도 못하는 것이 어머니의 마음이리라. 내 부끄러움이라도 덜어주려는 것인지 어머니가 벗은 내 등을 어루만졌다.

"그나저나 그 옷이나 다 입어보고 죽어야 할 것인디 아까와서 워쩌끄나."

"그 옷 다 입어보고 죽을라면 언니 말대로 천상 오십 년은 더 살아야겠소."

사우나에 다녀온 언니가 땀을 번들거리며 곁으로 다가왔다.

"아이가. 서울년 다 된 중 알았등만 전라도 말도 헐 줄 아네? 용하다야."

갱년기 증상이 심해 여성호르몬을 복용한다는 언니는 애도 안 낳은 사람처럼 가슴이 풍만했다.

"언니는 시집 한 번 더 가도 되겠네. 나 처녓적보담도 낫구마."

"썩을 년! 부작용이 월매나 심헌디. 돈도 수월찮아야."

언니가 때 미는 사람처럼 양손에 때수건을 끼고는 짝짝 경쾌하게 손뼉을 쳤다.

"등이나 대그라. 엄마도 돌아앉으씨요. 나는 야 밀고 야는 엄마 밀고, 그러믄 쓰겠네."

망설이다가 나는 돌아앉았다. 누구에게 맨 등을 보이고 돌아앉았던 적이 있었던가, 나는 잠시 생각했다. 기억이 나지 않았다. 언니의 손끝도 제법 야무졌다. 샤워타월로 대충 혼자 닦기만 했던 등이 따가울 지경이었다.

"워매! 가시내야. 니는 때도 안 밀고 사냐? 무슨 놈의 때가 국수 가닥도 아니고 우동 면발이네그랴."

"그만, 그만허소. 아파 죽겄네."

언니가 착 소리가 나게 내 등짝을 후려쳤다.

"애도 아니고 엄살은. 쫌 참아. 누가 니 껍질 벳길까비? 밀 때는 따끔따끔 혀도 밀고 나면 월매나 시원헌디. 하기야 때를 밀어봤어야 알제. 니, 목욕탕, 크고 난 뒤 첨이제?"

수십 년 묵은 때가 타일 바닥 위로 툭툭 떨어지는 게 내 눈에도 보였다. 언니 말대로 아프면서도 시원했다.

"그래. 언니 덕분에 머리 굵고 처음 목욕탕 구경한다. 고마워 죽겠네."

"시끄러 가시내야. 고마우면 밥이나 사."

때수건을 물에 헹구고 다시 한 번 손뼉을 친 언니가 고개를 내밀며 소리쳤다.

"엄마. 둘째 때 미는 솜씨는 워떻소? 나보다 낫소? 하기사 물어 뭣해. 뭘들 나보다 못하겠어? 엄마 죽고 못 사는 둘짼디. 헹. 나만 찬밥 이제 이날 입때껏."

"아녀. 때 미는 솜씨는 니가 낫다. 둘째는 먼 길 오니라 힘들어 그렁가 영 힘이 없어서 못쓰겄다."

주름진 살이 밀려 아플까 조심한 것인데 어머니는 시원하지가 않은 모양이었다. 그러리라 짐작했던 어머니 마음이 오늘처럼 늘 헛다리를 짚었던 건 아니었을까. 알몸인 탓인지 시선 둘 데 없이 민망했다. 언니가 내 등짝을 두 번 탁탁 두드리고는 사내처럼 호탕하게 웃었다.

"가시내야. 오늘은 니가 찬밥이란다. 비켜라."

내가 물러난 자리에 언니가 앉았다. 쓱쓱 대패질을 하듯 언니는 힘차게 팔을 움직였다. 어머니의 만족스러운 나지막한 신음 소리가 손님이 거의 없는 탕 안에서 공명했다. 나도 때수건을 들고 언니의 등을 밀기 시작했다. 난생처음 보는 언니의 등은 더할 수 없이 부드러웠다. 오늘은 싹퉁머리 없고 인정머리 없는 나를 위해 언니가 준비한 특별한 날이었다. 어쩌면 나를 위한 날이 아니라 어머니를 위한 날일 수도 있었다. 아무러면 어떤가. 오늘은 어머니도 나도 언니도 실오라기 하나 걸치지 않은 알몸이었다.

| 우수상 수상작 |

빅브라더

김경욱

1971년 광주 출생.
서울대 영문과 졸업.
1993년 중편소설 《아웃사이더》로 《작가세계》 신인상을 받으며 등단.
소설집 《위험한 독서》《장국영이 죽었다고?》《누가 커트 코베인을 죽였는가》
《베티를 만나러 가다》《바그다드 카페에는 커피가 없다》,
장편소설 《천년의 왕국》《황금사과》《모리슨 호텔》《아크로폴리스》《동화처럼》 등.
한국일보문학상, 현대문학상, 동인문학상 수상.

형이 맨 처음 하늘을 난 것은 내가 일곱 살 때의 일이다. 한때 벽돌 공장 부지였던 공터에 서커스단이 들어왔다. 우라지게 크네. 형은 잇새로 침을 찍, 뱉으며 말했다. 나와 단둘이 있을 때면 형은 학교 뒷담 언저리에서 아이들에게 삥 뜯는 나쁜 형들처럼 말했다. 그럴 때면 나는 형이 몹시 부러웠다. 껄렁한 말투는 몰라도 잇새로 침 뱉는 건 도무지 흉내조차 낼 수 없었다.

학교에서 돌아온 형은 가방을 내던지기 무섭게 서커스 얘기에 열을 올렸다. 사자들이 줄지어 링을 통과한대. 난쟁이가 줄 위에서 외발자전거를 몬대. 인형처럼 예쁜 쌍둥이 자매가 맞은편 공중그네로 새처럼 몸을 날린대. 디테일은 매번 달라졌다. 사자들은 불이 붙은 링을 통과하기도 했고 난쟁이는 안대로 눈을 가린 채 외발자전거를 타기도 했고 인형처럼 예쁜 쌍둥이 자매는 공중제비를 돌며 맞은편 공중그네로 몸을 날리기도 했다. 토씨 하나 바꾸지 않는 것도 있었다. 인간 대포알 묘기. 그것만큼은 직접 본 것처럼 말했다. 어마어마한 대포야. 어른이 들어갈 정도로 커. 어른이? 형은 내가 이렇게 되묻는 것을 좋아했다. 형은 자신이 대포를 만들기라도 한 것처럼 자부심에 찬 얼굴로 고개를 끄덕였다. 인간 대포알이 들어가면 어디선가 북소리가 울려. 둥둥둥. 번쩍이는 구슬이 주렁주렁 달린 옷을 입은 사회자가 열부터 거꾸로 세면 북소리가 점점 빨라져. 두두두두두. 마침내 열을 다세면 뻥 소리와 함께 인간 대포알이 높이높이 날아가. 인간 대포알이세상에서 가장 아름다운 포물선을 그리며 날아가는 모습을 묘사하던형의 표정을 잊을 수 없다. 정수리가 찡할 정도로 달콤한 초콜릿을 한입 베어 문 것 같은 얼굴.

서커스 공연이 끝나갈수록 형과 나는 초조해졌다. 입장료는 녹록지않았다. 어차피 형과 나는 무일푼이었다. 아버지의 사전에 용돈이란없었다. 아니, 아버지의 성경에 용돈이란 단어는 없었다. 다윗이 솔로몬에게 용돈을 주었다는 얘기가 있더냐? 아버지 말씀. 다윗은 솔로몬에게 나라를 주지 않았습니까? 형의 대꾸. 형은 집에서 아버지에게대꾸하는 유일한 사람이었다. 할아버지조차 아버지의 말이라면 껌벅했고 동네 사람들은 입만 열면 심판에 대한 무시무시한 말을 쏟아내는 아버지를 어려워했다. 언젠가 아버지는 말했다. 사람들이 나를 어려워하는 것은 그들이 지은 죄 때문이란다. 아버지 말씀에 따르면 형이 아버지를 어려워하지 않는 건 죄를 짓지 않았기 때문이다. 내가 아버지를 어려워하는 건 죄를 지었기 때문이고. 아버지는 이런 말도 했다. 용서받을 수 있는 죄와 용서받을 수 없는 죄가 따로 있다고 믿는사람들 때문에 골치 아프구나. 그런 자들은 구원조차 흥정하려 들지만 천국에는 주판도 저울도 없단다. 구원에 경중이 없는 것과 마찬가지로 죄악에도 경중이 없다. 사소한 구원이나 엄청난 구원이 없듯 시시한 죄악이나 무시무시한 죄악이라는 것은 없다. 모든 구원이 공평하게 구원인 것처럼 모든 죄악은 공평하게 죄악이다. 아버지 말씀대로라면 아버지를 어려워하는 건 내가 죄를 지었다는 증거이고 그 죄가 무엇이든 나는 천국에 갈 수 없었다. 그러니까 내가 천국에 가지 못하는 건 순전히 아버지를 어려워하기 때문이다.

어쨌거나 아버지에게 대꾸할 때 형은 어른 같았다. 형처럼 해보고 싶었지만 아버지의 얼굴을 똑바로 쳐다볼 배짱조차 없는 나에게는 잇새로 침 뱉는 것만큼이나 힘든 일이었다. 그 누구에게도 대꾸를 허락하지 않는 아버지였지만 형만큼은 예외였다. 심지어 미소를 보여주기까지 했다. 아버지는 형에게 이런 말도 했다. 아들아, 내가 죽으면 교회는 네 것이다. 형의 얼굴은 흙빛이 되었고 내 얼굴은 납빛이 되었다. 아! 아버지의 나라는 형이 물려받는구나. 성가대도, 부활절 달걀도, 성탄 트리도, 헌금함도 모두 모두 형의 차지구나. 하긴 형은 내가 갖지 못한 것들로만 빚어진 듯했다. 귀티 나는 곱슬머리, 초롱초롱한 눈, 잘 익은 사과 같은 볼, 거침없는 언변. 지나가던 어른이 머리를 쓰다듬으며 아버지는 뭐하는 분이냐고 물으면 형은 서슴없이 목수라고 답했다. 매번 그랬다. 왜 거짓말을 하느냐고 따졌더니 이런 답이 돌아왔다. 예수님도 목수였잖아. 거짓말조차 형의 입에서 나오면 아름다웠다. 역시 형만의 재주였다.

무람없는 형은 아버지에게 물었다. 하느님이 스스로의 형상을 본떠 인간을 빚으셨다면 왜 인간은 하늘을 날 수 없습니까? 아버지는 대답했다. 생김새만 본뜨셔서 그렇다. 18K 금 같은 것이지. 서양에 이런 속담이 있다. 반짝인다고 모두 금은 아니다. 그리고 하느님이 아니라 하나님이란다. 궁금한 게 많은 형은 또 물었다. 애국가에서도 하느님이라고 하는데 왜 자꾸 하나님이라고 하십니까? 아버지는 금이빨을 반짝이며 대답했다. 단 하나뿐인 분이시니 하나님이란다. 형은 또 물었다. 아버지도 이 우주에 하나뿐이시니 하나님이시겠습니다. 아버지는 헛기침을 하더니 정색하며 말했다. 아들, 신성을 모독했으니 벌을 받아야겠다. 《레위기》를 두 번 옮겨 적어라. 무엇 때문인지 아버지는 《레위기》만 베끼게 했다. 형은 스카치테이프로 나란히 붙인 두 자루의 연필로 《레위기》를 옮겨 적었다.

아버지는 서커스 얘기만 나오면 눈에 쌍심지를 켰다. 급기야 서커스단을 사탄의 무리로 몰아붙였다. 주일 아침예배 설교에서였다. 사탄의 종자들이 만든 곡마단이 가증스런 눈속임과 천박한 볼거리로 호기심 많은 어린 양들을 현혹하고 있습니다. 한 줌도 안 되는 사탄의 어릿광대들이 갖은 흑마술로 온 동네를 타락시키고 있습니다. 아버지는 세상의 모든 고통을 짊어진 표정으로 죄악에 대해 핏대를 올렸다. 배꼽을 드러낸 채 웃음을 파는 처녀들, 피리 소리에 맞춰 망측하게 몸을 꼬는 뱀들, 지옥의 마왕처럼 불을 토하는 이방인들……. 나는 점점 더 서커스가 보고 싶어 견딜 수 없었다.

아버지는 《요한계시록》을 인용하며 설교를 마쳤다. 비겁한 자와 믿음이 없는 자와 흉측스러운 자와 살인자와 간음한 자와 마술쟁이와 우상숭배자와 모든 거짓말쟁이들이 차지할 곳은 불과 유황이 타오르는 바다뿐입니다. 나는 움찔했지만 형은 눈 하나 깜짝하지 않았다. 형은 주머니에서 《포켓판 국어사전》을 꺼내 펼쳤다. 한 손에는 빨간 펜을 쥐고서. 태연한 형을 보면서 서커스를 구경하게 되리라, 나는 확신했다. 형이 원하면 뭐든 현실이 되곤 했으니까. 형의 몸속에는 강력한 자석이 있어서 상황을 언제나 유리한 쪽으로 돌려놓았으니까. 이번에는 형이 장애물을 어떻게 처리할지 궁금했다. 형과 나에게는 팔아먹을 장난감도 없었으니까. 장난감이라야 아버지가 나무를 깎아 만든 말이나 자동차가 고작이었다. 아이들이 탐내는 게 아주 없지는 않았다. 탁구대. 역시 아버지 솜씨였다. 탁구장에 있는 챔피언 탁구대 못지않았다. 형의 거짓말대로 아버지는 목사가 아니라 목수가 되었어도 될 뻔했다. 서커스를 보고 싶은 마음이야 굴뚝같았지만 탁구대를 처분할 수는 없었다.

서커스단의 마지막 공연날은 주일이었다. 예배가 끝나고 사람들이 모두 밖으로 빠져나가자 형은 소매에서 철사를 빼내더니 껌을 뱉어 끝에 붙였다. 아버지가 설교하는 내내 껌을 씹고 있었던 것이다! 형이 껌을 붙인 철사로 헌금함 구멍을 쑤석거리는 동안 나는 망을 보았다. 아버지와 어머니는 나란히 서서 신도들과 일일이 인사를 나누고 있었다. 내 심장이 방망이질 쳤다. 서커스를 보고 싶은 마음만큼이나 아버지가 별안간 들이닥치기를, 그리하여 형의 죄악이 백일하에 드러나기를 바라는 마음 또한 간절했다.

서커스를 구경하는 내내 나는 가슴을 졸여야 했다. 외발자전거를 탄 난쟁이가 줄에서 떨어질까봐, 인형처럼 예쁜 쌍둥이 자매가 공중 그네를 놓칠까봐 그런 건 아니었다. 객석에 신도들이 있을까봐 조마조마했다. 마지막 공연 기념으로 관객 중에서 인간 대포알을 모시겠다는 사회자의 말에 형이 번쩍 손을 들자 나는 숨이 멎는 줄 알았다. 형이 대포에 들어갈 때도, 어마어마한 폭음과 함께 날아올랐을 때도, 사회자의 손을 잡고 만세를 부를 때도 내 머릿속은 어서 빨리 집에 돌아가고 싶다는 생각뿐이었다. 형이 밉기도 했다. 내가 미워한 것은 죄악을 저지른 형도, 동생을 죄악의 구렁텅이에 끌어들인 형도 아니었다. 내가 떨리는 마음으로 미워한 것은 죄를 짓고도 태연하게 하늘을 난 형이었다. 하늘을 나는 기분이 얼마나 근사한지 주절주절 늘어놓는 형에게 나는 울상이 되어 외쳤다. 신도들이 보면 어쩌려고 그래? 나를 물끄러미 바라보던 형은 빙긋 미소를 지으며 말했다. 겁먹을 필요 없어. 아버지에게 이르지는 못할 거야. 자기도 여기 왔다는 사실을 인정해야 할 테니까. 나는 구원이라도 받은 듯 홀가분해졌다. 그때 형은 열 살이었다.

형이 두 번째로 하늘을 난 것은 내가 열 살 때의 일이다. 아이들 사이에서 형의 첫 비행은 전설이 되어 있었다. 천막을 뚫고 하늘로 솟구쳤대. 구름 위로 사라졌다가 다시 나타났대. 아이들은 풍문의 진위를 나에게 확인하려 들었다. 천막을 뚫고 날아간 게 정말이야? 구름 위로 사라졌다는 건 뻥이지? 사실대로 말하면 형을 깎아내린다는 오해를 살 테고 시인하면 형의 주가만 더 올라갈 터였다. 이럴 수도 저럴 수도 없어 입을 다물어버렸지만 아이들은 내 침묵을 뜸 들이는 걸로 착각하기 십상이었다. 아이들의 성화에 몰릴 대로 몰리면 형한테 직접 물어보라고 쏘아붙여주었다. 치사하다며 입을 삐죽이던 녀석들 중에서 형에게 직접 물어본 애는 한 명도 없었다.

어른들이 아버지를 어려워하듯 아이들은 형을 함부로 대하지 못했다. 또래는 물론 나이가 더 많은 축들도 그랬다. 그들이 죄를 지어서가 아니라 나이에 비해 큰 형의 덩치 때문이었다. 형은 4학년 때 이미 웬만한 중학생만 했다. 비실비실해 두 살 때부터 녹용을 먹였다는 할아버지의 말이 믿기지 않았다. 할아버지는 형을 '칠성장군'이라 불렀다. 태몽 때문이었다. 형을 잉태할 무렵 어머니는 북두칠성이 치마폭으로 쏟아지는 꿈을 꿨단다. 나는? 어머니에게 물었더니 이렇게 말했다. 넌 뱃속에 들어선 줄도 몰랐다. 태몽도 없이 태어나는 사람이 있다. 바로 나다. 아브라함의 아내 사라가 이삭을 가졌을 때 태몽을 꿨다는 기록이 있나 없나 살펴본 사람도 있다. 이 또한 나다.

별이 자그마치 일곱 개! 할아버지는 손가락을 펼쳐 보이며 웃음을 감추지 못했다. 1·4후퇴 때 흥남부두를 떠나는 LST에 혈혈단신으로 올랐던 할아버지는 형을 공군사관학교에 보내고 싶어했다. 전쟁이 터지면 가장 안전한 곳이 군대인데 개중에서도 공군이 가장 안전하다는 것이었다. 할아버지는 입버릇처럼 말했다. 종전이 아니라 휴전이야. 싸우다 잠깐 숨을 고르는 거라고. 이런 말도 했다. 삼십 년을 쉬어도 백 년을 쉬어도 휴전은 휴전이라고. 백만 년을 쉰다고 휴전이 저절로 종전이 되는 건 아니라고. 전쟁을 끝내는 것은 협상이 아니라 더 큰 전쟁이라고. 성경에도 나와 있듯 최후의 대전쟁만이 매춘의 역사만큼이나 오래된 전쟁의 연대기에 종지부를 찍을 수 있다고. 할아버지는 아버지도 공군사관학교에 보내려 했었지만 실패했다. 시력이 발목을 잡은 것이다. 대신 신학대에 보냈다. 목사를 만들기 위해서였다. 양키들과 친하면 전쟁 통에도 무사할 수 있는데 민간인의 직업 중에서 양키들의 호감을 얻기에 그만한 게 없다는 믿음에서였다. 맨주먹으로 월남해 고물상으로 남부럽지 않은 부를 일군 할아버지는 장래의 목사를 위해 서울 변두리의 개척교회를 사들이기까지 했다.

아들을 위한 교회를 물색하던 할아버지는 용하다는 점쟁이를 찾아갔다. 점쟁이는 한자성어를 적어주었다. 桑田碧海. 할아버지는 뽕나무밭 언저리의 개척교회를 사들였다. 뽕나무밭이 아파트의 바다가 될 거라고는 꿈에도 모른 채. 그때 점쟁이가 써준 한자성어는 가훈이 되어 거실 소파 맞은편 벽 액자에 담겨 있다. 액자를 바라볼 때마다 할아버지는 중얼거렸다. 세상은 어떻게 될지 알 수가 없어. 그래서였을까. 할아버지는 신도들의 신상정보를 두툼한 노트에 꼼꼼히 기록했다. 어디로 튈지 모르는 세상의 손금을 꼼꼼히 그려넣는 것처럼. 초등학교 입학선물로 나에게 몽블랑 만년필을 사주며 할아버지는 말했다. 이 만년필이 너에게 귀한 친구를 만들어줄 거다. 만년필을 가진 아이는 만년필을 가진 또 다른 아이를 알아보는 법이다. 만년필이 만년필을 부르는 게지. 명심해라. 너를 부러워하는 아이는 멀리하고 네가 부러워하는 아이를 가까이해라. 할아버지 말대로라면 나는 영원히 친구를 사귈 수 없었다. 내가 부러워하는 아이는 형뿐이었으니까.

할아버지는 술에 취하면 형과 나를 나란히 앉혀놓고 이런 말도 했다. 부자가 천국에 가는 게 낙타가 바늘구멍을 통과하는 것보다 어려운 이유가 뭔 줄 아냐? 천국에는 친구가 없기 때문이다. 부자들의 친구는 죄다 지옥에 있거든. 천국이 거지, 부랑자, 병자 투성이라면 나는 차라리 지옥에 가겠다. 하지만 할아버지는 주일 아침만 되면 맨 먼저 일어나 교회에 갈 차비를 했다. 할아버지가 가장 좋아하는 성경 구절은 이랬다. 나 야훼 너희의 하느님은 질투하는 신이다. 나를 싫어하는 자에게는 아비의 죄를 후손 삼대까지 갚는다. 그러나 나를 사랑하여 나의 명령을 지키는 사람에게는 그 후손 수천 대에 이르기까지 한결같은 사랑을 베푼다. 솔직하고 화끈하지 않습메? 평소 완벽한 표준말을 구사하는 할아버지였지만 그때만큼은 사투리를 썼다. 그러고는 형과 나에게 〈고향의 봄〉을 부르게 했다.

아버지를 공군사관학교에 보내지 못한 걸 못내 아쉬워한 할아버지는 거실 한쪽 벽에 시력검사표를 붙여놓고 형의 시력을 수시로 체크했다. 할아버지가 지목하는 숫자를 형 어깨 너머로 본 나는 속으로 중얼거리곤 했다. 나도 형처럼 양쪽 모두 1.5였다. 안경을 쓰고 있을 때만큼은. 할아버지는 나를 '막둥이'라 불렀다. '칠성장군'이 멋진 별명이라는 것을 아는 사람은 '막둥이'가 별명도 뭣도 아니라는 것을 모를 수 없다. 나는 집에서는 막둥이였고 교회에서는 목사님 둘째 아들이었다. 그리고 동네 아이들 사이에서는 하늘을 난 아이의 동생이었다.

동네 아이들은 나를 보면 껄렁한 목소리로 지분거렸다. 어이, 목사 아들. 하느님은 안녕하시냐? 물론 교회에 나오지 않는 부류였다. 아이들의 놀림에 속상해하는 나에게 할아버지는 말했다. 믿음이 뭔지도 모르는 아이들의 말에는 신경 쓰지 마라. 새된 목소리로 하느님과 부처님이 싸우면 누가 이길지 내기를 거는 아이들 아니냐. 허황된 내기에 목숨을 거는 어리석음으로 자신보다 강한 자들에게 종생토록 복종하며 살아갈 영혼들이니 불쌍히 여겨라. 할아버지는 이런 말도 했다. 세상에는 사람 수만큼의 정의가 있어서 강한 자의 정의는 법이 되고 약한 자의 정의는 밥이 된다. 약한 자들은 자신의 정의를 밥과 바꾸기 때문이다.

숫기가 없어 남 앞에 나서는 것조차 꺼리던 내가 반장선거에 출마한 것은 형 때문이었다. 초등학교 3학년 때였다. 형이 하는 것은 나도 할 수 있다는 걸 보여주고 싶었지만 뜻대로 되지는 않았다. 반장으로 뽑힌 애는 중국집 아들이었다. 반 아이들에게 자장면을 공짜로 먹였다는 사실을 나만 모르고 있었다. 할아버지의 말은 대체로 옳았다. 맨 정신에 표준어로 하는 말은 그랬다. 자장면 한 그릇과 자신의 정의를 바꾼 아이들에게 지상의 천국은 교회가 아니라 중국집이었다. 교회보다 중국집이 더 많던 시절이었다. 이제는 교회의 수가 중국집 수의 갑절이다. 배가 고픈 자들보다 마음이 고픈 자들이 많아진 것이다. 상전

벽해. 세상은 어떻게 될지 알 수가 없다. 할아버지의 말은 다 옳았다. 형이었다면 중국집 아들에게 지는 일은 없었을 것이다. 형은 하늘을 난 아이였으니까. 잇새로 침을 뱉는 아이들조차 형을 좋아했으니까. 중국집 아이는 중국집 수만큼이나 많을 테지만 '하늘을 난 아이'는 형뿐이었으니까.

나에게도 별명은 있었다. 잇새로 침을 뱉는 아이들은 나를 '예수쟁이 샌님'이라고 놀렸다. 할아버지의 충고대로 그들의 말을 무시했다. 가난하고 고통받지만 믿음이 없기 때문에 천국에 갈 수 없는 가여운 영혼들. 나는 공부 잘하고 아버지의 직업이 번듯하며 교회에 다니는 아이들하고만 어울렸다. 의도한 것은 아니지만 결과적으로 그리 되어 버렸다. 어차피 나를 예수쟁이 샌님이라 부르는 아이들은 형에게 꼬박꼬박 존댓말을 쓰는 나를 별종 취급했고 교회에 다니면서 아버지의 직업이 번듯하고 공부 잘하는 아이들과 있을 때 나는 마음이 편했다. 하지만 형은 달랐다. 형은 반성문을 일기보다 자주 쓰는 아이들과 어울렸다. 교실 의자에 앉아 있느니 차라리 학교 담장 위를 걷는 게 낫다고 떠드는 아이들, 종아리나 손바닥에 매 자국 가실 날 없는 아이들, 담임선생의 면담요청에 부모가 먹고살기 바빠서 할머니나 이모가 대신 오는 아이들, 상스럽고 거칠고 제멋대로인 아이들. 물론 교회에 다니면서 아버지의 직업이 번듯하고 공부 잘하는 아이들도 형의 친구였다. 형은 모두와 잘 지냈다. 하늘을 난 아이와는 누구나 친해지고 싶어했으니까.

형이 두 번째로 하늘을 난 것은 동네 조무래기들 때문이었다. 누가 멀리 오줌을 갈기나 내기를 거는 아이들. 할아버지가 얘기하지 않았던가. 허황된 내기에 목숨을 거는 어리석음으로 자신보다 강한 자들에게 종생토록 복종하며 살아갈 가여운 영혼들이 있다고. 동네마다 그런 애들은 있게 마련이다. 우리 동네도 예외는 아니었다. 그런 애들은 엉터리 내기에 진짜로 목숨을 걸기도 한다. 2층 높이의 축대 위에서, 빨간 보자기를 두르거나 스파이더맨 가면을 쓴 채. 스파이더맨이 더 세. 헛소리, 슈퍼맨이 더 세. 슈퍼맨은 하늘을 날잖아. 저 형도 하늘을 날아서 대장 먹은 거야. 네가 봤어? 저 형이 하늘을 나는 걸 직접 봤냐고? 빨간 보자기를 두른 아이는 꿀 먹은 벙어리가 되었다. 쏟아지는 비웃음. 울음을 터뜨릴 듯 코끝이 빨개진 아이. 정말이죠? 뜬금없이 형에게로 향하는 화살. 팽팽해진 공기. 살얼음의 침묵 아래서 들끓는 흥분. 형에게 직접 묻는 건 처음이었다. 형은 전설이었으니까. 전설은 다른 사람의 입을 통해서만 얘기되니까. 진위를 의심받는 이야기에 전설이라는 면류관을 씌울 수는 없으니까. 현실로 끌려나온 전설, 형의 얼굴이 돌이라도 씹은 것처럼 굳어졌다. 형의 명예는 축대 끝으로 내몰렸다. 아이들의 눈빛은 집단이 부추기는 익명의 잔인함으로 번들거렸다. 두려움을 감추기 위한 잔인함. 형의 시선이 축대 밑으로 향했다. 맙소사! 형은 정말 뛰어내릴 작정이었다. 내가 나섰다면, 두 눈으로 똑똑히 봤다고 증언했다면 아이들이 물러섰을까? 아이들은 이제 숨죽인 채 기대에 찬 눈빛으로 형을 주시하고 있었다. 자신들의 어리석음과 두려움과 죄악을 사해줄 존재를 갈망하면서. 하느님도 그들을 말릴 수 없을 것이었다. 아이들은 기적을 원했고 형에게는 기적이 필요했다. 나는 형을 말릴 수 없었다. 말리고 싶지 않았는지도 모르겠다. 아니다. 애당초 '예수쟁이 샌님'에게는 '하늘을 난 아이'를 말릴 재간이 없었던 것이다. 나는 들고 있던 우산을 내밀었다. 병신, 쪽팔리게. 형이 눈을 흘기며 쏘아붙이자 아이들 사이에서 와락 웃음이 터졌다. 나는 얼굴이 화끈거렸다. 아슬아슬한 묘기를 앞두고 긴장감을 슬쩍 풀어주기 위해 등장한 어릿광대라도 된 기분. 형은 우산 대신 빨간 보자기를 택했다. 역시 형은 천재였다.

형은 축대 끝에 발을 모으고 양팔을 벌렸다. 경건한 침묵이 거대한 담요처럼 하늘에서 내려와 모두의 머리를 덮었다. 그 순간 형이 하늘을 날 수 있을지도 모른다는 망상에 사로잡힌 것은 무엇 때문이었을까? 돌연 숙연해진 분위기 때문에? 의외로 담담한 형 때문에? 이도 저도 아니라면 형의 등에 매달린 빨간 보자기 때문에? 어쨌거나 형이라면 할 수 있을 것 같았다. 그러니까 형이라면. 형은 팔을 벌린 채 상체를 앞으로 기울였다. 빨간 보자기가 펄럭이는가 싶더니 형이 눈앞에서 사라졌다. 모두들 축대 끝으로 몰려갔다. 형은 비명조차 지르지 못했다. 기적의 반대말은 만유인력이다. 형은 머리를 일곱 바늘 꿰매야 했다. 일곱 바늘. 밤하늘을 밝히던 북두칠성은 형의 머리가죽에 흉터로 내려앉았다.

형이 세 번째 하늘을 나는 모습을 지켜보았을 때 나는 신학 대학생이었다. 아버지가 그랬듯 시력이 나빠 공군사관학교는 엄두도 못 냈다. 할아버지에게는 미안한 일이지만 애당초 나는 파일럿에 도통 흥미가 없었다. 신학대에 진학한 것은 아버지의 교회를 물려받기 위해서였다. 내가 죽으면 네 것이라고 아버지가 형에게 입버릇처럼 말하던 바로 그 교회 말이다. 언제부턴가 아버지는 그 말을 입 밖에 내지 않았다. 형의 성적표가 날아오는 날이면 집 안의 공기가 돌덩이를 매단 것처럼 무거워지면서부터였을 것이다. 초등학교 때는 그럭저럭 중위권을 유지하던 형의 성적이 중학교에 진학한 뒤부터는 바닥으로 떨어졌다. 아버지의 새벽기도도 어머니가 붙여준 비밀과외도 할아버지가 지어온 한약도 추락하는 형의 성적에 제동을 걸지는 못했다.

책상 앞에 앉으면 형은 꾸벅꾸벅 졸았다. 예배 중에도 졸았고 텔레비전을 보다가도 졸았고 화장실에서도 졸았다. 정신이 말똥말똥할 때는 식탁 앞에 앉을 때뿐이었다. 할아버지는 너무 어렸을 때 녹용을 먹인 탓이라고 자책했고 아버지는 영혼에 마귀가 들러붙었기 때문이라 했고 어머니는 모유를 먹이지 못한 탓이라며 가슴을 쳤지만 내 생각은 달랐다. 과학시간에 배운 자유낙하의 법칙에 의하면 낙하속도는 무게와 상관없지만 공기저항이 개입되면 얘기는 달라진다. 같은 크기의 고무공과 쇠공이 떨어지는 속도는 같다. 그러나 무게가 같은 멀쩡한 종이와 구겨진 종이의 낙하속도는 다르다. 구겨진 종이가 더 빨리 떨어진다. 공기저항을 덜 받기 때문이다. 형은 내가 건넨 우산을 사양하지 말았어야 했다. 그랬다면 두세 바늘쯤은 덜 꿰맸을 테고 시도 때도 없이 졸게 되지는 않았을 것이다. 물론 나만 아는 이야기다. 이 사실을 알면 모두 나를 원망할 테니까. 형 대신 내가 뛰어내렸어야 했다고 한탄하지 않으리라 누가 장담하겠는가.

형이 고등학교 입시에도 낙방해 실업계 고등학교에 가게 되자 집안의 기대는 고스란히 내 몫이 되었다. 아버지는 더 이상 형을 위해 기도하지 않았고 어머니는 모유 타령을 그만두었다. 심지어 아버지와 어머니는 주일 아침예배에도 형을 데리고 가지 않았다. 늘어지게 늦잠을 자는 형을 일부러 깨우지 않았던 것이다. 하지만 할아버지는 형에 대한 기대를 차마 버리지 못했다. 아버지와 어머니에게 아들은 둘이었지만 할아버지에게 칠성장군은 하나뿐이었다. 할아버지는 만취한 날이면 형을 저만치 세워두고 시력검사표를 짚곤 했다. 언젠가 형은 전과 같은 시력을 보여줘 할아버지를 깜짝 놀라게 했다. 할아버지가 방에 들어가자 형은 씩 웃으며 말했다. 술 취하면 만날 같은 데만 짚으신다. 그때만큼은 예전의 형으로 돌아온 듯했다. 그러고 나서 형은 자장라면 세 봉지를 한꺼번에 삶아 먹었다. 어머니가 내 태몽을 꾸지 않은 이유를 알 것도 같았다. 나는 옷을 물려받듯 형의 태몽을 물려받을 운명이었던 것이다.

형은 점점 집에서 있으나 마나 한 존재가 되어갔다. 고등학생이 되어서도 먹는 것 외에는 도무지 흥미를 보이지 않았다. 식탐은 갈수록 심해졌다. 먹고 또 먹고. 다음 날에도 먹고 또 먹고. 그다음 날에도 먹고 또 먹고. 뭔가를 우물거리지 않을 때는 똥을 누거나 잠을 잘 때뿐이었다. 형은 희박해진 자신의 존재감을 덩치로 만회하려는 것처럼 무지막지하게 먹어댔지만 덩치가 커질수록 형의 존재감은 더 희박해졌다. 형이 고등학교 2학년 때였다. 나는 잠을 자다 부스럭거리는 소리에 눈을 떴다. 아직 한밤중이었다. 어둠에 눈이 익자 방 저쪽에 시커먼 덩어리가 꼼지락거리는 게 보였다. 형이었다. 형은 방구석에 웅크리고 앉아 배낭을 꼭 끌어안은 채 소풍을 위해 준비한 과자를 먹어 치우고 있었다. 그새를 못 참고 말이다. 방바닥에는 과자 껍질이 수북했다. 하늘을 난 아이는 대책 없는 뚱땡이가 되어버렸다.

데이트에 형을 데리고 간 것은 여자친구의 성화 때문이었다. 여자친구는 '진도'가 나갈 때마다 내 주변인물을 보고 싶어했다. 첫 키스를 허락한 뒤에는 가장 친한 친구를 보여달라고 하더니 첫 섹스 뒤에는 형을 보여달라는 것이었다. 친구를 보여주는 거야 어렵지 않았지만 형은 곤란했다. 이런저런 핑계를 대자 여자친구는 냉랭해졌다. 형을 보여주지 않으면 헤어지기라도 할 태세였다. 나는 여자친구를 놓치고 싶지 않았다. 형이 별나다고 미리 운을 떼놓았고 괜찮다고, 사랑하는 사람끼리는 감추는 게 없어야 한다는 말을 듣기는 했지만 마음 한구석이 영 찜찜했다. 언젠가는 부딪쳐야 할 일이라고, 매도 빨리 맞는 게 낫다고 스스로를 위로해도 소용없었다.

형은 내 부탁에 선선히 응했다. 뜻밖이었다. 사람들 상대하는 게 피곤하다며 고등학교를 자퇴하고 집에만 틀어박힌 형이 아니던가. 약속 장소로 가는 내내 나는 형에게 주의사항을 일러주었다. 너무 많이 먹으면 안 돼. 소리 내 먹으면 안 돼. 여자친구가 먹을 때 빤히 쳐다보면 안 돼. 갑자기 소리 지르면 안 돼. 묻는 말에는 꼬박꼬박 답하되 가급적 짧게 해. 큰 소리로 대답하면 안 돼. 신사처럼 굴어야 해. 깍듯하게. 다시 한 번 말하지만 너무 많이 먹으면 안 돼. 형은 수시로 발길을 멈추고 어리둥절한 표정으로 어딘가를 바라볼 뿐 내 말은 듣는 둥 마는 둥 했다. 마찬가지로 형이 무엇을 바라보는지, 무엇을 신기해하는지는 내 관심 밖이었다. 내 머릿속은 이 난처한 이벤트를 어떻게 하면 무사히 마칠 수 있을까, 하는 생각뿐이었다. 나는 무리에서 떨어져나온 소를 단속하듯 형을 약속장소로 몰아갔다.

문학소녀이자 국문학도였던 어머니는 소설책을 손에서 놓는 법이 없었다. 어머니는 19세기 소설만 읽었다. 살아 있는 작가는 진짜 작가가 아니라면서. 그 말의 진의를 깨닫게 된 것은 신문에 난 책 광고 때문이었다. 장편공모에 당선된 소설 광고였다. 대학생이 된 두 자녀를 둔 여성이 쓴 소설이었다. 작가의 프로필을 일별하던 내 눈이 커졌다. 어, 어머니와 같은 대학교 같은 과예요. 한 번도 지갑을 여는 법이 없던 애다. 어머니는 십자수를 놓으며 말했다. 성모마리아가 아기예수를 안고 있는 그림. 어머니의 험담은 처음이었다. 어머니가 죽은 작가의 소설만 읽는 이유를 알 것 같았다.

내가 19세기 소설을 읽는 이유는 달랐다. 나는 여자친구를 만나러 가기 전에만 읽었다. 치미는 성욕을 다스리고 고양된 감정을 유지할 수 있었으니까. 위대한 소설은 성욕을 누그러뜨린다. 인간은 짐승이 아니라는 사실을 깨우쳐주기 때문이다. 형에게도 읽힐 걸 그랬다. 여자친구와 마주 앉은 형은 바지에 텐트를 치고 말았다. 그것만 빼면 형은 의외로 잘해나갔다. 평소 사족을 못 쓰던 닭튀김을 본체만체했고 콜라는 소리 죽여 마셨으며 여자친구의 질문에는 부드러운 목소리로 짧게 대답했다. 좋아하는 음식이 뭐예요? 굽이 두 쪽으로 갈라지고 새김질하는 짐승. 하하하. 여자친구는 소리 내어 웃었다. 예의상 웃어주는 게 아니었다. 여자친구는 진심으로 즐거워하고 있었다. 베스트 프렌드는 누구예요? 요조. 요조가 누구죠? 형은 자기 컴퓨터를 그리 불러. 내가 끼어들었다. 귀여워라. 여자친구가 미소를 지으며 말했다. 요조는 무슨 뜻인가요? 컴퓨터를 살 때는 요모조모 따져봐야 합니다. 형이 대답했다. 어쩜. 여자친구는 재밌어 죽겠다는 얼굴이었다. 나에게는 보여준 적 없는 얼굴. 동생 어렸을 때는 어땠어요? 마침내 화제가 나에게로 옮겨왔다. 나는 기대 반 우려 반의 심정으로 형의 대답을 기다렸다. 나만 졸졸 따라다녔습니다. 형은 코를 벌름거리며 말했다. 마뜩찮은 통과의례를 슬슬 마감할 때였다. 나는 여자친구를 향해 말했다. 그만 일어날까? 여자친구는 내 말에는 아랑곳 않고 형에게 다시 질문을 던졌다. 취미는 뭐예요? 하늘 날기. 정말요? 여자친구의 눈이 반짝거렸다. 형은 씩씩하게 고개를 끄덕였다. 나도 번지점프를 해보는 게 소원인데. 여자친구가 두 손을 모으며 말했다. 그거 나도 하고 싶다. 형이 헤벌쭉 웃으며 말했다. 여자친구와 형은 미팅에서 눈이 맞은 커플처럼 죽이 잘 맞았다. 일어나자고. 내 목소리가 커졌다. 여자친구는 놀란 표정으로 물었다. 벌써? 형이 무리했어. 덩치는 코끼리 같지만 사람들하고 조금만 얘기해도 금세 녹초가 돼. 스트레스를 엄청 받거든. 마음이 약해서 상대의 말을 자르지도 못해. 내 말이 떨어지기 무섭게 형이 손사래를 치며 소리쳤다. 난 괜찮아. 사이비종교 신도한테 걸려 두 시간 동안이나 꼼짝도 못하고 얘기 듣느라 바지에 오줌을 지렸잖아. 내가 쏘아붙이자 형은 얼굴을 붉히며 입을 꾹 다물었다. 잠시 어색한 침묵이 흐른 뒤 형은 자리에서 엉거주춤 일어섰다. 다행히 텐트는 철거된 뒤였다.

KFC 매장을 나왔을 때 나는 형의 귀에 대고 속삭였다. 이제 가도 돼. 형은 시무룩한 표정으로 땅만 쳐다볼 뿐이었다. 나는 다시 속삭였다. 약속했잖아. 신사답게 굴기로. 나는 도움을 청하는 눈빛으로 여자친구를 바라보았지만 그녀는 내 기대를 저버렸다. 여자친구는 형의 팔짱을 끼며 짐짓 쾌활한 목소리로 말했다. 번지점프하러 갈래요? 형은 반색하며 고개를 힘차게 끄덕였다. 턱살이 출렁이도록.

번지점프대에 오르자 형은 상기된 얼굴로 콧구멍을 연방 벌렁거렸다. 흥분한 기색이 역력했다. 누가 먼저 뛰어내릴 겁니까? 안전요원이 사무적인 말투로 물었다. 나는 여자친구를 쳐다보았다. 여자친구는 망설이는 눈치였다. 형이 앞으로 나섰다. 규정상 100킬로그램이 넘으면 점프를 할 수 없습니다. 안전요원이 형을 위아래로 훑어보며 말했다. 형의 얼굴이 붉으락푸르락해졌다. 규정상 어쩔 수 없습니다. 안전요원은 여전히 사무적으로 말했다. 싫어. 형이 소리쳤다. 안전요원이 다시 규정을 들먹였지만 형은 고삐 풀린 망아지처럼 방방 뛰며 고함쳤다. 싫어. 싫어. 싫어. 싫단 말이야. 점프대가 무너질 것처럼 요동

쳤다. 나는 주저앉으며 난간을 붙들었다. 그러지 마, 형. 내 목소리는 날카롭게 윙윙거리는 바람 소리에 묻히고 말았다. 좋아요. 좋아요. 씨팔. 안전요원이 팔을 휘휘 내저으며 외쳤다. 발목에 밧줄을 묶고 점프대 끝에 선 형은 고개를 돌려 의기양양한 표정을 지어 보였다. 심지어 윙크까지 날렸다. 형은 팔을 벌린 채 몸뚱이를 허공에 내맡겼다. 형이 하늘을 나는 모습은 보지 못했다. 나는 내내 난간을 붙든 채 바닥에 주저앉아 있었으니까. 무릎이 없어진 것 같았다. 형이 내지르는 희열에 겨운 괴성을 나는 못 들은 척했다.

안전요원이 누가 먼저 뛰어내릴 거냐고 또다시 물었을 때 선뜻 나선 쪽은 여자친구였다. 저 아래에서 형이 어서 뛰라고 손짓을 해댔다. 괜찮겠어? 내가 물었지만 여자친구는 뒤도 돌아보지 않았다. 나는 엉금엉금 기다시피 점프대에서 내려왔다.

그날 이후 여자친구는 내 전화를 받지 않았다. 집 앞으로 찾아간 나에게 여자친구는 일그러진 얼굴로 말했다. 아무래도 안 되겠어. 그녀는 내 첫 여자였다. 나는 가끔 그녀를 떠올릴 때마다 자문한다. 그때 점프대에서 뛰어내렸다면 그녀에게 차이지 않았을까? 형처럼 뛰어내렸다면 말이다. 형의 베스트프렌드 '요조'는 요조숙녀에서 따온 게 분명하다. 형은 요조를 보며 딸딸이도 쳤을 것이다. 요조는 형의 첫 여자인 셈이다. 컴퓨터를 살 때는 요모조모 따져봐야 한다고? 정말이지 형의 너스레는 아무도 못 말린다. 나는 죽었다 깨어나도 따라가지 못할 것이다. 축대에서 뛰어내려 머리를 일곱 바늘쯤 꿰매면 모를까.

여자친구가 형을 보고 싶다고 했을 때 내키지 않았던 이유는 따로 있었는지 모른다. 형을 여자친구에게 보여주기 싫었던 게 아니라 여자친구를 형에게 보여주기 싫었던 게 아닐까? 하늘을 나는데다 유머도 만점인 형에게 말이다.

　형이 네 번째로 하늘을 난 것은 아버지가 땅에 묻히던 날의 일이다. 아버지는 폐암으로 돌아가셨다. 할아버지도 폐암이었다. 골초였던 할아버지는 담배를 입에도 대지 않았던 아버지보다 이십 년이나 더 살았다. 할아버지는 암 진단을 받고도 일 년을 의연하게 버텼지만 마지막 몇 주는 정신이 오락가락했다. 내가 손을 잡을 때마다 형의 이름을 불렀고 동생을 잘 돌봐야 한다는 말만 되풀이했다. 숨을 거두기 직전에는 이렇게 말했다. 땅굴을 조심해라. 할아버지의 금고에는 금붙이가 수두룩했다. 금괴, 금송아지, 금두꺼비, 금열쇠, 금반지, 금팔찌, 금시계 등등. 할아버지가 금고에 차곡차곡 쟁여둔 것은 전쟁에 대한 공포였다.

　아버지는 암 진단을 받은 지 열흘 만에 돌아가셨다. 아버지의 책상 서랍에는 우황청심환이 가득했다. 아버지는 주일 아침의 설교 준비를 위해 수시로 서재에 틀어박혀 있곤 했다. 아버지에게는 무대공포증이 있었던 게 틀림없다. 나는 아버지의 우황청심환을 한 개도 빠짐없이 챙겼다. 나에게도 무대공포증이 있다. 정확히 말하자면 고소공포증이다. 나는 다른 사람들보다 한 치만 더 높은 곳에 있어도 무릎이 후들거린다. 형과 번지점프대에 올라간 뒤부터였을 것이다. 내가 물려받게 될 교회 연단의 높이는 20센티미터. 20센티미터. 무시무시한 높이다. 우황청심환이 필요한 높이.

　교회에서 치러진 아버지의 장례식에 형은 나타나지 않았다. 목수가 되겠다며 집을 나가 연락이 끊긴 지 오 년째였다. 기별이 닿지 않은 형이 나타날 리 만무했지만 어머니는 출입문 쪽을 연방 흘금거렸다. 아버지의 시신은 할아버지가 생전에 조성한 용인의 선산으로 옮겨졌다.

형이 모습을 드러낸 것은 구덩이에 안치한 아버지의 관 위에 흙을 뿌리고 있을 때였다. 조문객 사이에서 어, 하는 탄성이 터져나오는가 싶더니 성가대의 찬송가도 뚝 끊겼다. 나는 삽질을 중단하고 조문객 쪽을 쳐다보았다. 조문객들은 모두 손차양을 만든 채 아래쪽을 내려다보고 있었다. 검은 물체가 빠른 속도로 다가오고 있었다. 쨍쨍한 가을 햇살이 눈을 콕콕 쪼아댔다. 손으로 햇살을 가리자 검은 물체가 온전히 정체를 드러냈다. 검은 양복의 솔기가 금방이라도 뜯겨나갈 것만 같은 거구. 형이었다. 형은 그새 더 거대해졌다. 갑자기 세상이 비좁아진 느낌이었다. 형은 성난 코끼리처럼 달려왔다. 한 손을 번쩍 치켜든 채. 마치 세상을 멈춰버릴 것 같은 기세였다. 연인을 잃었을 때 슈퍼맨이 그랬던 것처럼.

형의 출렁이는 턱살이 손에 잡힐 듯 선명해지던 순간이었다. 형의 눈이 휘둥그레지는가 싶더니 거짓말처럼 붕 떠올랐다. 돌부리에 걸린 형은 제 속도를 이기지 못하고 허공에 굵직한 포물선을 그렸다. 중력도 형의 몸뚱이를 붙들지는 못했다. 아, 형이 또 하늘을 나는구나! 나는 뭔가에 홀린 기분이었다. 이번에 형을 받쳐준 것은 안전 그물망이 아니라 아버지의 관이었다. 아니다. 형의 몸뚱이가 아버지의 관을 덮쳤다. 할렐루야. 누군가 외치자 모두가 입을 모아 복창했다. 할렐루야. 할렐루야. 할렐루야. 모두는 아니었다. 어머니와 나는 벌어진 입을 다물지 못했다.

형을 꺼내는 건 쉽지 않았다. 구덩이에 꽉 끼여 움쭉달싹 못했기 때문이다. 인부들은 심각한 표정으로 머리를 맞대야 했다. 기중기를 불러야 한다는 주장까지 튀어나온 난상토론 끝에 구덩이를 넓히는 데 겨우 의견을 모았다. 인부들이 삽으로 흙을 조심조심 파내는 동안 형은 아버지를 껴안고 있어야 했다. 처음이자 마지막 포옹이었다. 구덩이가 조금만 작거나 조금만 더 컸어도 불가능했을 한 시간 동안의 포옹. 만유인력의 반대말은 구덩이다. 살아남은 자에게 꽉 끼는 죽은 자의 구덩이. 죽은 자가 살아남은 자를 위해 마련한 구덩이. 그러고 보니 아버지는 나를 안아준 적이 없었다. 단 한 번도. 신학대학교에 합격했을 때도, 목사가 되어 첫 설교를 했을 때도 안아주지 않았다. 아버지가 장만한 구덩이는 나에겐 너무 컸다. 아니, 아버지가 장만한 구덩이에 비해 나는 너무 작았다. 만유인력의 반대말은 구덩이지만 구덩이의 반대말은 질투다. 질투는 열등감을 두 자로 줄인 것이고. 나는 아무리 먹어도 살이 찌지 않는 체질이다. 아버지처럼. 하지만 아버지는 죽음으로써 단박에 몸집을 불릴 수 있었다. 어깨는 좁고 팔은 긴 특이한 체형의 소유자였던 아버지는 평생 기성복이라고는 입을 수 없었다. 관은 아버지가 입은 최초의 기성복이었다.

형이 마지막으로 하늘을 난 것은 죽어서였다. 공사판을 전전하던 형은 어이없는 사고로 목숨을 잃었다. 철근을 옮기다 전복된 기중기에 깔려 죽은 것이다. 향년 45세. 형이 남긴 유품은 내복 상자 한 개가 고작이었다. 상자에는《포켓판 국어사전》, 공책, 빨간 보자기, 편지봉투 하나가 담겨 있었다.

나는 낡아빠진《포켓판 국어사전》을 들춰보았다. 형이 아버지의 설교를 들으며 펼쳐보던 사전에는 여기저기 빨간 줄이 그어져 있었다. 이런 대목들. 간음. 부부가 아닌 남녀가 성관계를 맺는 일. 간통. 배우자가 있는 사람이 배우자 이외의 이성과 성관계를 가지는 일. 형의

《포켓판 국어사전》은 죄악의 사전 같았다. 모든 죄악은 사전 속에 있었다. 나는 새삼 궁금했다. 같은 죄악을 가리키는 이름이 여럿인 까닭이. 형에게 물었다면 뭐라고 답했을까.

공책에는 《레위기》가 반복해서 적혀 있었다. 맨 뒷장은 삐뚤빼뚤한 선 좌우에 적힌 먹을 수 있는 것과 먹을 수 없는 것들의 목록으로 빽빽했다. 먹을 수 있는 것. 굽이 두 쪽으로 갈라지고 새김질하는 짐승, 지느러미와 비늘이 있는 생선, 네 발로 걸으며 날개가 돋친 곤충 가운데 발뿐 아니라 다리도 있어서 땅에서 뛰어오를 수 있는 것들, 메뚜기, 방아깨비, 귀뚜라미. 먹을 수 없는 것. 낙타, 토끼, 돼지, 지느러미와 비늘이 없는 생선, 독수리, 까마귀, 타조, 올빼미, 갈매기, 매, 부엉이, 따오기, 백조, 펠리컨, 고니, 오디새, 박쥐, 네 발로 걸으며 날개가 돋친 곤충, 발바닥으로 걸어다니는 동물, 땅을 기어다니는 길짐승 중 두더쥐, 쥐, 육지악어, 도마뱀, 카멜레온. 부정한 것들. 《레위기》 11장이었다. 《레위기》가 아니었다면 형의 몸은 두 배로 불었을 것이다.

편지봉투에서 나온 것은 형이 축대에서 뛰어내리던 무렵 최고의 인기를 구가하던 여배우의 수영복 사진과 유서였다. 유서는 형이 초등학교 4학년 때 갔던 극기캠프에서 숙제로 쓴 것이었다. 저를 화장해주십시오. 세상 가장 높은 곳에서 뿌려주십시오. 하늘을 오래오래 날 수 있도록. 할아버지, 아버지, 어머니 부디 만수무강하십시오. 빨간 보자기에는 핏자국이 선명했다. 땅바닥으로 곤두박질친 북두칠성이 흘린 핏자국.

나는 형의 시신을 화장했다. 《포켓판 국어사전》과 《레위기》만 적힌 공책과 왕년의 여배우 비키니 사진과 유서도 함께 태웠다. 빨간 보자기는 태우지 않고 유골함을 싸는 데 썼다. 나는 유골함을 들고 형이 빨간 보자기를 두른 채 뛰어내렸던 축대를 찾아갔다. 축대가 있던 자리에는 상가 건물이 들어서 있었다. 1층은 뼈다귀해장국집이었고 맨위층은 안마시술소였다. 나는 옥상에 올라가 형을 뿌렸다. 때마침 분바람 덕에 형은 멀리멀리 날았다.

언젠가 형이 교회에 찾아온 적이 있었다. 그때 나는 설교 중이었다. 형은 엉뚱한 곳에 발을 들인 사람처럼 주뼛거리며 맨 뒷자리에 앉았다. 나는 죄악과 심판에 대해 무시무시한 말을 쏟아내고 있었다. 아버지가 그랬던 것처럼. 그래야 나이 든 신도들조차 나를 우습게 여기지못할 테니까. 아버지에게 그랬던 것처럼. 그들이 지은 죄악이 나를 어려워하게 할 테니. 혹 무고한 자가 있다면 죄의식을 심어주어야 했다. 그날 내 설교의 주제는 원죄였다. 우리는 모두 태어나면서부터 죄인입니다. 더한 죄인도 덜한 죄인도 없이 똑같은 죄인입니다. 형이 눈에들어온 순간부터였다. 나는 식은땀을 흘렸고 같은 말을 반복하거나꼭 해야 할 말을 빠뜨렸다. 어쩌면 형이 미소를 지었을 때부터인지도, 이 세상에 존재하기도 전에 저질렀다는 죄악을 되새기느라 파랗게 질린 얼굴들 뒤에서 홀로 씩 웃어 보였을 때부터인지도 모르겠다. 서커스 입장권을 구하기 위해 헌금함을 털 때, 인간 대포알이 된 것을 본신도가 있더라도 아버지에게 일러바치지 못할 거라고 말할 때, 할아버지는 술에 취하면 늘 같은 숫자만 짚는다고 귀띔할 때, 번지점프대끝에서 돌아볼 때 보여주었던 바로 그 미소. 내 두려움과 불안과 후회와 욕정과 질투를, 꼭꼭 감춰둔 어둠을 어루만지는 것만 같던 서늘한미소. 나는 더 이상 연단에 버티고 서 있을 수 없었다. 죄악과 심판과구원에 대해 떠들 수도 없었다. 무릎이 날아간 듯했다. 무릎이 없으면죄악도 심판도 구원도 없으니. 설교를 어떻게 마무리했는지 기억나지 않는다. 기억하고 싶지도 않다. 그날만큼은 우황청심환도 나를 구원하지 못했다. 정신을 수습했을 때 형은 온데간데없었다. 내가 본 형의 마지막 모습이었다.

아직도 나는 잇새로 침을 뱉지 못하고 연단에 오르기 전에는 우황청심환을 깨물어 먹어야 한다. 그러니까 나는 문을 걸어 잠근 서재에 처박혀 설교를 준비하다 신경이 곤두서면 잇새로 침 뱉는 연습을 하고, 우황청심환의 힘을 빌려 연단에 오른다. 연단에 오르는 순간까지도 어떤 말로 사람들을 휘어잡을까 고민한다. 형이라면 어떻게 했을까. 만약에 형이라면. 그리고 또 생각한다. 마지막으로 본 형의 모습은 어쩌면 환영이었는지도 모른다고.

| 우수상 수상작 |

국화를 안고

전성태

1969년 전남 고흥 출생.
중앙대 문예창작학과 졸업.
1994년 단편소설 〈닭몰이〉로 《실천문학》 신인상을 받으며 등단.
소설집 《매향埋香》 《국경을 넘는 일》 《늑대》, 장편소설 《여자 이발사》,
산문집 《성태 망태 부리붕태》 등.
신동엽창작상, 제비꽃서민소설상, 채만식문학상, 무영문학상 수상.

여자는 거실 창가에 앉아 뜨거운 차를 마셨다. 찻잔에 입바람을 불 때마다 어둠이, 여자의 등 뒤에 뿌리를 둔 어슴푸레한 기운이 소매에 앉은 분필 가루처럼 조금씩 불려나가는 것 같았다. 창은 번했다. 사택 앞마당에 선 가로등 불빛 주변에 성긴 눈발이 나부꼈다. 학교 운동장이며 민가 지붕들이 윤곽을 지우며 눈 속에 묻혀 있었다. 만월이 그려놓은 밤처럼 풍경은 비현실적으로 보였다. 두렵지만 않다면 그녀는 이런 비현실감도 좋았다. 그녀는 국화차를 한 모금 천천히 넘겼다. 차는 혀끝에서 식으며 생콩처럼 비릿했다. 차를 마신 것은 산책 전에 물을 마셔두는 오랜 습관이었다. 평소보다 이른 시간이라 그녀는 날이 더 밝기를 기다리며 지난밤 이삿짐 정리를 하다가 찬장에서 발견한 국화차를 우렸다. 지난가을에 절에서 얻은 차였다.

계단을 오르는 발소리가 나고 이내 바닥에 신문 떨어지는 소리가 들렸다. 옆집 이 선생이 보는 신문이었는데, 그가 전주로 떠나고 보름이 지났는데도 신문은 여전히 배달되었다. 아직도 시간은 애매했다. 밤이라고도 새벽이라고도 할 수 없는 시간이 창밖으로 흐르고 있었다. 산책이라면 깊은 밤에도 즐기는 편이지만 오늘은 산책이라기보다 외출에 가까웠다. 여자는 어젯밤부터 이상스레 영혼들의 시간에 집착했고, 그러자니 날 바뀌는 시간이 자정이 아니라 새벽인 듯만 싶었다.

여자는 각오라도 한 듯 고양이처럼 방바닥에서 기지개를 켰다. 목도리를 귀까지 올려 둘렀다. 그녀는 식탁으로 가서 포장한 초콜릿과 그리고 담배와 라이터를 차례로 외투 주머니에 넣었다. 신발장 위에는 흰 국화 한 묶음과 벙어리장갑이 놓여 있었다. 그녀는 어제 국화를 사느라고 인근 항구의 의료원 앞까지 다녀왔다. 등산화를 조여 신은 그녀는 장갑을 끼고 국화 다발을 들었다. 현관 벽에는 새 달력이 걸려 있었다. 칠 일에 동그라미가 쳐져 있었다. 이틀 전 날짜였다. 붉은 색 연필로 그린 동그라미는 어둠 속에서 검게 보였다. 문을 열자 옆집 문 앞에 놓인 신문이 희끄무레하게 보였다. 여자는 신문을 가져다가 제 집 신발장에 올려놓고 문을 닫았다. 전등 없는 계단을 그녀는 발끝으로 더듬으며 내려갔다.

잔바람이 부는데도 공기는 차갑지 않았다. 등산화가 눈 속에 묻혔다. 2층 연립주택은 어둠 속에 잠들어 있었다. 읍내 국민학교와 중학교에 적을 둔 독신 교사 여덟 명이 입주해 있었는데 방학을 맞아 도시로 돌아가거나 연수 교육을 받으러 떠나서 사택에 남은 교사는 여자뿐이었다. 여자는 본가가 광주에 있었다. 이태 전 어머니가 떠나고 이제 그 집에는 오빠 가족이 살고 있었다.

여자는 국민학교 탱자 울타리를 따라 골목을 내려갔다. 우듬지를 가지런히 다듬은 탱자 울에 눈이 쌓여서 긴 성곽을 따라 걷는 기분이 들었다. 골목길에는 도랑처럼 눈이 쌓여 발목까지 올라왔다. 새벽기도 간 신도들이 분주하게 남기고 간 발자국들이 눈길 가운데로 나 있었다. 울 너머 테니스장에서는 인기척이 없었다. 매일 이 시간이면 5학년 담임인 윤과 예비군 중대장이 테니스를 쳤다. 이틀 동안 테니스장이 비워져 있는데도 공을 치는 소리가 환청처럼 귓전에 맴돌았다. 여자가 두 시간 남짓한 산책에서 돌아올 무렵이면 황토색 테니스장은 산란한 열기를 식히는 저녁 염전처럼 고요해져 있었다.

가끔 그녀는 울타리에 걸리거나 골목으로 넘어온 테니스공을 주워서 아무도 없는 코트로 던져놓고는 하였다. 탱자나무 잎이 졌을 때 울타리 가시 틈에 단단히 박힌 테니스공이 눈에 띄었다. 여자는 공을 꺼내보려고 탱자 울에 손을 밀어넣어보았다가 번번이 가시에 찔려서 물러났다. 이곳을 떠나기 전에 꺼낼 수 있을까? 탱자 울을 지날 때면 그 공이 문득 생각났고, 공은 이제 엄두를 못 내고 있는 숙제처럼 가슴에 얹혀 있었다.

여자는 발을 조심조심 내디뎠다. 때로 허방처럼 꺼지는 눈길을 밟고는 깜짝 놀라 국화를 품으로 바짝 끌어안고는 하였다. 오 년째 오르내린 길인데도 눈에 묻힌 길은 처음 걷는 길마냥 낯설었다. 탱자 울타리가 끝나고 민가가 나타났다.

대나무에 붉은 기를 건 점집 앞을 지나자 골목은 눈이 치워져 말끔했다. 오 의원 집 앞이었다. 의원 노인은 병원 앞을 비질하는 일로 일과를 시작했는데 여자는 왠지 그 집 앞을 지날 때마다 남의 영역에 들어선 짐승처럼 조바심이 나서 저도 모르게 종종걸음을 쳤다. 깨끗한 골목은 의원 노인의 자부심과 강박을 보여주는 것 같았다. 비록 다 키운 딸 하나를 잃었지만, 그는 두 아들을 의사로 길러냈다. 양의洋醫 삼대를 이어온 그의 가계를 주민들이 외경하는 눈길로 바라본다는 사실을 노인도 잘 알고 있을 것이다. 그는 학식 있고 점잖은 유지로서 처신을 해왔다. 그런데도 담처럼 쌓은 권위 너머로 결코 손을 내밀어 사는 것 같지는 않았다. 그런 고독은 토박이들에게 쉽게 눈에 띄지 않는 법이다.

병원과 잇대어 붙은 안채 마당에는 우람한 히말라야시다가 흰 눈을 둘러쓴 채 거대한 크리스마스트리처럼 서 있었다. 그 이국의 나무는 서구풍의 높고 짙은 녹색 지붕과 함께 오 의원 집을 도드라져 보이게 했다. 읍내에는 지방 문화재로 지정된 향교라든가 홍예다리, 그리고 팽나무 보호수들처럼 유서 깊은 정물이 많았지만 오 의원 집과 그 집 사람들이 풍기는 근대적인 정취는 더욱 고졸했다.

의원 노인은 학교에서 매년 유월에 갖는 안보교육 때 단골 연사로 초청되었다. 군의관으로 참전한 전력이 있었고, 통일주체국민회의 대의원을 역임하기도 했다. 여자는 아이들을 인솔하여 강당에 앉아서 그의 강연을 여러 번 들었다. 여순사건 때 이 읍에 진주한 반란군 일파가 저수지에다가 총질하여 비오리를 잡다가 맥없이 진압을 당했다든가, 몇 년 전 광주에서 일어난 소요는 깡패들이 저지른 소행인데 그들이 버스를 탈취해 주먹질로 버스 천장을 날렸다는 등 맹랑한 얘기들을 올망졸망 앉은 아이들에게 태연하게 늘어놓았다.

여자는 초임지로 발령을 받았지만 교사 생활에 어떤 기대도 없었다. 오 의원 같은 사람이 이 지방에서 덕망 있는 유지로 행세한다는 사실이 너무 빤하지 않는가 싶었다. 그녀는 의원 노인을 통해 이 지방의 정서와 수준을 간파한 느낌이 들었다. 그녀는 과묵한 처녀였고, 겉으로는 더없이 차분하고 평안해 보였다. 그러나 그녀는 내면 깊이 냉소와 자학에 시달렸다. 그녀는 어느덧 오 년을 이곳에서 보냈는데 이 지방에 적응했다기보다 자신을 벌주듯이 지냈다는 게 옳았다.

지난해 유월, 오 의원이 하던 말 가운데 여자의 가슴에 와 박힌 한

마디가 있었다. "우리 같은 늙은이들은 죽음의 한가운데에서 살아왔습니다."

죽음의 한가운데에서 살아왔습니다……. 웬일인지 여자는 그 말에 들린 듯 며칠간 시름겨웠다. 반발하고 부정하고 싶은 가운데도 한편으로 제 마음이 공명하는 걸 느꼈다. 그녀는 그 말에 위무를 받고 있었고 당혹스러웠다. 늙은이는, 혹은 그 세대는 그 말을 허위나 엄살이 아닌, 진실로 받아들이고 있는지도 몰랐다. 그녀는 얼마간 시간이 흐른 후 오 의원들이 하는 말의 진의를 백번 양보한다 해도 죽은 자들을 밑천 삼아 벌이는 말잔치가 아닐까 의심했다. 끔찍한 광주도 자신과 같은 입을 통해 반복될 것이다. 그래서 어느 날에는 죽음 한가운데에서 살아왔다는 이 진실도 매가리도 없는 언사가 천지간에 꽉 찰 것이다. 그녀는 오소소 소름이 돋았다.

며칠 후 여자는 자기 반 아이들이 제출한 안보교육 참관 감상문을 건성으로 검사하다가 한 아이의 작문에서 그 말을 다시 만났다. 그 말은 조금 변형되어 옮겨져 있었다. '원장님은 죽음을 피해서 살아온 분입니다.' 여자는 자신이 잘못 읽었나 싶어 다시 들여다보았다. 아이가 명백한 자의식을 갖고 의도적으로 변형했다기보다 잘못 쓴 게 분명했다. 열댓 문장으로 꾸린 작문을 다 읽어보아도 오기誤記가 틀림없었다. 여느 감상문처럼 오 의원의 강연을 요약해 옮기고 나라를 위해 희생하는 훌륭한 어린이가 되겠다는 판에 박힌 결말을 맺고 있었다.

그 남학생은 염전 쪽에서 할머니와 단둘이 사는 불우한 학생이었다. 통학 거리도 반 아이들 중에 제일 멀었다. 여자는 아이를 불러다가 첫 문장을 왜 이렇게 썼는지 물었다. 아이가 머뭇거리며 대답했다. "죽은 사람은 절대 안 돌아와요." 목소리는 작았으나 단호했다. "그건……." 여자는 정정해주고 싶었다. "그건 아주 어렵게 살아왔다는 소리야."라고 말하다 말고 여자는 주체할 수 없는 연민에 아이를 끌어 안았다. 그래, 우리가 애타게 불러도 죽은 자는 돌아오지 않아. 누구를 향한 연민인지는 알 수 없었으나 그녀는 자신의 한쪽이 무너지는 느낌이었다. 아이로서도 난데없었는지 목에 힘이 들어가 뻣뻣했다. 잠시 후 여자는 스스로도 당황하여 아이를 놓아주었다. 그리고 그날 오후 교실 맨 뒤에 놓인 자신의 자리에 앉아서 자책했다. 말수 적고 웃음기 없으며 정서마저 불안정한 선생이 아이들은 얼마나 불편할까.

별안간 오 의원 집 담 너머에서 간짓대가 오르더니 히말라야시다 한 가지에 쌓인 눈이 무너졌다. 눈바람은 담을 넘어와 여자의 얼굴에도 안겼다. 눈 털이는 다른 가지로 이어졌다. 여자는 도망치듯 골목을 벗어났다. 큰길로 나왔을 때 느닷없이 허공에서 천 한 자락이 내려와 그녀의 얼굴을 훑고 갔다. 여자는 꽃다발을 떨어뜨렸다. 한쪽 매듭이 풀린 현수막이 바람에 나부끼고 있었다. 그건 지난 연말부터 군 일대에 일제히 내걸린 대통령 연두 순시를 환영하는 현수막이었다. 아직 대통령이 오지 않았으므로 현수막은 금세 고쳐 달릴 것이다. 그녀는 며칠 전 신문으로 '선진'과 '통일'을 주창하는 독재자의 신년사를 읽었다. 임기가 다다른 자의 신년사답지 않게 어찌나 의기양양한지 마치 오 년 전 취임사를 보는 것 같았다.

현수막이 흔들릴 때마다 높은 담과 그 너머 교정에서 눈바람이 일어서 눈이 다시 내리는 것처럼 보였다. 여자는 외투를 털고, 눈 속에 던져진 꽃다발을 주워들었다. 꽃잎이 몇 장 실없이 쏟아졌다. 그녀는 긴 시멘트 담벼락 밑으로 놓인 큰길을 바라보았다. 국민학교와 중학교 교문이 나란히 붙어 있었다. 중학교 교문 쪽 담장에서 양조장 앞까지 이 지방 사람들이 '제재(저자)'라 부르는 새벽시장이 열렸다. 반농반어 지역이라 이른 아침에 잠깐 열리는 시장에는 주로 푸성귀나 해물 들이 나왔다. 겨울이라 푸성귀 내오는 농부들은 없고 생선이나 꼬막, 파래 따위를 내오는 바닷가 아낙들과 사시사철 붙박이로 나와 잡곡이라든가 말린 나물을 펼치는 할머니 두엇만 눈에 띄었다. 겨울 저자는 봄여름에 비해 규모가 반 이상 준 것 같았다. 오늘은 저잣거리가 텅 비어 있었다.

여자는 담장을 따라 걸어갔다.

이틀 전 산책길에는 저자에서 남자의 어머니를 만났다. 더러 절에서 얼굴을 익힌 사이라 두 사람은 고개를 숙여 인사했다. 항상 그렇듯 부기 오른 얼굴이 어두워 보였다. 노인은 제수를 장만하러 나온 길 같았다. 정초에 있는 아들 제사상을 차리느라 노인은 쓸쓸한 새벽길을 다녀가곤 했으리라.

노인은 시장바구니와 푸른 비닐봉지 하나를 양손에 나누어 들고 걸어갔다. 여자는 노인을 따라가듯이 한 발짝 물러나 걸었다. 노인은 걸음이 빨랐다. 몸에 밴 농사꾼 걸음새일 수도 있었으나 그녀의 존재가 불편해서 의식적으로 서두르는 것 같았다. 아무래도 시골 사람들은 교사를 불편해하기 마련이었다. 우체국을 지나 읍 거리가 끝날 무렵 여자는 자신이 따라간다는 인상을 주고 싶지 않아 노인과 나란히 걸었다. 이내 여자는 노인에게서 시장바구니를 빼앗듯 받아들었다.

"운동 가는 길이에요."

차라리 절에 간다고 둘러댈걸, 하고 여자는 후회했다. 여자는 시골 사람들에게 산보 다니는 일이 들키는 게 무안했다. 민망한 짓 같았다.

"어여 주고 산보 갑세. 손에 뭘 들면 그게 운동인가. 일이제."

노인이 다시 손을 내미는 걸 여자는 시장바구니를 뒤로 돌렸다. 노인은 어쩔 수 없다는 듯 걸음을 떼었다.

"날이 많이 풀렸어요."

"소한이 지났응께. 해도 근일 간 눈이 엄청 퍼붓는다든디 그도 걱정시럽네."

"그러게요."

두 사람은 더 말없이 국도변을 나란히 걸어갔다. 인가가 끊기고 서리 내린 마늘밭과 보리밭이 펼쳐졌다. 남자네 집은 읍내 바깥 마을에 있었다. 노인은 걸음을 한결 늦추었다. 여자는 시어머니가 될 사람과 걷는 처녀처럼 두려움과 설렘으로 가슴이 뛰었다. 조그마한 심리적 변화에도 얼굴이 금세 달아오르는 여자로서는 제 얼굴이 홍당무처럼 빨개지지 않았을까 걱정이었다. 그녀는 마음을 들키지 않으려고 숨죽여 심호흡을 했다. 끝내 시어머니 자리처럼 편해지지 않았다. 한 번도 상상해보지 못한 일이었다. 여자는 말하지 않고 걸어보리라 공연한 다짐도 해보았다. 길이 갈릴 때 예사롭게 인사말이나 건네겠다는 상상까지 하고는 스스로 깜짝 놀라 노인을 힐끔거렸다. 노인 역시 입을 꾹 다물고 걸었는데 무슨 말이든 해야겠으나 도통 할 말도 없고 그럴 재간도 없다는 표정이었다.

"선상님이라고 하든디 중핵교에 계신게라?"

"국민학교요."

"아…… 나넌 저기 비더리에 사요."

"네."

노인은 다시 입을 다물었다. 여자는 지난가을에 남자가 파혼했다는 소문을 들었다. 그에게 영혼결혼식을 올려준다는 소식을 듣지 못했던 터라 공양주 보살한테 파혼 얘기를 듣고는 깜짝 놀랐다. 혼처는 열여덟에 죽은 오 의원 집 딸이었다. 그녀는 그와 연애라도 한 처녀처럼 상실감을 느꼈다. 마치 잠에서 억지로 깨어난 것처럼 멍했고 그 낯선 기분이 또 당혹스러웠다. 몇 년간 절박했던 시간이 비현실적인 꿈처럼 그녀의 삶에서 간단히 지워져버리는 것 같았다. 새삼스럽게 남자를 향한 애틋한 마음이 그저 혼자 키워온 집착이며 자신이 비정상적이라는 자각이 들 때는 괴로웠다. 자신의 진심이 맹목과 가식으로 스스로에게 농락당하는 기분이었다.

그녀는 어느 날 산책길에 우연히 남자의 무덤을 보았고, 무덤의 주인이 광주에서 군인들에게 희생당한 청년이라는 사실을 알게 되었다. 시골길이 그렇지만 그녀의 산책은 어쩌면 무덤과 무덤 사이를 지나다니는 길이었다. 아무런 관계가 없고 사연도 모르는 무덤은 그저 두엄더미나 짚가리 같은 시골 정경에 지나지 않았다. 그러나 오가면서 남자의 무덤을 볼 때마다 자꾸 눈이 갔다. 불편한 마음이 맺혀서 풀리지 않았다. 처음에는 남다른 사연을 들어서 그렇겠거니 하고 생각했다. 점차 불편한 마음이 어디에서 오는지 스스로에게 묻지 않을 수 없었다. 머잖아 그녀는 자신이 어떤 악몽과 대면하고 있다는 사실을 깨달았다. 칠 년 전, 그녀는 대학생이었다. 그해의 살육은 그녀한테 아무 피해도 없이 지나갔다. 그런데도 교정은 물론이고 도시 전체가 어떤 상중喪中처럼 그녀의 가슴을 짓눌렀다. 졸업과 함께 이 지방으로 발령을 받았을 때 그녀는 잠시 해방감을 맛보기도 했다. 그러나 그 마음은 오래가지 못했다. 그녀는 여전히 우울했다. 그의 무덤은 자신이 악몽으로부터 도망치지 못했다는 사실을 다시금 환기시켰다. 지나친 집착이 아닐까, 하는 의구심을 안은 채 여자는 간혹 길가에서 무덤을 오랫동안 바라보았고, 때로는 무덤가에 올랐다.

어느새 그의 무덤은 여자에게 어떤 추모탑과도 같은 존재가 되었다. 그녀는 그 무렵 일기를 다시 썼고, 일기는 얼굴 한 번 본 적 없는 남자를 자꾸 불러냈다. 그의 기일을 알고 난 뒤로 그녀는 자신만의 의식도 가졌다. 기일 이틀 후에는 꽃을 사서 무덤에 올랐다. 다섯 해 동안 기일에 눈이 내리기는 올해가 처음이었다.

그녀는 공양주 보살에게 남자가 왜 망월동에 묻히지 않았는지 물었다. 공양주는 남편의 폭력을 피해 여섯 살 난 딸과 함께 암자에 몸을 의탁한 젊은 여자였다.

"총상으로 병원에서 이태를 누워 지내다가 죽었다지. 그래서 그냥 선산 근처에다가 둔 모양이야."

교사들 사이에서 들은 말로는 지방 유권자인 오 의원이 유족들에게 망월동 행을 만류했다는 소리도 있었다. 불가사의한 일은 저번 파혼을 주장한 당사자가 오 의원 집이라는 사실이었다. 혼례 날을 잡고 나서 그 집 부인이 시름시름 앓았고, 중매로 나선 점쟁이가 이르기를 신랑에게 여자가 있어서 딸애 영가가 동티를 낸 거라 하였다. 파혼을 한 당사자 집안에서, 그것도 신부네 입장이라면 그 책임을 곧이곧대로 전했을 리는 없을 것이다. 애초부터 서로 흠 많은 영가들이었다. 하나는 군인들이 쏜 총상으로 죽고 하나는 실연으로 열여덟에 약물을 마셨다. 비슷한 처지끼리 맺어주자고 해서 일이 추진되었겠지만 오 의원 집은 비록 제 딸이 입에 담기 힘든 사연으로 세상을 버렸어도 그런 남자와 짝을 지어주기에는 찜찜했을 것이다. 여자로서는 그렇게 짚여왔다.

정작 여자가 충격을 받은 말은 죽은 남자에게 여자가 있다는 소리였다. 그녀는 마치 자신의 존재가 들킨 것만 같았다.

"죽기 전에 사귀던 여자가 있었던 모양이죠?"

"그래서 남자 집에서 펄쩍 뛰고 난리지. 말 되는 이유를 대야 말이지. 그런 혼사라는 게 산 사람들 장난 짓 같아 보여도 이번에 보니 우리네 혼사보다 더 까탈스럽더라고. 집안 혼사라는 게 그게 아니고 뭐야."

여자는 깊은 혼란에 빠져서 남자 무덤으로 가는 발길을 끊었다.

마을길 입구에 다다라 헤어질 무렵, 노인이 버스 정류장으로 발걸음을 옮겼다. 잠시 쉬어갈 눈치였다. 여자도 시장바구니를 들고 노인을 따라 정류장 시멘트 의자에 앉았다. 노인은 주머니에서 주섬주섬 담배를 꺼내 물었다.

"선상님도 하실라오?"

"저는 못 배웠어요."

노인은 담뱃갑을 거둬들였다. 노인은 비로소 꼿꼿한 등허리를 둥글게 내려놓았다. 한결 느긋하고 편안하게 담배를 피웠다. 간혹 노인이 암자 아궁이 앞에 쪼그려 앉아 담배 피우는 모습을 먼발치에서 보았으므로 여자는 낯설지 않았다.

"입에 닿는 건 요것백이 없어라. 늦게사 배왔제요. 내 일찍 보낸 자석이 하나 있는디 살아생전에 요걸 좀 했제라. 그놈 묏에 서면 줄 건 없고 꼭 하나씩 불 붙여서 올렸는디 그라다가 배왔소. 그러니께 요것이 아덜한테 배운 거제라. 아덜이 지 에미 불쌍하다고 약을 줬다고 얘기요, 나넌."

노인은 한숨처럼 담배 연기를 내뱉었다. 잠시 후, 노인이 반이나 탄 담배 불똥을 끊어내고 일어났다. 노인은 헛생각에서 깨어난 사람처럼 서둘렀다.

"인저 가세라. 참 아즘찮했소."

여자는 노인의 어깨에서 흘러내린 목도리를 멈칫거리는 손길로 매만져주었다. 노인은 다소 심술궂어 보이는 입매 한쪽을 씰룩였다.

노인은 장거리를 챙겨서 길을 건넜다. 여자는 노인이 길 건너 농로로 접어드는 모습을 바라보았다. 농로는 야산으로 이어졌고, 그 산 너머에 노인이 가는 마을이 있었다. 여자가 남자의 무덤에 담배 올리는 일을 버릇한 것도 무덤 앞에서 담배꽁초를 보고 나서였다. 비석도 없는 무덤 앞에 얼굴만 한 돌멩이가 놓여 있고, 종종 돌 위에 타들다 만 담배꽁초가 눈에 띄었다. 유족들이 한 짓이라 짐작했지만 그의 아버지나 형제들로 여겼지 어머니가 올린 담배인 줄은 꿈에도 몰랐다. 노인이 산길로 숨어들어 보이지 않을 때까지 여자는 정류장에 서서 지켜보았다. 이제는 자신이 정말 떠난다는 사실이 실감되었다.

여자는 읍내를 벗어나 눈 덮인 도로를 걸어갔다. 마늘밭과 보리밭이 지워지고, 제 발걸음 소리만 뽀드득거릴 뿐 세상은 적요 속에 잠겨 있었다. 새벽 기운이 내려 사물들이 돋고 있었다. 여자는 아주 낯선 길을 걷는 기분이 들었다. 등산화 목으로 물기가 스며서 양말이 점점 척척해졌다. 꽃으로 한 손이 묶여서 몸이 기우뚱할 때마다 눈길에 손을 짚어 균형을 간신히 잡고는 하였다. 여자는 걸음을 세우고 뒤를 돌아보았다. 제 발자국이 총총히 박혀 있었다. 자신이 길을 더럽혀놓은 것 같았다. 그렇지만 무덤으로 갈수록 자신의 마음이 한결 홀가분해지는 것도 사실이었다.

정류장에 앉아 그녀는 잠시 쉬었다. 날이 트여왔다. 대기는 무거운 잿빛에 눌려 있었다. 해가 뜰 것 같지 않았다. 여자는 외투 주머니에서 담배를 꺼냈다. 불을 붙이며 한 모금 빨고는 기침을 했고, 이내 땅바닥에 비벼서 꺼버렸다. 여자는 일어섰다.

절 표지석이 나오자 여자는 도로를 버리고 산길로 올랐다. 소나무 길이 펼쳐졌다. 암자가 든 산은 그리 높지 않았다. 암자는 한길에서 채 300여 미터도 떨어지지 않은 산 중턱에 있었다. 그에 비해 암자 뒤로 난 등산로는 꽤 멀었는데 산을 서편으로 에돌아 능선으로 연결되었고, 능선을 넘으면 국민학교 운동장이 나왔다. 산등성이에서는 염전과 바다가 내려다보였다. 예전 이 지방 아이들은 그 산등성이로 소풍을 오곤 했다고 하였다.

여자는 길을 오르다가 동편 등산로로 벗어났다. 이내 숲길이 끝나고 꽤 너른 구릉지가 나왔다. 개간한 밭이 설원처럼 펼쳐졌다. 들깨 그루터기가 성성한 밭으로 꿩 두 마리가 발 시리게 돌아다녔다. 숲과 잇닿은 밭 가장자리에 눈 한 무더기가 봉긋이 솟아 있었다. 그녀는 가슴이 벅차올랐다. 만난 적은 없지만 그리운 사람이 비밀처럼 누워 있었다. 여자는 숲길 끝에 서서 숨을 골랐다.

그녀는 흐득, 흐느낌처럼 숨을 토해내고 밭둑으로 내려섰다. 그러다가 주춤 물러섰다. 그녀는 다시 발걸음을 내딛었다가 거두어들였다. 아무도 걷지 않은 눈길이 여자를 밀어냈다. 비로소 여자는 저 눈길을 걸어가 남자에게 국화를 건네고 담뱃불을 붙여줄 수 없다는 사실을 깨달았다. 그녀는 무덤에다가 제 흔적을 남긴 적이 없었다. 담배 상표도 그이 어머니가 남긴 것과 같았고, 다음 걸음에는 꽁초를 꼭 치웠다. 혹여 그의 부모나 형제가 발자국을 발견한다면 어떨지 상상이 가지 않았다. 예상치 못한 상황에 여자는 황망했다. 눈이 더 내려준다면 모를까 여자는 할 게 없었다. 그저 강처럼 막아선 설원을 막막하게 바라볼 뿐이었다.

여자는 힘없이 돌아섰다. 눈두덩이 뜨거워졌다. 뒤에서 옷자락을 잡아당기는 것만 같아 그녀는 여러 번 발걸음을 세웠으나 고개를 돌릴 수 없었다.

풍경 소리가 희미하게 들려왔다. 승이라고는 비구니 하나뿐인 자그마하고 빈한한 암자였다. 살림을 돌보는 보살 모녀와 그리고 그 아이와 친구처럼 늘 붙어다니는 누렁이 한 마리가 절 식구의 전부였다. 하월河月이라는 젊은 비구니는 이태 전에 주지로 왔다. 삼십대인지 사십대인지 가늠이 가지 않는 얼굴이었다. 안경 낀 갱핏한 얼굴이 고요했다. 여자는 예불을 드리지 않았으므로 서로 무릎을 대고 앉아 말을 섞어본 일이 없었다. 먼발치에서 합장이나 하고 스칠 때마다 여자는 어린 누이를 대하는 것만 같아 묘한 감상에 젖기도 하였다. 승방에 어울리는 사람이 따로 있을까마는 간혹 앳된 수녀와 비구니를 만날 때 드는 속절없는 비감처럼 속계로 불러내고 싶은 충동이 일었다. 옛 주지가 승방을 활짝 열어놓고 지냈다면 하월은 흰 고무신 한 켤레 댓돌에 내놓고 항상 문을 닫고 지냈다. 불자들은 학승이 왔다고 소곤거렸다. 공양주 보살은 "누렁이하고나 동무를 할까, 절이 하도 조용하니 내가 성불하겠다."며 적적한 마음을 드러내곤 했다. 하월이 온 뒤로 손 없는 경내가 더 적막해져서 산책하듯 다녀가는 여자로서는 마음이 한결 한갓졌다.

하월이 오기 전에는 원로의 비구니가 절을 지켰다. 그야말로 시골 노인네처럼 속가의 온갖 금기를 불법처럼 따랐다. 해 지면 사립을 꼭꼭 닫아걸고, 경내의 샘물을 마을 공동우물 단속하듯이 해댔다. 술과 고기 먹고 온 입들이 물바가지에 입을 댄다고 잔소리를 늘어놓았으

며, 경내에서 뛰어다니는 아이들에게는 지팡이를 흔들어댔다. 공양주
들을 눈에 난 며느리 다루듯 닦달해서 오래 버티는 보살이 드물었다.
한번은 여자가 무심코 관음전에 들었다가 불전함을 손댄 도둑으로 몰
리기도 했다. 치매기가 심해져서 돈을 여기저기에 숨기는 바람에 보
살들이 찾느라 애를 먹었다. 끝내 노승은 병원으로 옮겨서 한 해 전에
입적했다.

여자는 절 문 돌계단 한 편에 국화를 올려놓고 마당으로 들어섰다.
관음전 오르는 마당까지 눈을 치워 오솔길이 나 있었다. 터를 한 단
더 올린 곳에 관음전이 있고, 아랫마당 좌우에 단칸 요사 두 채가 나
란히 맞보고 있었다. 스님과 보살 모녀가 마주 보고 살았다. 승방 딸
린 왼편 요사 정주간에서 김이 모락모락 새어나왔다. 요사 뒤뜰에서
개가 짖으며 뛰어나왔다. 그녀는 늘 그렇듯 샘에서 물 한 모금으로 더
운 속을 식혔다.

"박 선생!"

공양주 보살이 정주간에서 내다보고 손짓을 했다. 아궁이불 쬐는
승방은 닫혀 있었다. 노상 신발 놓여 있던 댓돌은 허전했다.

보살은 기다린 사람처럼 젖은 손으로 여자의 소매를 끌었다. 훈김
자욱한 정주간은 훈훈했다.

"눈길에 막혀 못 오나 하고 걱정했어."

항상 숨죽여 말하던 보살이 전에 없이 들뜬 목소리로 맞았다. 그러
고 보니 얼굴에 분기가 오르고, 입술은 립스틱을 발라 붉었다.

"어디 가세요?"

여자가 늘 하던 대로 목소리를 한껏 낮추어 물었다. 보살은 수줍게
눈길을 피했다.

"어딜? 누가 전에 선물한 게 있어서 한번 발라본 거지."

"고우세요. 종종 하세요."

"누가 본다고 해. 눈이 와서 싱숭생숭해서 한번 해본 거야. 그나저나 길은 좀 다닐 만해?"

"글쎄 말예요. 떠나기 전에 한번 다녀갈까 하고 왔어요."

"참 방학했으니 집에 다녀와야지."

"전근이요."

여자는 속삭이듯 말했다. 보살이 눈을 동그랗게 떴다.

"전근을 간다고? 세상에, 어디로 가는데?"

"나주요."

"아이구나, 먼 데로도 가네."

그러면서 보살은 찬장을 열어서 분홍 보자기로 싼 보따리 하나를 내놓았다. 보따리는 제법 묵직했다.

"어저께 아침부터 받아놓은 음식인데 제때 못 전할까봐 걱정이 이만저만이 아니었어. 저기 아랫마을에 사는, 거 왜 있잖아, 광주에서 아들 잃었다는 보살님 말이야. 박 선생 전해달라고 두고 가셨어."

"저한테요?"

여자는 학부형한테 선물이라도 받은 것처럼 불편했다.

"요맘때가 그 집 아드님 기일이잖아."

여자는 아뜩해서 가만히 보자기를 내려다보았다.

"참 그 집 아드님 말이야, 다시 장가들게 생겼어."

"누구하고요?"

"전에 혼담 오간 병원 집 따님하고 다시 좋게 됐다나봐. 해 바뀌기 전에 서두른다고 바쁜데. 명부전에 영정이랑 사주단자가 벌써 와 있어."

이 암자에는 명부전이 따로 없었다. 삼신각이 명부전 역할을 했다. 여자는 어디든 앉고 싶어서 아궁이 앞으로 갔다. 여자는 축축해진 바짓가랑이를 털었다.

"아이구, 다 젖었네그래."

보살이 보조 나무의자에서 함지박을 치우고 아궁이 앞으로 밀어주었다. 여자는 엉덩이를 앉히고 등산화 끈을 풀었다.

"스님도 어제 못 들어오셨어. 길 사정 봐서는 어디 오늘이라고 여의찮겠어."

보살이 힐끔 바깥을 내다보았고 여자도 눈길이 따라갔다. 솔숲 능선에서 눈바람이 안개처럼 부옇게 피어나서 암자로 날려왔다.

"어디 멀리 출타하셨어요?"

"속가에 가셨어. 친정어머니가 위독하시나봐."

보살이 무심코 얹은 친정어머니라는 말이 생경하고 아득했다. 여자는 등산화를 벗은 두 발을 아궁이 앞에 세웠다. 그녀는 보따리를 무릎에 올리고 매듭을 풀었다. 마른 생선찜 서너 가지와 데친 꼬막, 그리고 박나물과 도라지나물 따위가 찬합에 정갈하게 담겨 있었다. 그릇을 기웃이 내려다보며 보살이 말했다.

"음식을 따로 나눈 걸 보면 그래도 박 선생이 그 할머니한테 잘 보였던가봐. 누구한테 통 정 주는 노인이 아니잖아. 그나저나 이사는 언제 간데?"

"이틀 뒤예요."

"이렇게 갑자기 가니 섭섭해서 어떻게 해."

여자는 외투 주머니를 뒤적거려 포장한 과자를 꺼냈다.

"초콜릿이에요. 여진이는 아직 자나 봐요?"

"맹랑한 것."

"혼내지 마세요. 저번에 누렁이 쓰다듬게 해주는 조건으로 제가 약속했거든요."

"그래서 선생님 보살은 왜 산타 할아버지처럼 잠잘 때만 다녀가느냐며 투정을 부렸구만. 그년 일어나면 입이 찢어지겠네."

보살은 선물을 받아서 선반에 올렸다. 양말에서는 김이 모락모락 피어났다. 여자는 녹을 듯 노곤해졌다. 여자는 처지는 몸을 세워 발에 등산화를 꿰었다.

"벌써 가게?"

"그릇을 돌려드리지 못할 것 같은데, 죄송하지만 어디에다가 싸갔으면 싶은데요."

"참 그렇겠네. 잠시 기다려."

보살은 음식들을 한지와 비닐에다가 나누어 싸고 그것을 종이봉투에 담아서 건네주었다. 여자는 빈 찬합 위에 담배와 라이터를 밀어넣고 보자기를 묶었다.

마당으로 나서자 보살이 누룽지를 담았다고 비닐봉지 하나를 더 안겼다. 여자는 짐이 가득한 두 손을 들어 보였다. 보살이 마당을 가로질러 제 처소로 종종걸음을 쳤다. 보살은 작고 낡은 배낭을 내왔다.

"이건 밤이랑 도토리 줍던 가방이니까 안 돌려줘도 돼."

여자는 배낭에 음식들을 넣고 어깨에 멨다. 둘은 계단 앞에서 인사했다.

"오늘은 함부로 산길로 들지 마."

"애들 졸업식 때 한번 다녀갈게요."

여자는 돌계단을 내려와 국화를 챙겼다. 그녀는 절 뒤꼍으로 난 산

길을 따라 들어갔다. 여자는 남자와 오 의원 집 딸을 사진으로 본 적이 있었다. 그녀가 몸담은 국민학교 졸업생들이라 서무과에서 졸업 앨범을 뒤적거려 쉽게 확인할 수 있었다. 두 사람은 사 년 차이를 두고 졸업했다. 서로 존재를 아는 사이인지도 몰랐다. 남자는 빡빡머리에 그저 순진해 보이는 시골 소년이었고, 반면에 블라우스 차림을 한 소녀는 한눈에 봐도 곱게 자란 티가 났다. 그 사진으로는 청년으로 자란 두 사람이 그려지지 않았다. 살아 있다면 이제 막 서른하나와 스물일곱이 되었을 것이다. 신부는 그녀보다 한 살이 어렸다.

삼신각은 문이 자물쇠로 채워져 있었다. 여자는 문틈으로 안을 들여다보았다. 어둠이 짙게 고여 있었다. 탱화와 그 앞에 설치된 불단이 흐릿하게 보였다. 불단에는 불물만 보일 뿐 유품이나 위패 따위는 보이지 않았다. 아마 영가의 제단은 건물 측면에 따로 설치되어 있는가 보았다. 그녀는 삭아서 닳은 창호 구멍으로 다시 안을 들여다보았다. 오른쪽 벽면으로 위패들이 놓인 제단이 보였다. 그리고 그 속에서 여자는 영정 사진틀을 발견했다. 빗겨선 사진틀 속 흑백사진으로는 머리를 두 갈래로 땋은 여자의 윤곽만 짐작할 뿐 이목구비가 선명히 보이지는 않았다. 신부를 보았다고 할 수 없었다. 그녀는 구멍에 눈을 박고 오랫동안 들여다보았다. 이내 여자는 자신이 부질없는 짓을 하고 있다는 자괴감이 들었고, 문에서 물러났다. 그녀는 삼신각 토방 한편에 국화를 내려놓았다. 그녀는 합장했다.

"그이는…… 무척 책임감이 강한 사내예요. 어릴 때 꿈은 교사일 때도 있고, 군인일 때도 있었지만 대학에서는 배를 만드는 엔지니어가 되려고 공부 중이었어요……. 이 고장에서 많이 나는 서대찜과 매생이를 좋아했어요. 아 참, 어머니가 만들어주는 식혜도 참 좋아했어요. 다정다감했지만 한 번도 연애를 해본 적은 없고요. 여자 앞에 서면 말을 더듬는 습성도 있어요."

여자는 눈시울이 붉어졌다.

"……목숨 걸고 사랑해본 당신, 부디 행복하길 빌어요."

그녀는 삼신각에서 몸을 돌렸다.

정류장으로 내려와서는 잠시 정처를 몰라 우두커니 서 있었다. 외출이 끝났다는 생각에 왠지 서글프고 허전했다. 작별인사를 나눌 사람들이 더 남은 것만 같았다. 그러나 그 대상이 선뜻 떠오르지 않았다. 머잖아 그녀는 아무도 없다는 사실을 깨달았다.

그녀는 읍내 반대 방향, 바닷가 쪽으로 발걸음을 떼었다. 염전에서 할머니와 함께 단둘이 사는 아이는 지난주에 과학캠프에 참석하느라 인근 도시로 떠나고 없었다. 그녀는 사비를 털어 아이를 그곳으로 보냈다. 애 할머니는 아이 걱정으로 근심이 많았고 그녀는 아이가 중학생이 되어도 돕고 싶었다. 이사 날짜가 잡혔을 때 여자는 졸업 기념으로 뭔가를 사주고 싶었고, 이내 따로 돈을 챙겨주는 게 낫겠다 싶어 봉투를 만들어서 주머니에 넣었다. 그런데도 며칠째 발걸음이 선뜻 떨어지지 않았다.

그녀는 삼십 분을 농로로 걸어 염전에 닿았다. 해무가 짙고 눈길은 질척였다. 1호, 2호, 3호로 이어지는 홋집들이 방죽을 따라 나타났다. 무른 방죽을 삽으로 치는 소리가 안개 속에서 들려왔다. 가정방문을 하느라 한 번 와본 적이 있지만 똑같은 외관을 한 집들이 늘어서 있고, 안개가 짙어서 아이 집을 쉬 찾을 수가 없었다. 그녀는 헤매듯이 갯벌 길을 걸어갔다. 누군가 그녀 앞에 불쑥 나타났다. 사내도 놀라기는 마찬가지인 듯싶었다. 낯빛이 붉은 사내는 밭에서 막 뽑은 푸른 마늘 줄기 서너 개를 손에 쥐고 있었다. 우북한 흰 뿌리에는 흙덩이가 엉겨 있었다. 여자는 아이 이름을 대고 집을 물었다. 사내는 손가락으로 여자가 선 뒤쪽을 가리켰다. 그리고 그가 성큼성큼 걸어갔다.

막 지나온 집이었다. 노인은 부엌에서 아침을 준비하고 있었다. 처음에는 여자를 기억하지 못했다가 아이 선생이라고 밝히자 반색하며 여자를 조그만 방으로 맞았다. 이부자리 끝을 당겨 무릎을 덮어준 노인이 말했다.

"식전일라. 내 금방 상을 차려요."

그리고 문 앞에 멀뚱히 선 사내에게 마을 사람들을 데려오라고 말했다. 사내는 손에 쥔 마늘 줄기를 노인에게 넘기고 사라졌다. 여자는 배낭에서 포장한 음식들을 꺼내서 부엌으로 나갔다.

"여서 삼동 나는 인부덜 몇이 있어서 거기들 밥을 대고 있제요."

조촐한 밥상이 두 개 차려지고 조만간 인부들이 들어섰다. 남자 노인과 청년과 아까 길에서 만난 장년이 방으로 들었다. 마늘 줄기를 넣은 된장국을 놓고 조금은 어색한 식사를 했다.

"선상님, 그놈한테서 핀지가 다 왔당게요."

노인이 입을 벙글이며 말했다.

"똑 용해 죽겄어라. 갸가 내 품으로 온 뒤 떨어진 건 첨이지라."

그러자 털모자 쓴 청년이 건너 상에서 말했다.

"걔가 애예요, 아랫도리에 털도 검실검실 비치는디?"

"숫, 처녀 선상님 앞에 두고 한다는 소리가 똑……."

노인은 눈을 흘기고는 둘러서 여자의 눈치를 살폈다.

"그래도 아적 애기여. 함씨 가심 더듬고 자는 애랑께."

사내들이 웃었다. 여자가 말했다.

"저한테도 편지가 왔어요."

"그래라? 여튼 갸는 선상님을 똑 지 에미처럼 예기니께. 불쌍한 것."

금세 노인이 틀고 앉아 치맛자락으로 눈구석을 훔쳤다.

식사가 끝나고 인부들이 물러갔다. 여자는 이십여 분을 더 앉아 있었다. 불편한 자리였다. 노인은 그저 아이 장래 걱정뿐이었다. 여자는 교사로서 할 수 있는 위로와 격려의 말을 건넸다. 이런 자리가 왠지 여자는 신물이 났다. 여자는 전근 소식을 전하고 싶은 마음마저 일었다.

"인저 언제 꺼질지 모르는 몸뚱이라 노상 그거이 걱정이제라. 나 가불면 누가 갸를 거둬 먹일랑가 생각하믄 잠이 안 와라. 그래 내 하는 말인디, 처녀 선상님한테 할 소리는 아니요만, 갸를 아들로 삼으믄 안 되겠소?"

여자는 사레가 들렸다.

"아이참, 아직 정정하신데 무슨 말씀이세요? 애 다 커서 호강하도록 사실 거예요. 걱정하지 마세요. 워낙 붙임성 있고 똑똑해서 잘 자랄 거예요."

"암튼 선상님만 믿을라."

여자는 주머니에서 봉투를 꺼내 방바닥에 놓았다.

"이제 중학교 들어가자면 가방이랑 참고서도 사야 할 거예요. 제가 직접 사서 졸업식 때 주려고 했는데 직접 해주시면 좋겠어요."

"참, 선상님도……."

노인이 여자의 손을 끌어 잡았다.

아이 집에서 나오니 눈발이 비쳤다. 여자는 염전을 서둘러 나오다가 농로에서 발을 삐끗했다. 그녀는 땅에 주저앉았다. 오른쪽 발목이 아릿했다. 그녀는 발목을 놓고 가만히 일어나보았다. 오른 발목 바깥이 딛기 힘들 만큼 당겼다. 발을 디딜 때마다 통증이 전류처럼 허리로 타고 올랐다. 그러나 점차 그녀는 개운한 느낌에 사로잡혔다. 제 몸이 제 몸 같다는 느낌. 통각은 몸을 깨웠다.

여자는 읍내로 들어 절뚝거리며 오 의원을 찾아갔다. 처음 방문이었다. 간호사도 없고 대기실도 없는 진료실은 텅 비어 있었다. 문에 달린 종이 울렸지만 내다보는 사람이 없었다. 주민들은 진료실 뒷문을 열고 의사를 부르고는 했을 것이다. 여자는 진료실을 둘러보았다. 난로에서는 땔감이 타고 있었지만 공기는 썰렁한 편이었다.

안채 마당 쪽에서 인기척이 들렸다. 여자는 뒷문으로 걸어갔다. 히말라야시다 그늘이 깊은 작은 마당은 우중충했다. 작은 손수레에 눈을 퍼 담고 있던 의원 노인이 우두커니 여자를 바라보았다.

여자의 발등은 부어올라 있었다. 상처 부위는 신발과 두꺼운 양말에 눌려 죽은 살갗처럼 희었다. 의원 노인이 만질 때마다 처음처럼 통증이 살아났다.

"곧 퍼렇게 멍이 들 게야. 발을 높이 두고 자요. 돌아다니는 건 안 좋아. 정 힘들면 아스피린 드시고, 염좌가 생기면 안 되니까 며칠 나와보오."

노인은 소염제를 바르고 붕대를 감아주었다. 노인은 핏기 없는 손을 미세하게 떨었다. 피부가 말가니 좋은데 뺨으로는 검버섯이 피어 있었다.

여자가 신발을 신고 고개를 들었다. 다시 노인이 빤히 쳐다보았고, 여자는 민망해서 눈길을 피했다. 노인이 무슨 생각을 하는지 여자는 알 것 같았다. 딸 또래의 처녀를 앞에 두면 늘 저런 눈길이 될 테지.

노인은 여자의 짐작보다 훨씬 노쇠했다. 여자는 짓궂은 마음이 들었다. 딸 얘기를 꺼내서 고통을 보고 싶었다.

여자는 벌떡 일어났다. 잠시 쉬어서 그런지 도망치고 싶어선지 여자는 발 딛기가 고통스러웠다. 신음을 토해내자 노인이 자리에서 일어서서 손을 뻗었다. 이내 노인은 손을 거두고 걸어나와 문을 열어주었다. 생각보다 어깨가 좁고 구부정했다. 여자는 눈 내리는 길로 나섰다. 노인은 딱 거기까지라는 듯 문 너머에 버티고 서서 물었다.

"좀 걸을 만하오?"

여자는 고개를 끄덕였다. 인사하고 돌아서자니 노인이 뒤에서 말했다.

"산 것도 없고 죽은 것도 없는 시절이지."

여자는 돌아보았다. 뒷짐 진 노인이 하늘을 올려다보고 있었다. 여자와 눈길이 마주치자 노인이 역시 중얼거리듯 말했다.

"눈 오는 거 보자니 그렇다는 거요."

여자는 제 심사가 얄미워서 마음이 울적해졌다. 노인은 여전히 현관에 서서 어린것을 배웅하는 사람처럼 서 있었다.

오후 내 여자는 사택에 머물며 짐을 꾸렸다. 일기장과 편지가 라면상자를 반이나 채웠다. 여자는 상자를 들고 학교 소각장으로 절뚝거리며 갔다. 오래전부터 발을 전 느낌이 들었다. 그녀는 불길에 편지를 던져넣고, 일기장을 들춰보며 태웠다. 그의 생활기록부를 찾아본 이야기, 무덤을 다녀오고 먼발치에서 그의 노모를 만난 이야기, 그리고 읍 사람들이 남자에 대해 하던 이야기들이 기록되어 있었다. 그녀는 다섯 권의 일기장을 불길에 던졌다. 불길이 잦아들자 그녀는 눈을 그러모아다가 잿더미를 덮었다.

그녀는 탱자 울을 따라 걷다가 테니스장이 바라보이는 골목에서 발길을 세웠다. 허리를 굽히고 탱자나무를 들여다보았다. 눈 덮인 울타리 틈으로 테니스공이 그대로 박혀 있었다. 그녀는 탱자나무 새로 손을 밀어넣었다. 가시가 손등을 찔렀다. 그녀는 신음을 뱉으며 손을 빼냈다. 손등에 핏방울이 맺혀 올랐다. 그녀는 다시 울타리에 손을 집어넣고 눈을 감았다. 그녀는 안간힘을 다해 손을 밀어넣었다. 손끝에 공이 닿았고, 그녀는 힘껏 밀었다. 테니스공은 탱자 울 밑으로 떨어졌다. 손등에서 서너 점의 핏방울이 맺혀 올랐다. 여자는 손수건으로 오른손을 감쌌다. 그녀는 허리를 굽혀 공을 주워들었다. 눈을 털어내자 테니스공은 노랗게 색이 바래 있었다. 여자는 이제 공을 어떻게 해야 할지 몰라 가만히 서 있었다. 그녀는 까치발을 하고 테니스장을 건너보았다. 통증이 올라 골반이 쑤셨다. 그녀는 공을 울안으로 힘껏 던졌다. 공은 테니스장으로 떨어져 가뭇없이 눈 속에 박혔다.

　여자는 남의 집 보듯 눈으로 뒤덮인 사택 마당을 들여다보았다. 새벽길을 나선 제 발자국은 지워지고 없었다. 피로감이 온몸을 내리눌렀다. 여자는 오랜 여행에서 돌아온 기분이 들었다. 여기저기서 큰 죄를 짓고 돌아온 마음이었다.

　여자는 집으로 들자마자 쓰러지듯 무너졌고 곧 잠들었다.

　누군가 문 두드리는 소리에 눈을 떴을 때는 사위가 어둠에 묻혀 있었다. 꿈인가 싶었지만 다시 조심스럽게 노크 소리가 들려왔다. 여자는 불을 켜지 않은 채 현관으로 다가갔다.

　"맞게 찾아왔네요."

　암자의 하월 승이 합장했다. 털모자와 어깨 위에 눈이 올라 있었다. 여자는 얼른 길을 터주었다.

하월은 추위에 떠는 아이처럼 몸을 부르르 떨었다. 야윈 얼굴이 파리했다. 여자는 손님을 방으로 맞아들였다. 이불을 끌어다가 몸에 둘러주었다. 손님은 이불을 여미고 몸을 잔뜩 웅크렸다. 그녀는 방을 둘레둘레 보더니 붕대 감은 여자의 발목으로 시선을 떨어뜨렸다.

"마실 걸 내올게요."

여자는 황급히 몸을 돌렸다.

국화차를 내왔을 때 하월은 모로 누워 눈을 감은 채 앓는 소리를 냈다.

여자는 이불을 당겨 여며주었다. 이내 하월은 잠이 든 것 같았다. 여자는 손님을 가만히 들여다보았다. 입술이 파랗게 얼고 부르터 있었다. 안경 너머로 왼쪽 눈 아래에 작은 점이 있었다. 눈물점이 있으면 울 일이 많다는데……. 여자는 오랫동안 헤어져 있던 자매가 돌아와 눈앞에 누워 있는 것 같았다. 그녀는 승에게서 안경과 목도리를 벗겨서 머리맡에 두었다.

여자도 손님 옆에 가만히 누웠다. 승이 뒤척이더니 앓듯이 흐느꼈다.

"스님!"

여자는 하월을 꼭 껴안았다. 하월은 가만히 품속에서 흐느꼈다. 여자도 맥없이 울음이 터졌다.

이부자리 쓸리는 소리에 여자는 설핏 잠에서 깨어났다. 하월이 어둠 속에서 옷을 여미고 조용히 일어섰다. 여자는 다시 눈을 감았다. 손님이 거실을 가로질러 신발을 더듬어 신고 문을 나설 때까지 여자는 숨소리마저 삼키고 가만히 누워 있었다. 뒤창을 치며 바람이 지나갔다. 아직 새벽이 오려면 먼 것 같았다. 얼핏 코끝에 국화 향이 풍겨

왔다. 정말 스님이 다녀갔을까. 여자는 누운 자리가 생시인지 꿈인지
의문스러웠다. 여자는 이불을 어깨까지 끌어올렸다. 이불의 온기와
익은 촉감이 생생했다.

| 우수상 수상작 |

아무도 돌아오지 않는 밤

김숨

1974년 울산 출생.
1997년 《대전일보》 신춘문예에 〈느림에 대하여〉가,
1998년 《문학동네》 신인상에 〈중세의 시간〉이 각각 당선되어 등단.
소설집 《투견》《침대》, 장편소설 《백치들》《철》《나의 아름다운 죄인들》《물》 등.

1

구릿빛 양은들통에서는 한 무더기의 오리 뼈가 고아지고 있었다. 오리 뼈에서 우러난 누리끼리한 기름이 둥둥 엉겨 떠올라 장판지 같은 막을 만들어내는 동안, 거실과 부엌은 차차 어둠 속으로 가라앉았다. 부엌 맞은편 꼭 닫힌 방문이 소리 없이 열리더니, 노인이 걸어나왔다. 제자리걸음을 해 현관 쪽으로 돌아서더니 두 발을 질질 끌면서 움직여 갔다. 고개가 쳐들려서 있어서인가 노인의 몸은 마치 허공에 대롱대롱 매달린 듯 보이기도 했다. 현관문이 열리는가 싶더니, 한순간 노인이 현관문 밖으로 지워지듯 사라졌다.

현관문이 저절로 닫히는 것과 거의 동시에, 영숙이 식탁 의자에서 쑥 몸을 일으켰다. 그녀는 부엌 형광등 스위치를 올렸다.

가스레인지 화력을 최대한 미약하게 줄여놓아, 들통 속 오리 뼈 국물은 뭉근하면서도 집요하게 고아지고 있었다. 하루하루 고요하고 끈덕지게 지속되는 노인의 일상처럼. 노인이 온종일 집 안에 틀어박혀 하는 일이란 오리 뼈를 고고, 전기문이나 성경을 필사筆寫하거나 티브이 뉴스를 시청하는 것뿐이었다. 날이 어둑해지면 노인은 슬그머니

방에서 나와 산책을 다녀왔다.

노인의 산책은 그다지 길지 않았다. 한 시간 정도, 고작 집 근처 골목들을 쏘다니다 돌아왔다. 집에서 그리 멀지 않은 곳에 근린공원이 있었지만, 그곳을 찾아가지는 않는 눈치였다. 영숙은 노인이 굳이 복잡하고 소란한 골목들을 헤매고 다니는 이유를 알았다. 쓸모가 거의 다해 버려진, 그러나 노인의 눈에는 아직 쓸모 있어 보이는 고물을 줍기 위해서일 것이었다. 노인은 기껏 주워온 고물을 누구에게도 내보이지 않고, 자신의 방 외짝 장롱 속에 차곡차곡 감추듯 쌓아두었다. 마치 그것들이 사후에 자신의 쪼그라들고 메마른 육신과 함께 땅속에 파묻힐 귀중한 부장품이라도 되는 양. 선풍기, 액자, 시계, 화분 등등 낡고 찌그러지고 깨진 잡동사니들 속에 누워 영원히 잠든 노인의 모습을 머릿속으로 그려보던 그녀는, 어깨까지 떨면서 고개를 내둘렀다.

그녀는 현관 쪽을 흘끔 바라본 뒤, 국자로 들통 속을 휘저었다. 장판지가 찢기듯 기름이 엉겨 만들어진 막이 찢어졌다. 누리끼리하다 못해 푸르스름한 빛이 감도는 국물 위로 늑골과 목뼈, 엉치등뼈 등속이 삐죽삐죽 악다구니 치듯 올라왔다. 그녀는 국자로 뼈들을 꾹꾹 눌러 들통 바닥으로 가라앉힌 뒤, 국자 그득 오리 뼈 국물을 떴다. 국자 속 국물을 빤히 들여다보고 있으려니 저절로 노인의 눈동자가 떠올랐다. 타원형의 오목한 국자 속에 담겨 있어서인가, 노인의 흐려터진 눈동자가 국자 속에 그렁그렁 괴어 있는 것만 같았다. 자신을 빤히 응시하고 있는 것만 같아서 그녀는 국자를 들통 속에 내던지듯 처박았다.

노인은 오리 뼈들을 도대체 어디서 구해오는 걸까. 살을 싹 발라먹은, 자잘하고 앙상하다 못해 흉측하기까지 한 뼈들을.

'옥천오리식당'에서 얻어오는 것인지도 모르지…….

그녀가 그렇게 생각하는 데는 나름 그럴 만한 이유가 있었다. 작년 겨울, 그녀는 노인을 모시고 그 식당을 찾아간 적이 있었다. 일흔셋 생일을 맞은 노인에게 오리백숙을 사 먹이기 위해서였다. 마침 남편이 출장인데다, 시누이마저 뭔 사정이 있어 며느리인 그녀 혼자 노인의 생일을 챙겨야 했다. 아침에 미역국을 끓이기는 했지만 생일상을 차리기가 뭣해 노인을 모시고 그 식당을 찾아간 것이었다. 그 식당을 알려준 이는 그녀의 친정어머니였다. 믹서에 간 마麻를 넣고 삶은 오리백숙이 밭솥만 한 항아리에 담겨 나오는데, 주말에는 꼭 예약을 해야 할 정도로 유명하다고 했다. "십 년 전인가 다 쓰러져가는 집을 개조해 식당을 냈는데 돈을 갈퀴로 긁어모은다는구나. 오리백숙을 먹고 나면 찰밥이 대나무소쿠리에 담겨 나오는데 그 밥이 또 그렇게나 맛있다." 평일인데도 자리가 없어 노인과 영숙은 다락 같은 곳에 올라가 오리백숙을 먹었다. 마를 갈아넣어 풀처럼 끈적끈적한 국물을 노인은 걸신들린 듯 떠먹어댔다. 낮게 내려앉은 천장을 떠받치듯 등허리를 너부죽이 구부리고서. 노인 때문인지 몰라도, 그녀는 어쩐지 오리백숙이 못 먹을 음식처럼 역겨웠다. 반찬으로 나온 동치미 국물이나 떠먹다 찰밥을 미리 달라고 해 먹었다. 그런데 화장실에 다녀와 계산을 하려고 신용카드를 내미는 그녀에게, 식당 여자가 불쑥 물어왔다.

"친정아버지신가 시아버지신가, 오리백숙 좀 자주 사드려야겠어요."

"……?"

"글쎄, 오리 뼈를 얻을 수 있냐고 물으시네요."

식당 여자는 출입문 옆에 얌전히 서 있는 노인을 흘끔 바라보면서 말했다.

"오리…… 뼈를요?"

"그러게 말이에요."

"오리 뼈는 왜……?"

"왜는요? 그거라도 푹 고아 드시려고 그러시는 거겠지요."

식당 여자가 뻔하지 않느냐는 듯 말해 그녀는 몹시 당황스러웠다. 모욕을 당한 것만 같아 홱 돌아서서 식당을 나왔다.

그녀는 아무래도 노인이 그 식당에서 오리 뼈들을 구해오는 것만 같다. 오른쪽 눈썹 밑에 사마귀가 난 식당 여자한테 구걸하듯 사정사정을 해가며……. 그렇지 않고서야 사나흘마다 한 무더기나 되는 오리 뼈들을 어디서 구해오겠는가.

거실 시계는 일곱 시를 막 지나고 있었다. 남편은 여덟 시쯤 집에 돌아올 것이었다. 오후 네 시쯤 남편으로부터 전화가 걸려왔을 때, 노인은 혼자 식탁에 앉아 오리 뼈 곤 국물을 떠먹고 있었다. 굵은소금만으로 간을 한 그 국물을 노인은 시도 때도 없이, 그것이 마치 불로장생의 보약이라도 되는 양 떠먹었다. 저녁을 어떻게 할지 묻는 그녀에게 남편은 집에 와서 먹겠다고 했다.

밥과 국 다 아침에 먹고 남은 것이 있었다. 그녀는 냉장고에서 먹을 만한 반찬들을 끄집어내 식탁 위에 늘어놓았다. 반찬이라고 해야 어묵볶음과 오이소박이, 오징어채볶음뿐이었다. 일주일도 더 전 반찬가게에서 산 오이소박이는 짓물러 있었다. 노인만 아니면 남편과 지하철역 근처에서 만나 칼국수나 한 그릇씩 사먹고 들어올 텐데……. 그녀는 매콤한 아귀찜이 먹고 싶기도 했다. 그녀는 귀찮았지만 자반

고등어를 한 마리 굽고, 계란을 네 알 풀어 대충 계란말이를 만들었다. 바지락은커녕 감자와 파도 넣지 않고 끓인 시금치된장국을 데웠다. 그녀가 그렇게 저녁식탁을 차리는 동안에도 들통에서는 오리 뼈가 쉬지 않고 고아지고 있었다. 오리 뼈 고는 냄새와 자반고등어 튀기는 냄새가 뒤섞여 부엌뿐 아니라 집 전체에 떠돌았다. 베란다와 욕실에까지.

삼십 분이나 서 있었을까? 그녀는 두 다리와 발이 붓는 것을 느꼈다. 발가락들이 수족관 속 개불처럼 부풀어 오르는 것만 같았다. 그녀는 식탁 의자에 비스듬히 엉덩이를 걸치고 앉아 가빠오는 숨을 골랐다. 그녀는 임신 칠 개월이었다. 임신 오 개월 때, 의사는 사내아이임을 그녀에게 슬쩍 알려주었다. 그즈음 남편이 마침 출장 중이어서 그녀는 시아버지인 노인에게 그 사실을 가장 먼저 알려주었다. 노인에게 아들이라고는 달랑 남편뿐이었다. 정작 노인 자신도 형제가 누이들뿐 대대로 아들이 귀한 집안이었다. 노인이 당연히 손녀보다는 손자를 바라리라는 것이 그녀의 생각이었다. 내심 안도하고 흐뭇해하겠지, 대를 이어줄 손자가 아닌가.

"아들이라지 뭐예요."

"……?"

"제 뱃속의 아이 말이에요."

"그러냐……."

노인은 그 말뿐이었다. 아무리 무덤덤한 양반이래도, 어떻게 그렇게나 무덤덤할 수 있을까. 남의 집 며느리가 임신을 한 것도 아니고……. 여태 먹어보라면서 변변한 과일 하나 사다 준 적 있던가. 그녀의 배가 하루가 다르게 불러오는데도 노인은 예정일이 언제인지 단

한 번 그녀에게 물어오지 않았다. 하기는, 내가 입덧을 그렇게 해대는
데도 오리 뼈를 온종일 고아댔으니……. 그녀는 임신 사 개월째까지
입덧을 심하게 했고, 그것이 오로지 오리 뼈 고는 냄새 때문이라고 믿
었다. 그녀는 오리 뼈 고는 냄새가 진동하는 집에서 물 한 모금 제대
로 목구멍으로 넘길 수 없었다. 오리 뼈 곤 국물을 하도 먹어대서인지
노인의 얼굴에 부옇게 살이 오르는 동안, 그녀는 쇠꼬챙이처럼 말라
갔다. 숨 쉬는 것조차 힘겨워 친정에 가서 보름 동안 지내다 오기까지
했다.

"홀시어머니 시집살이보다 홀시아버지 시집살이가 더하다더라."

결혼 전 친정엄마는 그런 이유로 남편을 딱히 마땅해하지 않았다.

"계원 중에 삼부아파트 사는 이 말이다. 둘째 딸인가가 시집을 가서
홀시아버지를 모시고 살았는데 술주정에다 잔소리가 어찌나 심하던
지 이혼까지 할 뻔했다더라. 도장까지 찍어 이혼장을 내밀어서야 남
편이 시아버지를 요양원으로 보냈다지 뭐냐?"

그렇게나 꺼리고 우려하는 친정어머니를, 그녀는 노인이 술 한 잔
할 줄 모르는 단정하고 과묵한 분이라는 말로 안심시켰다. 그러나 결
혼 이 년 만에 노인은 그녀에게 도무지 속을 알 수 없는 의뭉스러운
노인네로 바뀌어 있었다.

"엄마, 천 길 물속은 알아도 한 길 사람 속은 모른다는 말이 왜 있는
지 알겠어요."

"속담이고 뭐고 옛말들 중에 틀린 말이 하나 있는 줄 아냐?"

"그러게 말이에요."

"살면 살수록 흘려들었던 옛말이 뼈에 못처럼 박힐 거다. 옛말들이
죄다 뼈에 박혀 피 같은 녹물을 뚝뚝 흘릴 때쯤에야 철이 드는 게

지. 혹 아냐? 접시 물에 코를 박고 죽은 사람이 정말로 있었는지도."

"노인네가 수박 한 통, 아니 주먹만 한 참외라도 하나 사다 줬어도 이렇게까지 밉지는 않겠어요."

친정에서 지내는 내내 그녀는 입덧으로 인한 스트레스를 노인의 흉을 뜯는 것으로 풀었다. 그녀가 친정에서 겨우 입덧을 가라앉히고 돌아왔을 때 집은 벽지까지 오리 뼈 고는 냄새에 찌들어 있었다. 그릇과 수저, 행주, 수세미에까지. 들통에서는 오리 뼈가 고아지고 있었고, 노인은 방에 틀어박혀 필사를 하느라 내다보지도 않았다. 그녀가 짐을 챙겨 친정에 갈 때만 해도 간디 전기문을 필사하고 있더니, 톨스토이 전기문을 필사하고 있었다. 초등학교도 마치지 못한 노인네가 간디를 알면 얼마나, 톨스토이를 알면 얼마나 알겠는가. 글씨 쓰기 연습을 하는 것도 아니고 궁색스럽게 밤낮으로 뭘 그렇게 베껴 써대는가. 그리고 보니 노인이 한 권 한 권 필사 중인 전기문들도 길에서 주워온 것이었다. 어느 날 밤 스무 권 가까이 되는 전기문 전집을 주워와서는 거실에 늘어놓고 걸레로 먼지를 훔쳤다. 얼마나 오래되었는지 누런 종잇장 위로 흰 벌레가 기어다니고 군데군데 곰팡이가 피어 있었다.

노인네가 돌아올 때가 되었는데……. 오늘은 또 뭘 주워들고 돌아오려나?

2

여덟 시가 넘었지만, 남편은 집에 돌아오지 않고 있었다. 밤 산책을 나간 노인도. 남편은 그렇다 쳐도 노인은 돌아올 때가 지났다. 노인이 집을 나간 지 어느새 한 시간도 더 지난 것이다.

남편은 약속한 시간보다 귀가가 늦는 일이 잦았다. 무턱대고 두세 시간 늦는 경우도 종종 있었다. 남편은 잉크를 전문으로 만드는 회사의 영업사원이었고, 이런저런 술자리가 느닷없이 생기고는 했다. 이틀 전에도 남편은 아무리 늦어도 아홉 시까지는 집에 오겠다고 해놓고 자정이 가까워서야 술에 취해 돌아왔다.

바싹 구워진 고등어를 접시에 옮겨 담는데, 계단을 올라오는 발소리가 들렸다. 그리고 빌라 어느 집인가, 현관문이 열리고 닫히는 소리가 들렸다. 그녀는 고등어가 담긴 접시를 식탁에 내려놓았다.

202호 여자가 돌아왔나?

그녀는 시금치된장국을 올려놓은 가스레인지 불을 껐다. 거무스름하게 짓물러진 시금치들이 누런 된장국물 속에서 혓바닥처럼 날름댔다. 그녀는 시금치를 한 가닥 젓가락으로 건져 입으로 가져갔다. 질식시킬 듯 혀에 감기는 시금치를 겨우 식도로 삼키고 거실 시계를 쳐다보았다.

사실 그녀는 남편과 노인을 기다리기도 했지만, 202호 여자를 기다리기도 했다. 빌라 계단에서 몇 번 얼굴을 마주친 것 말고는 말 한마디 섞어본 적 없는 그 여자를. 그녀가 그 여자를 기다리는 것은, 전날 노인으로부터 황당한 소리를 들었기 때문이었다.

"아래층 여자가 내일 저녁에 삼십만 원을 가져올 거다."

아래층이라면 202호였다.

"내가 그 여자한테 삼십만 원을 빌려주었다. 그 돈을 너한테 갚으라고 했다."

"저한테요……?"

"내일 저녁에 그 돈을 갚겠다고 했다."

"그렇지만 왜 저한테……?"

"꼭 갚겠다고 했으니…… 그래 꼭……."

"……."

"그 돈을 받거든 너 쓰고 싶은 데 써라."

노인은 그리고 산책을 나갔다. 노인네가 202호 여자를 보면 얼마나 봤다고 삼십만 원을 다 빌려주었는가. 그녀는 그런 생각이 들면서도 공돈 삼십만 원이 생겼다는 생각에 은근슬쩍 기분이 좋았다. 그렇지 않아도 임신한 뒤로 다달이 적자였다. 매달 붓는 보험금에 적금, 공과금을 제하고 나면 생활비가 빠듯했다. 지지난달에는 의료보험 적용이 안 되는 양수검사를 받는 바람에 마이너스 통장까지 만들었다. 그런데 노인이 무슨 돈이 그렇게나 있어서 202호 여자한테 삼십만 원을 다 빌려주었는가. 노인이 혹 남편 모르게 숨겨둔 돈이 있는 게 아닐까. 남편이 딱히 그녀 몰래 용돈을 챙겨주는 것도 아닌데 노인은 그럭저럭 잘 지냈다. 하긴 담배를 피우지도, 술을 마시지도 않으니 돈 들어갈 데가 별로 없을 것이었다. 놀러 다니는 걸 즐기는 노인도 아니었다. 친구도 별로 없는지 노인이 누구와 전화통화 하는 걸 그녀는 본 적이 없었다. 수원에 살고 있는 딸과도 생전 전화통화 한 번 하지 않았다.

삼십만 원을 덥석 꿔줄 만큼 노인이 평소에 202호 여자와 잘 알고 지냈나? 그러나 노인의 성격으로 봐서 그럴 것 같지 않았다. 며느리인 나한테도 말 한마디 건네는 적이 없는 노인네가 아닌가. 더구나 202호 여자는 직장에 다니는지 낮에는 집에 없었다. 한 빌라에 살고 있다지만, 그녀는 202호 여자와 그다지 말을 나눈 적이 없었다. 사십대 중후반으로, 남편과 두 딸과 함께 산다는 것 말고 아는 게 거의 없었다. 하긴 속을 도무지 알 수가 없으니……. 그녀는 어쩐지 노인이 빌라에 살고 있는 사람들에 대해 모르는 것이 없을 것만 같다. 그들이 어떻게 살아가고 있는지 속속들이 다 알고 있으면서, 모르는 척 의뭉을 떨고 있는 것만 같다.

노인은 심지어 내가 오리 뼈 곤 국물을 몰래 버린다는 것을 알면서도 모르는 척 시침을 떼고 있지 않은가. 내가 국자로 국물을 떠 개수대로 흘려버리는 것을 버젓이 목격해놓고도……. 그녀는 묘하고 엉뚱하게도, 노인이 그 사실을 아들인 남편에게 일러바치지 않는 것이 신경질 나고 견딜 수가 없었다. 노인이 모르는 척 시침을 떼는 것이 어디 그뿐인가. 노인이 먹다 남긴 밥과 국을 죄다 음식쓰레기통 속에 버린다는 것을, 노인이 벗어놓은 옷가지는 따로 분리해 세탁기에 돌린다는 것을, 노인이 쓰고 난 뒤면 왁스를 듬뿍 뿌려 좌변기를 닦아낸다는 것을 다 알면서도 모르는 척 시침을 떼는 것이다.

그녀는 새삼 노인이 자신의 집에 들어와 함께 산 지 이 년이 다 되어가고 있음을 상기했다. 잔병치레 없던 노인이 갑작스레 중풍으로 쓰러지는 바람에, 어쩔 수 없이 모시고 살게 된 것이다. 입원해 지내는 동안 빠르게 회복되기는 했지만, 노인의 말과 행동은 쓰러지기 전보다 어눌하고 굼떠져 있었다. 그때 남편은 노인이 혼자 살고 있던 빌라를 처분해 주식과 펀드에 투자했고, 투자한 지 팔 개월 만에 거의 날려버렸다. 그렇지 않아도 펀드가 한창 유행일 때였다. 서둘러 파느라 시세보다 삼사백만 원이나 밑지고 팔아넘긴 그 빌라는, 노인의 전 재산이나 마찬가지였다. 싫든 좋든, 그녀는 노인과 한집에서 살 수밖에 없었다.

그녀는 불현듯 어깨를 흠칫 경직시키면서 뒤를 돌아다보았다. 노인이 등 뒤에서 자신을 빤히 쳐다보고 있는 것만 같은 착각이 들어서였다. 그녀는 낮잠을 자다가도 버르적 깨어나고는 했다. 노인이 자신을 빤히 내려다보고 있는 것만 같아서였다. 설거지를 하다가도, 청소기를 돌리다가도, 베란다에서 빨래를 널다가도, 텔레비전이나 신문을 보다가도 흘끔……

그녀에게 그런 버릇이 생긴 데는 다 그만한 이유가 있었다.

노인이 들어와 산 지 일 년이 다 되어가던 어느 날이었다. 그날도 남편은 여덟 시쯤 집에 돌아오겠다고 해놓고는 아홉 시가 넘도록 돌아오지 않고 있었다. 그녀는 하는 수 없이 노인과 단둘이 식탁에 마주앉아 저녁을 먹었다. 그녀가 문득 고개를 들었을 때, 노인이 그녀를 빤히 쳐다보고 있었다.

"왜 그러세요……?"

"……"

"절 왜 그렇게……."

"……"

"절 왜 그렇게 바라보시는 거냐고요?"

노인은 그러나 입을 꾹 다문 채 그녀를 빤히 쳐다보기만 할 뿐이었다. 노인이 딱히 해코지를 한 것도 아닌데, 그녀는 낯설고 이상한 공포심에 사로잡혔다. 딱히 뭐라고 설명할 길 없는.

어쨌든 그런 일이 있은 뒤로, 그녀는 절대로 노인과 단둘이는 식사를 하지 않았다. 남편이 늦는 날이면 식탁을 차려놓고 방으로 들어가버렸다. 노인이 식사를 다 마친 뒤에야 방에서 나와 혼자 식사를 했다. 노인도 혼자 식사하는 것이 편한 듯 식사를 다 마치면 자신의 방으로 조용히 들어가버렸다. 그리고 그녀가 식사를 다 마칠 때까지 절대로 방에서 나오지 않았다. 남편이 어쩌다 일찍 퇴근해 돌아오는 저녁에나 노인과 한 식탁에 둘러앉아 아무렇지도 않은 듯 식사했다.

눈에 띄게 호전되기는 했지만, 노인은 아직 중풍 환자였다. 오리 뼈 국물을 떠먹을 때 숟가락을 쥔 노인의 오른손이 떨리는 것을 그녀는 여러 번 보았다. 오른손이 하도 떨려서 기껏 떠올린 숟가락 안의 오리 뼈 국물이 줄줄 옆으로 새는 것도 보았다. 다만 그것을 그녀가 모르는 척할 뿐이었다. 김이 무럭무럭 피어오르는 들통에서 오리 뼈 국물을 한 국자 한 국자 떠올리는 것이, 노인에는 크고 무거운 벽돌을 한 장 한 장 들어올리는 것만큼 힘에 부치는 일이리라. 그럼에도 그녀는 단 한 번 오리 뼈 국물을 떠 노인 앞에 놓아준 적이 없었다.

노인이 또 쓰러지기라도 하면 어쩌는가. 설마 갓난아이에다 중풍으로 쓰러진 노인 병수발까지 하게 되는 건 아니겠지.

그런데 202호 여자는 왜 돈을 갚으러 오지 않는 것이지? 설마 삼십만 원을 갚아야 한다는 것을 깜박한 것은 아닐까. 그녀는 삼십만 원이 노인이 아니라 자신이 꿔준 돈이라도 되는 듯 초조해졌다.

나한테 갚으라고 했으니 내 돈이지, 내 돈!

그녀는 삼십만 원을 어디에다 쓸지 미리 생각해두기까지 했다. 태어날 아이의 기저귀와 옷을 넣어둘 서랍장을 살 생각이었다. 삼십만 원이면 그럭저럭 쓸 만한 서랍장을 살 수 있을 것이었다.

거실 시계는 그새 아홉 시가 다 되어가고 있었다. 다들 집으로 돌아갈 시간에 혼자서 골목을 헤매고 다닐 노인을 생각하니, 그녀는 저절로 미간이 찡그려졌다. 한 달 전쯤 그녀는 미장원에 다녀오다, 집 근처 골목을 홀로 걷고 있는 노인을 본 적이 있었다. 하필이면 노인의 뒷모습을……. 다세대 주택들이 빽빽하게 들어선 골목이었다. 대문마다 쓰레기가 쌓여 있고, 전선줄들이 그물처럼 하늘을 뒤덮고 있는.

그날 그녀는 처녀 때부터 길러온 머리카락을 단발로 잘랐다. 머리카락에 반했다고 남편이 말했을 정도로 그녀의 머리카락은 길고 찰랑거렸다. 빗으려는데, 구역질이 나도록 머리카락에서 누린내가 났다. 오리 뼈 곤 국물에 푹 담갔다가 꺼내기라도 한 것처럼. 그녀는 참을 수가 없었고, 곧장 지갑을 챙겨들고는 미장원을 찾아갔다. 머리카락이 싹둑싹둑 잘려나가는 동안 그녀는 거울을 빤히 바라보면서 노인을 원망했다. 생각해보면 머리카락을 자른 것이 오로지 노인 때문만은, 머리카락에까지 밴 오리 뼈 고는 냄새 때문만은 아닌데도 그랬다. 날이 더워지면서 그녀는 그렇지 않아도 길고 숱진 머리카락 때문에 갑갑함을 느꼈다. 부른 배 때문에 쪼그려 앉을 수도 없어 머리를 감는 것이 여간 힘든 일이 아니었다. 아직 아이를 낳지도 않았는데, 전보다 머리카락이 부쩍 많이 빠지는 것 같았다. 미장원에서 나와 그 옆 분식점에서 열무국수를 한 그릇 사먹고 돌아오는 길에 그녀는 노인을 보았다.

노인은 간장에 졸인 우엉 같은 골목을 두 발을 질질 끌면서 걸어가고 있었다. 노라도 젓듯 왼팔을 허우적거리면서. 과장되게 휘저어대는 왼팔과 달리, 사십 도 정도 허공으로 들린 오른팔은 의수처럼 뻣뻣하게 굳어 있었다. 노인은 성급히 발을 내딛었고, 그녀는 노인이 저러다 앞으로 꼬꾸라지지 않을까 조마조마했다. 두 발을 부단히 엇갈려 내딛는데도 보폭이 짧아서인지 노인의 걸음은 한없이 느렸다. 대여섯 발짝 거리를 두고 천천히 뒤따라 걷던 그녀는, 갑갑함을 느끼다 못해 결국 걸음을 빨리해 못 본 척 노인을 획 지나쳐버렸다. 골목 끝에 거의 이르러 그녀가 슬쩍 뒤를 돌아다보았을 때 노인은 온데간데없이 사라지고 없었다. 눈을 휘둥그레 뜨고 골목 구석구석을 살폈지만 노인은 어디에도 없었다. 그녀는 노인이 그 골목에서뿐만 아니라 세상 그 어디서도 홀연히 사라져버린 것만 같아 한참을 멍하니 서 있었다. 그러나 그녀가 집에 돌아온 지 이십 분쯤 지나 노인은 아무렇지도 않게 선풍기를 주워들고 돌아왔다.

틀림없이 날 봤을 거야. 시아버지인 자신을 생판 모르는 남인 듯 지나쳐가는 날 말이지……. 노인네가 속으로는 날 얼마나 괘씸하게 생각했을까…….

아무튼 그날 이후로 그녀는 노인이 산책을 나간 동안 가능하면 집에 있었다. 혹시라도 집 밖에 나갔다가 골목에서 노인과 마주칠까봐서였다. 된장찌개에 넣을 두부를 사기 위해 빌라 계단을 내려가다 도로 올라온 적도 있었다. 그녀는 호박만 잔뜩 썰어넣고 두부를 넣지 않은 된장찌개를 저녁식탁에 올렸다.

남편과 노인이 돌아오지 않는 동안 자반고등어는 딱딱하게 굳어갔다. 계란말이는 비린내를 풍겼다. 그녀는 밥솥에서 밥을 뜨다가 도로 쏟았다. 밥이 아니라 다른 걸 먹고 싶었다. 그렇지 않아도 그녀는 부쩍 식욕이 왕성했다. 입덧을 하느라 통 먹지 못했던 음식을 뒤늦게 보충하려는 듯 그녀의 몸은 끊임없이 먹을 걸 요구했다. 오늘 점심때는 중국음식점을 찾아가 혼자서 자장면을 다 사먹었다. 노인이 혼자 식탁에 우두커니 앉아 오리 뼈 곤 국물을 숟가락으로 떠먹고 있을 시간에, 그녀는 기름지고 검은 면을 젓가락으로 건져 먹었다. 그녀는 혹시나 해서 냉장고 안을 살폈다. 며칠 전 먹다가 남긴, 비닐봉지에 싸놓은 떡볶이가 그녀의 눈에 들어왔다. 그녀는 싱크대에서 냄비를 꺼내 봉지 속 떡볶이를 쏟았다. 떡은 차갑게 굳어 있었다. 그녀는 물을 조금 붓고 냄비를 가스레인지에 올렸다. 뚜껑을 꼭 닫아두었는데도 들통에서 새나오는 김이 자꾸만 그녀의 얼굴을 삼켰다.

언젠가 저놈의 들통을 내다버리든가 해야지……. 오리 뼈가 고아지는 동안 가스레인지가 내뿜는, 그리고 우러날 대로 우러난 국물이 내뿜는 열기는 대단했다. 본격적으로 더위가 시작되면 집은 가스레인지 위 저 들통이 온종일 뿜어대는 열기로 들끓을 것이다. 더구나 앞뒤로 빌라 건물들이 꽉꽉 들어차, 바람이 제대로 들이치지 않는 집이 아닌가. 오리 뼈가 아니라, 내 뼈가 흐물흐물 녹아내리지나 않으면 다행일걸!

그녀는 기껏 데운 떡볶이를 먹는 둥 마는 둥 젓가락을 내려놓았다. 며칠 냉장고에 처박아두어서인지 맛이 나지 않았다.

깜박했으면 어쩌지? 그렇지만 꼭 갚겠다고 했다지 않았나, 꼭 갚겠다고, 꼭…….

그녀는 라면이라도 끓여 먹을까 하다 202호에 다녀오기 위해 현관문을 나섰다. 202호 여자가 깜박했을 수도 있지 않은가. 202호까지는 302호인 그녀의 집에서 열두 계단만 내려가면 되었다. 그녀는 부른 배를 한 손으로 감싸고 계단을 조심조심 내려갔다. 발을 잘못 내딛어 계단에서 굴러떨어지기라도 하면 큰일이었다. 그녀가 202호를 찾아가는 것은 그것이 처음이었다.

그녀가 현관문을 다섯 차례나 두드렸는데도 안에서는 아무 대꾸가 없었다. 202호 여자는 아무래도 아직 돌아오지 않은 모양이었다. 그녀의 남편과 딸 또한.

그녀는 어쩔 수 없이 202호 현관문에서 돌아서서 다시 계단을 올라 갔다.

3

열 시가 다 되도록 노인은 돌아오지 않고 있었다. 남편도 그리고 202호 여자도. 아무도 돌아오지 않아서 그녀는 식탁을 치울 수도, 맘 편히 잠들 수도 없었다.

노인은 지금 어느 골목을 헤매고 있는가. 설마 집으로 돌아오는 골 목을 잊어버린 건 아니겠지.

남편은 일부러 집에 돌아오지 않는 것인지 몰랐다. 그러니까 노인 때문에, 노인과 쓸데없이 마주치지 않으려고. 노인이 죽은 듯이 잠들 기를 기다리느라 돌아오지 않고 있는 것인지도. 곰곰이 생각해보니 노인이 돈을 내놓으라고 요구하고 나선 뒤부터, 남편의 귀가가 늦는 날이 잦아졌다. 여덟 시나 아홉 시쯤 돌아오겠다고 해놓고, 노인이 잠 든 뒤에야 술에 취해서는 돌아오는 날들이…….

노인은 정말 입때껏 모르고 있었던 걸까. 그것 또한 다 알면서 모르 는 척 시치미를 떼고 있었던 것이 아닐까. 만약 그렇다면 어떻게 여태 까지 원망 한마디 안 할 수가 있을까. 아들이 달랑 남편뿐이라지만, 전 재산이던 빌라 판 돈을 노인과 한마디 상의 없이 날려버렸는데도.

정말이지 뜬금없게도 노인이 그만 돈을 내놓으라고 요구해온 것은, 두 달쯤 전이었다. 그날 남편은 여덟 시 전에 퇴근해 집에 돌아왔다. 그녀는 돼지고기 김치찌개를 끓여 저녁식탁을 차렸다. 그녀가 따로 대접에 떠준 찌개 국물을 숟가락으로 떠먹다 말고 노인이 문득 남편에게 물어왔다.

"그래, 팔천만 원이 틀림없지?"

남편도, 그녀도 도대체 무슨 뜻인지 몰라 노인을 물끄러미 바라보았다.

"다는 아니어도 된다. 다는 아니어도……."

노인은 중얼거리고 숟가락으로 건져올린 김치쪼가리를 입으로 가져갔다.

"구천만 원을 다 줄 필요는 없지……."

입을 우물우물하다 말고 또다시 그렇게 중얼거렸다.

"사천만 원이면 충분할 것 같구나."

"사천만 원이라니요?"

남편이 그제야 젓가락을 식탁에 탁 내려놓고 노인에게 물었다.

"늙은 사람들끼리 모여 사는 아파트가 있다는구나."

"아파트요……?"

노인에게 그렇게 물은 사람은 남편이 아니라 그녀였다.

"실버타운이라고…… 삼천만 원만 내면 당장이라도 입주를 할 수 있다지 뭐냐……."

노인은 남편과 그녀의 중간, 텅 빈 공간을 두 눈으로 더듬거렸다.

"날마다 운동도 시켜주고, 때마다 관광버스로 여행도 데리고 다닌다지 뭐냐. 상주하는 간호사도 있어서 약도 꼬박꼬박 챙겨준다니……. 여태 은행에 넣어두었으면 이자가 그럭저럭 붙었겠지."

노인은 그러니까 빌라 판 돈 팔천만 원에서 사천만 원만 내놓으라는 소리를 하고 있는 것이었다. 남편은 팔천만 원을 주식과 펀드에 투자하면서 노인에게는 은행에 적금으로 묶어놓았다고 안심시켜놓았다.

"은행 이자가 육 프로라 쳐도 팔천만 원이면 일 년에……."

"요즘 이자를 육 프로까지 주는 은행이 어디 있대요?"

남편이 버럭 짜증을 냈다.

"팔천만 원이 적은 돈도 아니고 도둑놈들이 아닌 이상에야 은행들이 그 정도 이자는 줘야 되는 거 아니냐."

"모르는 소리 좀 하지 마세요. 고작해야 삼 프로가 조금 넘는 게 요즘 은행 이자란 말이에요."

"팔월 전에는 들어갔으면 싶다. 날이 아주 더워지기 전에 말이다. 날이 너무 더워지면 서로 불편하기만 하니……."

노인은 그리고 먼저 식탁에서 일어섰다. 평소보다 늦은 밤 산책을 나갔다. 그날 이후 노인은 더는 돈 얘기를 꺼내지 않았다. 그렇지만 언제 또 노인이 사천만 원을 내놓으라고 요구해올지 모른다는 게 그녀의 생각이었다. 워낙에 속을 알 수 없는 노인네이니……. 더구나 팔월 전에는 들어갔으면 싶다고 못 박지 않았나. 그렇지만 사천만 원을 당장 어디서 구한단 말인가. 더구나 아이가 태어나면 돈 들어갈 곳 천지일 것이다. 친정엄마가 큰오빠네 아이들을 돌보고 있어서 산후조리원에 들어가 산후조리를 해야 할 형편이었다. 그녀는 팔월 전까지 남편이 사천만 원을 노인의 손에 쥐어주지 못하리라는 것을 알았다. 게다가 출산예정일이 팔월 초였다. 노인네도 내가 아이를 낳기 전에 이집에서 나가고 싶은 거겠지. 아무리 그래도 두 달 뒤면 태어날 손자에 대해 어쩌면 저다지도 무심할 수 있단 말인가, 남 손자도 아니고…….

노인만 없으면 저 방을 아이 방으로 꾸밀 수 있을 텐데…….

아이가 태어날 때가 가까워서인지, 그녀는 부쩍 노인이 차지한 작은 방을 아이 방으로 꾸미고 싶은 욕심이 생겼다. 전세로 살고 있는 빌라는 방이 고작 두 칸이었다. 큰방은 그녀 부부가, 작은 방은 노인이 쓰고 있었다. 노인이 들어오기 전까지 작은 방은 옷방으로 썼었다. 거실은 소파도 들여놓지 못할 만큼 좁았다. 아들이라고 했으니 파란색으로 벽지도 새로 바르고, 커튼도 달면 좋으련만······. 친구가 준다고 한 요람을 놔줄 곳도 마땅찮았다. 요람을 들여놓기 위해서는 큰방 침대를 버려야 할 판이었다.

임신했을 때 누군가를 미워하면, 뱃속 아이가 미워하는 그 누군가를 쏙 빼닮는다지······. 그녀는 노인을 닮은 아이가 태어나지 말라는 법이 없다는 것을 알았다. 아이에게는 친할아버지가 아닌가. 노인의 어수룩하게 처진 눈매와 긴 인중을 빼닮은 아이가 태어나지 말라는 법이 어디 있는가. 그렇지 않아도 그녀는 요즘 들어 부쩍, 남편이 노인을 닮아도 지나치게 닮았다는 생각이 자주 들었다. 며느리인 나와는 피 한 방울 섞이지 않았다지만, 남편에게는 친아버지가 아닌가. 일찌감치 죽어 사진으로밖에는 본 적 없는 시어머니를 닮았다고 생각했는데 그게 아니었다. 아내인 자신에게까지 속내를 좀처럼 드러내지 않는 것마저 다 노인을 닮아서인 것만 같았다.

그녀는 거실로 가 전화기를 집어들었다.

"엄마, 저예요."

"으응······."

"벌써 주무셨어요?"

"아홉 시만 넘으면 그렇게 잠이 쏟아진다······."

"······."

"어떻게 네 시아버지는 잘 계시냐?"

언제부턴가 친정어머니는 그녀와 전화통화 할 때 노인의 안부를 가장 먼저 물어왔다. 임신한 뒤로 만성두통처럼 그녀를 괴롭히는 짜증과 울화의 근원이 시아버지인 노인이라는 것을 누구보다 빤히 알기 때문이었다.

"오늘도 오리 뼈 곤 국물을 한 주전자는 잡수셨을 거예요."

"그 노인네도 원, 백 살까지 살겠네……!"

"엄마, 괜히 그런 말 마세요. 말이 씨가 된다잖아요."

"너는 어떻게 먹는 건 잘 먹고?"

"시아버지가 온종일 집에 붙어 있어서 그런지 먹고 싶은 게 있어도 눈치가 보여 해먹을 수가 있어야지요. 온종일 감시당하는 것 같은 게 징역살이하고 뭐가 다르겠어요. 양로원 같은 데라도 다니면 오죽 좋아요? 바둑 같은 거라도 두러 다니든가요."

"얘, 놔둬라, 놔둬……. 것도 다 성격이다."

이십 분 넘게 계속된 통화를 끝내고, 그녀는 노인이 쓰는 방에 들어와 있었다. 이삼 일에 한 번 청소기를 들고 그 방에 들기는 했지만, 그녀는 낯선 이의 방에 몰래 숨어든 것처럼 꺼려지고 불안했다. 세 평이나 될까? 방 안에 가구라고는 거울이 달린 외짝 장롱과 철제 책상, 텔레비전, 2단 서랍장이 전부였다. 아들 집으로 들어오면서 노인은 살림을 거의 다 버렸다. 노인만큼이나 오래되고 고장 나 쓸 만한 살림이 워낙 없기도 했다.

옷걸이에 꿰어 벽에 걸어놓은 쥐색 잠바에 그녀의 시선이 저절로 갔다. 마치 노인의 혼이 쏙 빠져나가버리고, 그럴싸한 허울만 남아 벽에 매달려 있는 것만 같았다. 그도 그럴 것이 노인은 코디네이션하듯,

잠바 밑에 검은 기지바지를 받쳐 걸어놓은 것이었다. 잠바 위에 베레모까지 슬쩍 걸쳐놓아서일까? 그녀는 베레모를 들추면 노인의 뭉그러진 빨랫비누 같은 얼굴이 불쑥 튀어나올 것만 같았다. 그녀는 베레모를 들추고 싶은 충동을 억누르고 책상 쪽으로 움직여 갔다.

책상 위에는 노인이 필사 중인 성경책과 초등학생용의 칸칸이 널찍한 공책이 펼쳐져 있었다. 그새 스무 권도 넘는 전기문을 다 필사한 걸까. 노인이 성경을 필사하는 것은 종교심 때문이 아니리라. 노인은 신자가 아니었다. 신자가 아닐 뿐 아니라 노인에게는 이렇다 할 종교가 없었다. 신자가 아니면서 성경을 필사한다는 사실이 그녀는 어쩐지 우습고 괜한 수고만 같았다. 더구나 오리 뼈 곤 국물을 떠먹을 때조차 덜덜 떨리는 그 손으로 필사는 무슨……. 그러나 필사는 아무 하릴없는 노인에게 취미이자 소일거리이리라. 노인은 성경에 적힌 글자들을 그대로 한 자 한 자 공책에 옮겨 적으면서 자신에게 얼마 남지 않은 시간을 견디기라도 하는 걸까. 이 성경책도 틀림없이 골목 어디선가 주워온 거겠지.

그녀는 책상 밑으로 넣어놓은 의자를 꺼냈다. 그 위에 엉덩이를 반쯤 걸치고 앉았다. 노인이 공책에 옮겨 적은 글자들을 한 자 한 자, 지워 없애듯 읽어내려갔다.

무릇 의복과 무릇 가죽으로 만든 것과 무릇 염소털로 만든 것과 무릇 나무로 만든 것을 다 깨끗이 할지니라.

어찌나 꾹꾹 눌러썼는지 글자들은 노인이 손가락으로 눌러 죽인 개미들만 같았다. 어지럽게 소용돌이치는 지문에 짓눌려 비명횡사한 개미들이 공책 위에 일렬횡대로 나열되어 있는 것만 같았다. 줄과 간격을 또박또박 맞추어서. 하지만 자세히 들여다보면 글자들은 한 획 한 획 가늘게 떨리고 있었다.

그녀는 몇 줄 건너뛰어 계속해서 읽어내려갔다.

금, 은, 동, 철과 상납과 납의 무릇 불에 견딜 만한 물건은 불을 지나게 하라. 그리하면 깨끗하려니와 오히려 정결케 하는 물로 그것을 깨끗게 할 것이며 무릇 불에 견디지 못할 모든 것은 물을 지나게 할 것이니라.

한 자 한 자 소리 내어 읽어나가는 동안, 노인을 향한 실뿌리처럼 자잘하고 어수선하며 수십 가닥이던 감정들이 뒤엉키고 비비 꼬여 한 가닥을 이뤘다.

굵고 분명해진 한 가닥의 감정.

그것은 뜻밖에도 미움이나 연민 같은 감정이 아니라 공포감이었다.

무서운 노인네지 뭐야……. 그녀는 스스로도 모르게 중얼거리고 고개를 오른쪽으로 돌렸다. 눈가에 바르르 경련이 일도록 베레모를 노려보았다. 그녀는 아무래도 벽에 걸린 베레모 속에 노인의 얼굴이 숨어 있는 것만 같은 생각이 강렬하게 들었다. 그녀는 의자에서 몸을 일으켰다. 베레모 쪽으로 한 발짝 한 발짝 조심스럽게 다가갔다. 베레모로 손을 뻗었다.

베레모를 확 밀쳐내는 동시에, 그녀는 자신도 모르게 비명을 내질렀다. 베레모가 내던져지듯 방바닥으로 떨어졌다.

베레모 뒤에 감추어져 있던 것, 그것은 그저 못 대가리였다. 그런데도 그녀는 노인의 얼굴이 방 안 어딘가에 숨어 자신을 빤히 지켜보고 있는 것만 같은 기분을 좀처럼 떨쳐버릴 수 없었다. 베레모를 주워 제자리에 걸어둘 생각도 않고 그녀는 서둘러 노인의 방을 나왔다.

노인의 방문을 꼭 닫아둔 뒤, 그녀는 202호에 다녀왔다. 노인이 꿔주었다는 돈 삼십만 원을 받아오기 위해. 그렇다고 오늘 밤 안으로 반드시 삼십만 원을 받아내야 하는 건 아니었다. 그렇지만 그녀는 자꾸만 신경이 쓰였고, 오늘 밤 편히 잠들기 위해서라도 받아내는 게 낫겠다는 판단이 들었다. 그렇지 않아도 그녀는 산달이 가까워오면서 불면에 시달렸고 어젯밤만 해도 새벽 세 시가 넘도록 잠을 이루지 못했다.

202호 여자는 아직 돌아오지 않았다. 그녀의 남편과 딸도. 매일 이렇게 늦는가? 202호 여자가 좀처럼 돌아오지 않고 있는 것에 대해, 그녀는 짜증을 넘어 분노를 느꼈다. 오늘 밤 돈을 꼭 갚겠다고 했으면 갚아야 하는 것 아닌가. 그것도 아버지뻘일 노인의 돈을 꿔갔으면……. 그렇지만 202호 여자가 돌아오지 않는 데는 다 사정이 있을 것이었다.

아무도 돌아오지 않고 있어서인지, 그녀는 다른 이들은 집에 돌아왔는지 궁금해졌다. 다들 여느 날 밤처럼 아무렇지도 않게 돌아왔는지…….

그녀는 계단에 난 창문에 붙어서서 앞 빌라를 살폈다. 앞 빌라는 그녀가 살고 있는 빌라와 열 발짝도 떨어져 있지 않았다. 4층 빌라였는데, 불이 켜진 창문이 하나도 없었다. 다들 돌아와 벌써 잠든 걸까? 아니면 다들 아직 돌아오지 않은 걸까? 노인과 남편, 그리고 202호 여자가 돌아오지 않은 것처럼.

　그녀는 어쩌면 다들 돌아오지 않고 있는 것은 아닌가 하는 의심이 들었다. 그러니까 다들…….

4

　열한 시가 다 되도록 돌아오지 않는 노인을 걱정하면서, 그녀는 한편으로는 노인이 돌아오지 않고 있는 것에 대해 안도하는 마음이 들었다. 솔직히, 노인이 산책을 위해 현관문을 나설 때마다 그녀는 노인이 돌아오지 않았으면 하고 바라곤 했던 것이다. 노인이 마땅히 갈 곳이 없다는 것을 알면서도 저대로 멀리 어디론가 가버렸으면 하고……. 한 달에 한 번 정도만 서로 얼굴을 보면서 살면 오죽 좋을까. 그래서인가 산책을 끝낸 노인이 스스로 현관문을 따고 들어설 때 그녀는 어쩔 수 없이 실망감에 사로잡히곤 했다. 노인의 손에 고물이라도 들려 있으면 울화가 치밀기까지 했다. 그렇지만 생전 딸 집에도 다니러 가지 않는 노인이지 않은가. 지하철만 타면 갈 수 있는 딸 집에도. 남편이 사천만 원을 해주지 않는 한 노인이 갈 만한 데라고는 양로원뿐이리라.

　그녀는 노인이 당장이라도 집에 돌아와 사천만 원을 내놓으라고 요구해올 것만 같아 불안했다. 남편이 아닌 그녀에게.

　노인이 얼마나 고집스러운가를 그녀는 누구보다 잘 알고 있었다. 스스로의 의지나 의사라고는 전혀 없는 듯하지만, 노인은 스스로가 정해놓은 규칙대로 흐트러짐 없이 살아가고 있었다. 며느리인 그녀에게 일상을 의지하고 순종하는 척하지만, 물 위에 뜬 기름처럼 철저히

겉돌며. 내가 오리 뼈 고는 것을 그토록 질색하는데도 온종일 오리 뼈를 고아대는 노인네가 아닌가. 죽음을 떠올릴 수밖에 없는 영정사진을 거실 벽에 보란 듯이 걸어놓은 것만 봐도……. 자신의 죽음이 그다지 멀지 않았다는 걸 수시로 아들며느리에게 일깨워주려는 꿍꿍이속이었을까. 넉 달 전쯤 노인은 그녀와 한마디 상의 없이 자신의 영정사진을 거실 벽에 걸어놓았다.

"아버님한테 저 영정사진 좀 떼라고 해요. 볼 때마다 섬뜩해 죽겠지 뭐예요. 꼭 죽은 사람을 보는 것만 같잖아요."

그녀는 질색을 하면서 남편에게 그 말을 대엿 번은 했다. 그러나 영정사진은 여전히 거실 벽에 걸려 있었다. 그녀는 께름칙한 것뿐만 아니라 영정사진 속 노인의 옷차림마저 마음에 들지 않았다. 영정사진 속 노인이 말끔하게 차려입은 개량한복은 하필 그녀가 사준 것이었다. 그녀는 그것을 백화점 지하매장에서 칠십 프로나 세일된 가격으로 샀다. 그녀는 일부러 가격표를 떼지 않고 노인에게 주었다. 싸게 사놓고도, 그 옷이 얼마나 비싼 옷인지를 노인에게 알려주기 위해. 그녀는 급기야 노인이 개량한복을 세일된 가격으로 샀다는 사실까지 다 알고 있을 것만 같은 의심이 들었다.

오리 뼈를 고지 말라고 말해야겠어, 노인네가 돌아오기만 하면…….

그렇지만 그녀로서는 202호 여자가 언제 돌아올지 알 수 없는 것처럼, 노인이 언제 돌아오는지 또한 알 수 없었다. 더구나 그녀의 집으로 들어와 사는 동안 노인의 귀가가 그렇게까지 늦은 적이 한 번도 없었다. 노인은 경조사나 볼일이 있어 외출했다가도 아홉 시 전에는 어김없이 집으로 돌아왔다. 조용히 작은 방으로 들어가 여자가 잠들 때까지 가능한 나오지 않았다. 여자가 잠든 새벽에야 방에서 나와 몽유

병자처럼 거실과 부엌을 어슬렁거렸다.

차라리 시아버지가 아니라 시어머니였더라면, 그랬더라면 살림과 아이를 맡기고 직장 일을 다시 할 수도 있을 것이다. 결혼과 동시에 넌덜머리가 난다면서 직장을 때려치웠지만, 그녀는 직장 생활이 그립기도 했다. 남편의 얼마 되지 않는 월급으로 언제 아파트를 장만하고, 남들처럼 아이를 키우겠는가. 그녀는 마음만 먹으면 취직이 아주 어렵지도 않을 것 같았다. 그녀는 중소 공장에서 경리 일을 했고, 결혼하고 나서도 다른 중소 공장으로부터 경리로 와달라는 제의를 받았다.

오늘 밤 안으로 돌아오겠지, 노인이 갈 데가 어디 있다고…….

남편은 사천만 원을 구하는 중일까. 그 많은 돈을 구하는 것도 쉽지 않겠지만, 덥석 구한다고 해도 문제였다. 빌리는 순간, 사천만 원은 고스란히 남편이 떠안아야 할 빚이 되어버리기 때문이었다. 갚아야 하는 빚으로 치자면 사천만 원은 너무나 큰 돈이었다. 사천만 원에 비해 턱없이 적은 돈이었지만, 그녀는 오늘 밤 안으로 어떻게든 202호 여자한테서 삼십만 원을 받아내야 한다는 강박이 들었다. 그 돈을 오늘 밤 안으로 받아내지 못하면 영영 못 받을 것만 같은 불안이 엄습하기까지 했다.

고약한 노인네, 이왕 줄 거면 직접 받아서 줄 것이지…….

그런데 노인네가 202호 여자에게 돈을 빌려주기는 준 것일까. 그녀는 아무래도 노인이 202호 여자에게 삼십만 원을 빌려주었다는 것이 이상하기만 했다. 그렇다고 빌려주지도 않고 빌려줬다고 할 양반은 아니지 않은가. 노인은 그렇다 쳐도, 아무리 급해도 윗집 사는 노인네한테 돈을 다 빌릴까. 그녀는 자신 같으면 아무리 한 빌라에 살고 있는 노인이래도 삼십만 원을 빌려달라는 소리가 선뜻 나오지 않았을 것만 같은 생각이 들었다. 202호 여자가 돌아오면 알겠지, 202호 여자가 돌아오기만 하면……

그녀는 식탁을 치우려다 관두고 침대로 가서 누웠다.

잠결에 그녀는 현관문이 열리고 닫히는 둔중한 소리를 들었다. 그 것은 분명히 현관문이 열리고 닫히는 소리였다. 그녀는 두 눈을 똑바로 뜨고 삼사 초 동안 꼼짝없이 누워 있다가 몸을 일으켰다. 202호 여자가 돌아온 게 아닐까. 그녀는 침대에서 몸을 일으켰다. 헝클어진 머리카락을 매만지고 거실로 나갔다. 시간은 어느새 자정이 가까워오고 있었다. 202호 여자가 돌아왔다고 해도 찾아가 돈을 받아내기에는 지나치게 늦은 시간이었다. 미안해하기는커녕, 날 이상한 여자로 생각하지나 않을까. 어서 돌아오기를 내가 이렇게나 애타게 기다렸다는 사실을, 그 여자가 알기나 할까. 돌아오지 않는 동안, 내가 그녀의 집을 두 번이나 찾아갔다는 것을.

그녀는 202호를 찾아가기 위해 현관문을 열고 복도로 나갔다. 현관문이 열리고 202호 여자의 남편이 고개를 내밀었다. 그녀는 당황스럽고 민망했지만, 이미 엎질러진 물이었다. 그녀가 윗집에 사는 여자라는 것을 깨닫고 그 남자는 의아한 표정을 지었다.

"무슨 일이세요?"

"아주머니 계세요."

"집사람 말입니까?"

남자의 눈이 조금 커졌다.

"네……"

"집사람은 왜……?"

"혹시 잊어버리셨나 해서요."

남자가 무슨 말이냐는 듯한 표정을 지었다.

"아주머니가 꿔간 돈을 꼭 갚겠다고 하셨다지 뭐예요, 꼭……."

그녀는 괜히 얼굴이 화끈거리고 배가 조금 당겼다.

"꿔간 돈이요?"

그녀는 퍼뜩 202호 여자의 남편한테서라도 노인이 꿔준 돈을 받아내야겠다는 생각이 들었다. 그만큼 그 돈을 오늘 밤 안으로 어떻게든 받아내고 싶었다.

"저희 시아버지가 아주머니한테 삼십만 원을 빌려주셨나 봐요. 그 돈을 저한테 갚기로 했는데 아무리 기다려도……."

"그럴 리가요……. 여간해서는 남한테 돈을 꾸는 사람이 아닌데."

남자가 얼른 그녀의 말을 끊었다.

"아주머니는 아직 안 오셨나 봐요?"

"집사람이 돈을 꿨을 리가 없을 텐데……."

남자가 고개를 갸웃거렸다.

"저희 시아버지가 그러셨어요. 202호 아주머니가 삼십만 원을…… 아주머니는 아직……."

"집사람은……."

당황해하던 남자의 얼굴이 시멘트처럼 굳었다. 남자의 등 뒤에서 조용히 아빠, 하고 부르는 여자애의 목소리가 들려왔다.

"집사람은……."

남자는 한숨 끝에 입을 다물어버렸고 그녀를 이 초간 빤히 바라보다 현관문을 닫았다.

"저기……."

그녀는 닫혀버린 현관문에 선뜻 돌아서지지가 않아 잠시 멍하니 서 있었다. 뭔가……? 아직도 돌아오지 않았다는 것인가? 이렇게나 밤 늦게 빚쟁이처럼 찾아온 것이 기분 나쁘기라도 한 것인가? 여간해서 는 돈을 꾸지 않는 사람이라니, 그럼 노인이 거짓말이라도 한다는 것 인가. 도대체 다들 언제야 돌아오려고, 여태까지 돌아오지 않고 있는 것인가.

그녀는 계단에 발을 올려 내디디려다 말고, 내려디뎠다. 빌라 입구 에 서서 목을 빼고 골목을 내다보았다. 진흥슈퍼 간판 불빛과 전봇대 에 설치해놓은 가로등 불빛으로 인해 골목은 아주 어둡지는 않았다. 누군가 골목을 걸어올라오고 있었다. 노인인가 했는데, 교복 차림의 남학생이었다. 남학생은 빌라를 지나쳐갔다. 셔터 내리는 소리가 들 려오더니 진흥슈퍼 간판 불빛이 꺼졌다. 그녀는 망설이다가 골목을 걸어내려갔다.

발이 부은 탓에 슬리퍼를 헐떡헐떡 끌면서 골목을 헤매는데, 어느 집 대문 앞에 내놓은 장롱이 그녀의 눈에 들어왔다. 자개장롱이었다. 퍼즐처럼 이어붙인 자개들이 어둠 속에서 야릇한 빛깔을 발산하고 있 었다. 그녀는 그 빛에 홀리기라도 한 듯 장롱 가까이 다가갔다.

노인이 혹 저 자개장롱 안에 들어가 잠들어 있는 건 아닐까. 자신이 주운 자개장롱을 다른 누군가가 주워가기라도 할까봐 그 안에 들어가 웅크려 있다 깜박 잠든 게 아닐까.

그녀는 한 발짝 더 자개장롱에 다가섰다. 자개장롱 문손잡이를 움 켜쥐었다. 한순간 숨을 멈추고 자개장롱 문을 활짝 열어젖혔다.

자개장롱 속은 그러나 텅 비어 있었다. 그녀 자신이라도 들어가 웅 크려 잠들고 싶은 충동이 들 만큼 텅……

그녀는 그 텅 빈 공간을 응시하면서 느닷없이 당겨오는 배를 어루 만졌다.

5

그녀는 또다시 노인의 방에 들어와 있었다. 방 안을 한번 둘러본 뒤 책상으로 가서 앉았다. 책상에 바짝 몸을 당겨 앉고 볼펜을 집어들었 다. '르'라는 글자 위에 볼펜 촉을 가져다 댔다. 습자지가 그 위에 덧 대어져 있기라도 한 듯 똑같이 '르'를 그려나갔다. 덧쓴 꼴이 되어 '르'는 다른 글자보다 굵고 진해져서는, 유별나게 튀어 보였다. 그녀 는 '르' 다음에 줄줄이 이어져나오는 글자들도 똑같이 그려나갔다.

르비딤에서 발행하여 시내 광야에 진쳤고 시내 광야에서 발행하여 기브롯핫다아와에 진쳤고 기브롯핫다아와에서 발행하여 하세롯에 진쳤고 하세롯에서 발행하여 릿마에 진쳤고 릿마에서 발행하여 림몬 베레스에 진쳤고 림몬베

설마 저 장롱 속에 들어가 있는 건 아닐 테지……

그녀는 문득 노인이 장롱 속에 숨어 있을 것만 같은 생각이 들었다. 노인이 주워 모은 고물들 속에 숨어 혼몽에 취해 있을 것만 같은……

그녀는 장롱 쪽으로 조심스럽게 다가갔다.

설마……

그녀는 그러면서도 기어이 장롱 손잡이로 손을 뻗었다. 손잡이를 슬쩍 움켜잡았다. 덜커덕 소리가 나도록 장롱 문을 열었다. 주저하면서도 황급히 장롱 속을 살피던 그녀는 깜짝 놀랐다. 고물들로 꽉 차 있어야 할 장롱 속이 텅 비어 있었던 것이다. 골목에 내놓아져 있던 자개장롱과 마찬가지로. 순간적으로 장롱 속 텅 빈 공간과 자개장롱 속 텅 빈 공간이 오버랩되면서, 그녀는 그 텅 빈 공간으로 빨려들어가는 것만 같은 현기증을 느꼈다.

노인네가 고물들을 다 어디다 치운 것일까. 전날 저녁에도 노인네는 밥솥을 주워오지 않았던가. 흘끔흘끔 내 눈치를 살피며 얼른 방으로 가지고 들어가지 않았던가. 그녀는 장롱 문을 도로 꼭 닫았다. 다시 책상으로 가서 앉았다.

노트를 넘기던 그녀의 손이 머뭇머뭇하더니 멈췄다. 그녀의 눈동자가 글자들을 훑어내려갔다.

셈의 족보는 이러하다. 셈은 나이가 백 세 되었을 때, 아르곽삿을 낳았다⋯⋯ 아르곽삿은 삼십오 세에 셀라흐를 낳았다⋯⋯ 셀라흐는 삼십 세에 에베르를 낳았다. 에베르를 낳은 뒤,

의식하지 못하는 사이에, 그녀의 손이 볼펜을 집어들었다. 손등의 심줄들이 불거지도록 힘을 주어 글자 위에 글자를 덧그려나가기 시작했다.

낳았다

낳은 뒤,

어느 순간 마비되듯, 볼펜을 움켜잡은 손의 움직임을 멈추었다. 너무 꽉 누르고 있어서인지, 볼펜에서 잉크가 흘러나와 검은 웅덩이를 만들었다. 웅덩이는 점점 넓고 짙어졌고, 웅덩이 속으로 글자들이 수몰되듯 빨려들어갔다.

낳고 또 낳아 동아줄처럼 질긴 족보로 이어져 내려온 사람들이 야밤(夜—)처럼 검은 웅덩이 속으로 수장되고 있었다.

그녀는 웅덩이를 넓히기라도 하듯 둥그렇게 원을 그렸다. 노트 위의 글자들이 한 글자도 빠뜨림 없이 웅덩이 속으로 빨려들어갈 때까지 기다리다 한순간 몸을 일으켰다.

노인도, 남편도 돌아오지 않고 있었다.

그리고 202호 여자도.

6

들통 속 오리 뼈 국물은 바닥까지 졸아들어 있었다. 한 국자도 못되게 졸아든 국물 속에서 뼈들이 악다구니를 쳐댔다. 그녀는 가스레인지 불을 한껏 올렸다. 가스레인지 불이 허기진 날짐승의 혀처럼 들통 바닥을 핥아댔다. 국물이 졸아들어 뼈들밖에는 남지 않을 때까지 그녀는 꼼짝 않고 지키고 서 있었다. 그녀의 얼굴과 목은 열기를 견디느라 땀으로 번들거렸다. 국물이 졸아들다 못해 뼈들이 허옇게 말라갔다.

오늘 밤 노인은 한 숟가락의 오리 뼈 국물도 목구멍으로 흘려넣지 못하리라.

　그녀는 뚜껑을 꼭 닫고 가스레인지 불을 껐다. 밤새 틀어놓는다 해도 오리 뼈 고는 냄새가 뿌리 뽑히지 못하리라는 걸 알지만 환풍기를 틀었다.

　그녀는 노인의 영정사진을 한번 바라본 뒤 현관문 쪽으로 걸어갔다. 빌라 계단을 내려가 골목으로 들어섰다. 골목에서 길을 잃었을지도 모르는 노인을 찾기 위해. 그녀가 노인을 찾아 집에 돌아왔을 때, 남편과 202호 여자가 돌아와 있기를 바라며. 정말이지 아무렇지도 않게.

| 우수상 수상작 |

금고에 갇히다

김언수

1972년 부산 출생.
2002년 《진주신문》에 단편 〈참 쉽게 배우는 글짓기 교실〉과 〈단발장 스트리트〉가,
2003년 《동아일보》 신춘문예에 중편 〈프라이데이와 결별하다〉가 당선되어 등단.
2006년 첫 장편소설 《캐비닛》으로 문학동네소설상 수상.
장편소설 《설계자들》 등.

세상에, 어쩌다 이런 멍청한 일이 벌어졌을까.

우리가 금고문을 연 것은 금요일 밤 아홉 시였다. 금고문이 열릴 때 들리는 육중하고 맑은 금속성 소리가 좋았다. 사실 그것은 도둑이라면 누구나 좋아할 소리일 것이다. 감탄할 새도 없이, 철기 녀석이 재빨리 가방에서 공구를 꺼내 수없이 많은 개인 금고들을 일일이 따기 시작했다. 역시 귀신같은 솜씨였다. 그때 나는 금고문이 열릴 때마다 쏟아지는 돈과 보석을 자루 속에 정신없이 주워담고 있었다. 혈관 속으로 아드레날린이 미친 듯이 질주하고 있었다. 그때 여자는 쏟아지는 돈과 보석을 보며 환호성을 지르고 있었다. 흥분한 여자는 미친 듯이 소리를 질러댔고, 이리저리 날뛰었고, 춤을 췄다. 금고의 이쪽 벽에서 저쪽 벽까지 달리기를 하기도 했다. 어쩐지 너무 호들갑을 떤다는 생각이 들었지만 그냥 놔두었다. 저 여자의 심심한 인생에서 이처럼 환호할 만한 일이 과연 몇 번이나 있었겠는가. 참자! 찢어진 비닐 사이로 새는 겨울바람처럼 앙칼진 여자의 웃음소리가 몹시 거슬렸지만 참았다. 어쨌거나, 우리는, 지금, 금고를 열었으니까.

세 번째 자루의 매듭을 묶을 때까지 여자는 웃음을 멈추지 않았다. 그러다 결국 일을 냈다. 보석을 온몸에 걸치고 바닥을 데굴데굴 구르면서 연신 깔깔대던 여자가 금고문에 받쳐둔 버팀목을 발로 걷어차버린 것이다. 버팀목이 빠지자 특수강으로 만들어진 육중한 금고문은 천천히 움직이며 거짓말처럼 덜컹하고 닫혀버렸다. 아주 느리게 움직였으므로 누군가 재빨리 달려갔다면 막을 수 있었을 것이다. 하지만 아무도 달려가지 않았다. 모두들 바보처럼 우두커니 선 채 금고문이 서서히 닫히는 광경을 멍하니 보고만 있었다. 금고문이 닫히는 육중한 소리를 듣고 나서도, 그 금고문 속에서 자동으로 작동하는 잠금장치가 돌아가는 소리가 들리고 나서도 우리는 한참 동안이나 이것이 대체 무엇을 의미하는 상황인지 모르고 있었다. 닫힌 금고문을 멀뚱멀뚱 보고, 서로의 얼굴을 멀뚱멀뚱 보고 있을 때만 해도 우리의 얼굴에는 아직 웃음기가 떠나지 않았다.

"하하하. 친구, 설마 저 문, 정말 닫힌 거 아니지?" 철기가 물었다.

"하하하. 당연히 아니지." 내가 말했다. "아니겠지?" 여자를 향해 눈길을 던지며 내가 다시 말했다.

바닥에 누워 있던 여자가 몸을 추스르더니 머쓱한 표정으로 자리에서 일어났다. 철기가 공구를 집어던지고 터벅터벅 걸어가 금고문을 살폈다. 금고 앞에서 철기가 한참 동안 탁탁! 끼익끼익! 탕탕! 따위의 소리를 냈다.

"씨팔, 이거 진짜 닫혔어." 철기가 말했다.

진짜 닫혔단다. 이런, 정말, 젠장.

그렇게 된 것이다. 그러니까 말하자면, 우리는 지금 금고 속에 갇혀 있는 것이다.

창문도 없고 변기통도 없는, 오직 사방이 특수강으로 된 반들반들한 벽뿐인 금고 속에, "밖에 누구 없어요? 사람이 금고 속에 갇혔어요." 아무리 소리를 질러도 누구 하나 대답하지 않는, 설령 대답을 한다 하더라도 금고 주인이 아니라면 문을 열어줄 수도 없는, 이토록 한심한, 이토록 재미없는, 이토록 막막한 금고 속에, 갇혀버렸다.

비현실적인 기분이다. 금고의 차가운 바닥에 엉덩이를 깔고 앉아 있는데도, 특수강으로 된 한쪽 벽면에 머리를 콩콩 찧어봐도 도무지 현실적인 기분이 들지 않는다. 비현실적인 기분이 드는 게 참 당연하기도 하지. 육 개월 동안이나 작전을 짜서 힘겹게 열고 들어온 금고 속에서 버팀목 따위를 발로 차서 갇힌다는 게 도무지 말이나 되는가.

하지만 말이 되건 말이 안 되건 정말로 갇혀버렸다. 그것으로 별 다섯 개짜리 특급 호텔에서 샴페인을 터뜨리며 주말연속극을 보겠다는 계획은 물 건너가버렸다. 빨간 포르셰 스포츠카도, 괌과 요트와, 비키니를 입은 해변의 여자도 모두 황이다. 다섯 명의 베네수엘라 미녀들과 한꺼번에 섹스를 하겠다던 철기 놈의 오랜 꿈도 더불어 황이다. 어쩐지 너무 쉽게 풀린다고 생각했다. 우리 주제에 베네수엘라는 무슨 베네수엘라인가.

꽉 막힌 금고에 갇혀 이렇게 하염없이 서로의 얼굴을 보고 있노라니 꼭 감방에 갇혀 있는 기분이다. 하지만 감방보다 더 정이 안 간다. 창문도 없고, 배식구도 없고, 화장실도 없다. 하염없이 심심한 죄수들을 위해 바깥세상의 이야기를 맛깔나게 해주는 나팔수도 없다. 당연히 텔레비전도 없고, 캔맥주도 없고, 캔맥주를 시원하게 해줄 냉장고도 없다. 금요일 밤 아홉 시 반. 경찰은 월요일 아침에나 올 것이다.

그때까지 뭘 하나? 금고 속에 수족관이라도 놔두었다면 좋았을 것이다. 천연색의 앙증맞은 열대어들이 노니는 것도 보고. 시종일관 보글보글 거품을 올리는 물레방아도 보고. 하염없이 올라오는 물방울 숫자를 세다보면 시간은 잘도 갔을 것이다. 하지만 수족관은 없다. 이곳에 있는 거라곤 그 인생을 통틀어 뭐 하나 되는 일이 없었던 한심한 두 남자와 멍청하기 이를 데 없는 여자 한 명, 이제는 경찰의 확실한 증거물 이외에는 아무 짝에도 쓸모없는 한 무더기의 돈과 보석뿐이다. 그리고 그저 심심하고 하염없이 심심한 금고 벽뿐이다. 저 벽, 너무 단단해 보인다. 장비도 없지만 장비가 있다 해도 저 벽을 뚫지는 못할 것이다. 월요일에는 경찰들이 들이닥칠 텐데. 저 벽을 뚫으려면 족히 한 달은 걸릴 것이다. 저것은 콘크리트 벽도 아니고 그냥 강철도 아니고 이름도 무시무시한 특수강이다. 아주 단단하게 생겨먹은 특수강의 벽면은 반짝반짝 빛나며 우리의 멍청한 얼굴을 비쳐주었다. 그 벽은 자신의 단단함을 자랑하며 너희들이 얼마나 한심한 놈들인지 알고는 있지? 하고 우리를 비웃고 있었다.

안다. 우리도 우리가 얼마나 한심한 놈들인지는 충분히 알고 있다. 전 세계에서 가장 멍청한 도둑상 같은 게 있다면 응당 우리 차지일 거라는 것도 알고 있다.

사실 나는 철기가 가방을 뒤져서 여러 가지 연장을 꺼낼 때까지만 해도 그다지 절망적인 기분에 빠지지는 않았다. 왜냐하면 지금은 고인이 되셨지만 철기의 아버지는 국내 최고의 금고 제작 기술자였고 유수한 금고회사의 기술자문위원이었으며 무엇보다 최고의 금고털이였으니까. 나는 철기 놈에게 아버지에게서 전수받은 막강한 비법이 있을 거라고 막연하게 생각했다. 뭐라도 있겠지. 뭐라도 있겠지. 없을

리가 없지.

　그런데 방금 철기가 연장을 집어던지고 한숨을 쉬었다.

　"안 돼?" 내가 물었다.

　"씨팔, 금고 안에서 금고문 따는 금고털이 봤냐?" 철기가 투덜댔다.

　"야, 이 새끼야, 그래도 열정과 진정성을 가지고 좀 더 노력해봐." 내가 다그쳤다.

　"잠금장치가 문밖에 있잖아. 무슨 구멍이라도 있어야 수작을 벌이지."

　정말로 그랬다. 금고문 뒤쪽은 그냥 반들반들한 벽뿐이었다. 구멍도 잠금장치도 없는 그저 반들반들하기만 한 벽을 가지고 대체 뭘 한단 말인가. 게다가 철기 말대로 금고 안에서 금고문을 따는 금고털이는 없다. 어떤 금고털이가? 대체 뭐하러? 그딴 것을 연구하겠는가. 도둑이 연구해야 하는 것은 오직 금고 밖에서 금고 안으로 들어가는 것뿐이다.

　힘이 죽 빠졌는지 철기가 바닥에 퍼더앉았다. 덩달아 나도 바닥에 퍼더앉았다. 여자는 잔뜩 겁먹은 얼굴로 아까부터 무릎을 모은 채 구석자리에 쭈그리고 앉아 있었다. 철기와 나는 서로의 얼굴을 보고, 천장을 보고, 바닥을 바라봤다. 내가 길게 한숨을 내쉬었다. 한숨 소리를 들었는지 철기가 내 쪽으로 고개를 돌렸다.

　"담배 있냐?" 철기가 물었다.

　"차에 두고 왔어."

　"제기랄, 담배도 없군."

　"라이터는 있는데." 내가 말했다.

　"라이터는 있어? 지금 장난하냐?" 철기가 짜증을 냈다.

여자가 울기 시작했다. 미안해서 우는 건지, 창피해서 우는 건지, 무서워서 우는 건지 알 수가 없다. 여자도 버팀목을 발로 찬 자신의 발목을 자르고 싶을 것이다.

"닥쳐, 쌍년아. 뭘 잘했다고 울고 지랄이야." 철기가 신경질적으로 말했다.

철기의 거친 목소리가 금고 벽면에 부딪혀 웅성거리며 심벌즈처럼 긴 여음을 냈다. 철기의 거친 목소리에 놀랐는지 여자가 울음을 뚝 멈췄다. 갑자기 금고 안이 조용해졌다. 그리고 한동안 아무 소리도 나지 않았다. 아무도 말하지 않았고 아무도 움직이지 않았다. 우리는 정적 속에서 아주 오랫동안, 그저 가만히, 앉아 있었다.

금고 속의 정적이, 기묘하다. 천장의 할로겐 불빛을 받아 반짝반짝 빛을 내는 수십억 혹은 수백억 원이 넘는 보석과 골동품 들이, 금세 무감각하다. 저것들을 호주머니에 집어넣으면 마냥 행복해질 거라고 아주 오랫동안 생각해왔다. 솔직히, 여전히 그렇게 생각하고 있다. 저 반짝반짝한 것들을 가지려고 훔치고, 사기치고, 속이고, 거짓말하면서 살았다. 심지어 자신에게도 거짓말을 하고 살았다. 하지만 눈앞에 있고 당장 손에 쥘 수 있어도 결국 금고 밖으로 못 가지고 나간다. 내 인생은 늘 그랬다. 다른 놈들 인생도 비슷할 것이다. 사실 아무도 금고 밖으로 저 반짝이는 것들을 손에 쥐고 나가지 못한다. 그것은 저 보석의 주인들도 마찬가지일 것이다. 금고 밖에 놔두면 불안하니까. 불안하니까.

정말로 호주머니에 저것들을 잔뜩 집어넣으면 행복해질까? 아직 안 집어넣어봐서 모르겠다. 나는 발 앞에 있는 통통한 순금돼지 한 마리를 신발 끝으로 툭툭 건드려본다. 통통한 순금돼지가 한쪽으로 톡 꼬꾸라진다. '너도 이 지겨운 금고 밖으로 나가고 싶지?' 내가 묻는다. 하지만 통통한 순금돼지는 내 질문에 대답하지 않는다. 아마도 그럴 것이다. 요술램프 속에 갇혀 있는 지니처럼 이 금고 속의 수많은 보석과 골동품 들도 오랫동안 누군가 문을 열어주기를 애타게 기다리고 있었는지도 모른다. 금고 속의 할로겐 불빛 아래가 아니라 금고 밖의 태양 아래서 빛을 내며 자랑하고 싶었을 것이다. 미안하다, 통통한 순금돼지야. 기껏 문을 열어준 놈들 꼬락서니가 이 모양, 이 꼴이라서.

시간이 지나자 금고 안의 기이한 정적 속에서 조금씩 소리들이 생겨나기 시작했다. 담배가 없는 게 몹시 아쉽다는 듯이 철기가 긴 한숨을 토해냈고, 어디선가 손목시계의 바늘이 가늘게 책책거리는 소리도 들렸다. 바닥이 불편한지 여자가 몸을 조금씩 움직였고 그때마다 여자의 스커트가 바닥에 미끄러지는 소리도 들렸다. 소리가 난 곳은 여자의 엉덩이 부분일 것이다. 그럴 수도 있고 아닐 수도 있다. 하지만 그렇다고 생각하니 기분이 조금 좋아진다. 철기가 또 한 번 길게 한숨을 쉬었다. 아직까지 담배 생각을 하고 있을 것이다. 이제 그만 포기해라. 여기 담배는 없다. 여자가 다시 소리를 내며 울기 시작했다. 특수강에 얼굴을 비추며 이 사이에 끼인 고춧가루를 빼내던 철기가 여자를 날카롭게 쨰려봤다. 철기의 시선을 느꼈는지 여자가 울음을 뚝 그쳤다. 하지만 여자의 눈에서는 여전히 눈물이 흘러내리고 있었다. 아마 버팀목을 발로 차버린 자신이 한심하기는 좀 한심할 것이다. 철기가 갑자기 바닥에 엎드려 팔굽혀펴기를 시작했다. 그러더니 이내 일어나서 화가 나 견딜 수 없다는 표정으로 작은 금고문을 발로 꽝하고 찼다. 소리 없이 울고 있던 여자가 화들짝 놀란 표정으로 철기를 바라봤다. 여자의 놀란 눈이 방울만큼 커졌다가 점점 초승달처럼 움

츠러들었다. 작업할 때는 잘 몰랐는데 자세히 보니 예쁜 얼굴이다. 여자가 입고 있는 유니폼도 무척이나 섹시하다. 이상하게도 나는 유니폼을 입은 여자를 보면 성욕을 느낀다. 백화점 입구나 엘리베이터에 있는 안내양들을 봐도 그렇고 은행 여직원들이 입고 있는 유니폼을 볼 때도 그렇다. 그런 유니폼을 보고 있노라면 내 성기는 어느새 사정 없이 발기를 해버린다. 유니폼에 대한 성적 판타지. 이상한 일이다. 나는 내 인생을 통틀어 단체로 맞춰 입는 모든 제복을 싫어했는데, 고등학교 때 입고 다녔던 낡고 꽉 끼는 교복도, 군대 시절의 촌스러운 군복도 끔찍하게 싫어했는데, 왜 여자들의 제복을 사랑하는 것일까. 아마 재질이 달라서 그럴지도 모른다. 나의 첫 제복이었던 우리 고등학교의 교복이 너무 촌스러웠기 때문일지도 모른다. 솔직히 그 교복은 촌스러움을 넘어 흉측한 수준이었다. 어쩌면 나만 유독 제복 입은 여자를 좋아하는 것은 아닐 것이다. 아마 은행 사장들이 여직원에게 유니폼을 입히는 이유도 나와 똑같을지 모른다. 그놈들은 여직원에게 유니폼 같은 것을 입혀놓고 업무시간 내내 엉덩이나 가슴 같은 데를 슬금슬금 보면서 이상한 상상을 할 것이다.

훌쩍훌쩍 소리를 죽여 울던 여자가 급기야 엉엉 큰 소리를 내며 울기 시작했다. 바닥에서 팔굽혀펴기를 하고 있던 철기가 신경질을 내며 자리에서 일어났다. 말릴 새도 없이, 철기가 달려가더니 주먹으로 여자의 머리를 퍽퍽 쥐어박았다. 여자가 고개를 푹 숙이고 있었기 때문에 얼굴은 아니고 뒤통수 어디쯤일 것이다. 여자는 철기에게 뒤통수를 얻어맞고 바닥에 개구리처럼 엎어졌다. 연두색 투피스, 검정색 스타킹, 통통한 엉덩이와 잘록한 허벅지. 어쩐지 섹스를 잘할 것 같은 여자다. 저 엉덩이. 저 유니폼. 울먹일 때마다 흔들리는 저 가냘픈 어깨. 이 판국에, 난데없이, 섹스가 하고 싶어진다.

"쌍년이 뭘 잘했다고 울고 지랄이야. 가뜩이나 열불이 나 죽겠는데." 철기가 자리로 돌아오며 말했다.

"너는, 그렇다고 연약한 여자를 때리냐. 무식하게시리." 내가 여자를 바라보며 부드럽게 말했다.

"저년 때문에 나온 지 두 달도 안 돼서 다시 빵에 들어가게 생겼잖아. 그 지긋지긋한 곳에 말이야. 아 정말, 이번엔 진짜 착실하게 살아보려고 했는데. 저년 때문에 다 잡쳤잖아. 게다가 나 집행유예 기간인데. 아, 씨팔, 화딱지가 나서 죽겠네."

"넌 이번에 들어가면 몇 개냐?"

"열 갠가? 아니, 열한 갠가?" 철기가 고개를 갸웃거렸다. "너무 많아서 잘 모르겠다. 너는 몇 갠데?"

"네 개."

"정말? 너 인생 모범적으로 살았구나!"

"내가 너랑 같냐? 그러니까 머리를 쓰면서 살아야지. 세상이 어떻게 돌아가는지 살펴도 보고. 머리는 중심 잡으라고 있는 건 줄 아냐."

철기가 자신의 머리를 보려는 듯 눈초리를 위로 올리더니 이내 피식 웃었다. 어이가 없어서 나도 덩달아 웃었다. 철기는 낙천적인 놈이다. 녀석에게는 감방 밖이나 감방 안이나 별다를 것도 없다. 소년원을 들락거렸던 시절까지 포함하면 아마 녀석 인생의 반은 감방에서 지나갔을 것이다. 사실 감방에 다시 가는 게 좋은 일은 아니지만 죽을 만큼 나쁜 일도 아니다. 감방 밖이라고 뭐가 그리 좋겠는가. 별것도 아닌 것들에게 전과자라고 무시당하기 일쑤고 또 무슨 일이 터질 때마다 그놈의 지겨운 짭새들이 소집해서 귀찮게 한다. 늘 먹살 잡히고,

욕먹고, 이유도 모른 채 쥐어터진다. 그러니 감방 안에서 쥐어터지나 감방 밖에서 쥐어터지나 매한가지다. 어차피 세상은 다 감옥이다. 긍정적으로 생각해보면 감방 안은 속이라도 편하다.

사실 나는 털이 쪽이 아니라 사기 전공이다. 그놈이 그놈이라고 싸잡아 무시하면 안 된다. 세상 모든 일이 다 그렇듯 인생에서 날로 먹을 수 있는 것은 별로 없다. 사기꾼으로 살려면 공부, 많이 해야 한다. 그래서 나는 꽤나 자주 도서관에 간다. 온갖 자격증과 취업 시험을 준비하는 수험생들 속에 둘러싸인 채 철학책도 읽고, 수학책도 읽고, 아줌마들 낚으려고 낯간지러운 시집들도 읽는다. 국제화, 세계화가 대세인 시대인지라 영어 공부, 일어 공부, 중국어 공부까지 해야 한다. 이 직업, 공부하지 않고는 살아남을 수 없는 나름 전문직이다. 철기놈 봐라. 아버지에게서 배운 금고 따는 기술 하나로 평생 밥 벌어먹고 산다. 얼마나 편한가. 녀석은 아마 도서관과 서점을 구별할 줄도 모를 것이다.

사람들은 사기꾼이 거짓을 파는 직업이라고 생각한다. 하지만 그것은 틀린 말이다. 사기꾼은 환상을 파는 직업이다. 그리고 그 환상은 거짓보다 진실에 훨씬 가깝다. 진실에 가까운 환상 때문에 사람들은 자신이 갈 수 없는 곳에 가려 하고, 자신이 움켜쥘 수 없는 것들을 움켜쥐려고 한다. 자신이 진실이라고 믿는 환상 때문에 사람들은 사기꾼과 손을 잡는다. 구석에 쭈그려서 울고 있는 저 여자도 마찬가지다. 저 여자는 사설 금고업체의 과장이었다. 나름 안정적이었고 또 보수도 괜찮은 직업이었다. 매달 따박따박 월급을 받아서 알뜰하게 살면, 벤츠는 못 굴리더라도 생활비 걱정은 안 하고 살 수 있는 직장 말이다. 하지만 여자는 자신의 진실이 알뜰하고 정직한 삶에 있다고 생각하지 않았다. "이 지겹고 거지 같은 인생을 포맷하고 새롭게 시작하려면 뭐가 필요할 것 같아?" 내가 물었을 때 여자는 눈을 동그랗게 뜨고 고개를 갸웃거렸다. "한 오십억? 그 돈이면 얼굴도 바꾸고, 이름도 바꾸고, 인간도 바꾸고 당연히 인생도 바꿀 수 있지. 어때? 인생 제대로 살고 싶지 않아?" 환상은 욕망이 되고 욕망은 금세 진실이 된다. 여자는 먹이를 덥석 물었다.

그녀가 맡은 것은 금고로 들어가는 두 개의 문 열쇠와 금고 비밀번호 그리고 보안장치에 대한 정보였다. 금고의 메인 열쇠는 다른 놈이 가지고 있었지만 구태여 그것까지는 필요 없었다. 대한민국 최고의 금고털이범 아들이 내 친구니까. 나는 철기가 감옥에서 나오는 날을 기다리기만 하면 됐다. 그리고 철기가 감옥에서 나온 지 두 달 뒤, 우리는 금고문을 열었다. 비자금, 눈먼 돈, 세탁자금, 국세청의 추적을 피하려는 고가의 물건들을 보관하는 이 사설 금고는 생각보다 훨씬 더 경비가 허술했다. 생각해보면 당연한 일일 수도 있다. 비자금이나 세탁자금을 숨겨놓았다고 동네방네 자랑할 일은 없으니까. 어쨌든 여자가 땅바닥을 뒹굴며 아프리카 원주민들이나 추는 괴상한 춤을 추다가 버팀목을 발로 차지만 않았어도 우리는 지금쯤 미리 사놓은 돈 세는 기계에다가 만 원짜리 돈다발들을 밀어넣고 있었을 것이다. 아 참! 근데 돈 세는 기계는 이제 어쩌나. 꽤 비싸게 주고 샀는데. 에이, 모르겠다. 지금 그딴 게 대순가.

그동안 철기 녀석은 어디서 찾았는지 고려청자처럼 생긴 도자기를 벽 모서리에 놔두고 길게 오줌을 갈기고 있었다. 그리고 고추를 털털 털고 지퍼를 올린 다음 주머니에서 핸드폰을 꺼내 천장을 향해 이리저리 비췄다.

"네 핸드폰 좀 줘봐. 내 건 안 터져." 철기가 말했다.

"핸드폰은 뭐하게?" 내가 물었다.

"경찰에 신고하게. 우리 여기 있다고."

"장난하냐?"

"이왕 이렇게 된 거 그냥 빨리 잡혀가는 게 낫지. 월요일 되면 어차피 잡혀갈 텐데 그때까지 여기서 뭐하러 죽치고 있냐? 여긴 심심하기만 한데. 게다가 배도 고프고."

하긴 듣고 보니 그렇다. 내가 주머니에서 핸드폰을 꺼냈다. 금고 속이라 그런지 내 핸드폰도 전파가 잡히지 않았다.

"내 것도 안 터지는데?"

"이봐, 아가씨, 당신 핸드폰도 안 터져?" 철기가 여자를 향해 말했다.

여자가 원망 가득한 눈빛으로 철기를 쳐다보다가 다시 고개를 푹 숙였다. 멋쩍은지 철기가 내 쪽으로 고개를 돌렸다.

"저년 것도 안 터지는 모양이다. 그럼 이제 여기서 뭐하냐?" 철기가 투덜거렸다.

"잠이나 자자." 내가 말했다.

"이 금고 안에는 무슨 동작센서 같은 것도 없나, 하다못해 화재경보기라도 있어야 할 거 아냐. 하여간 시설 꼬락서니하고는. 이딴 시설에다 돈 넣어두고 잠이 오냐?"

"그놈들은 열쇠만 가지고 있으면 뭐든 안전하다고 믿는 놈들이니까."

"정말 미치겠네. 월요일 아침까지 이 지랄을 해야 한다니. 나는 심심하고 따분한 건 질색인데. 배도 고프고. 내 평생에 이토록 간절하게 경찰 기다려보긴 또 처음이네."

"사실 나도 그래. 따분한 건 얻어터지는 것보다 더 짜증나는 일이지."

"화투라도 있으면 셋이서 패나 돌리면 되겠는데, 화투도 없고. 담배도 없고. 에이, 정말."

"그래도 여자는 있잖아."

내가 여자 쪽으로 턱을 추켜올리며 넌지시 말했다. 놀란 듯 철기가 눈을 동그랗게 뜨고 나를 바라봤다.

"여자라······."

철기가 눈동자를 위로 치켜뜨고는 이리저리 머리를 굴렸다. 나는 철기의 표정을 살피면서 눈빛으로 간절하게 말을 걸었다. '생각해봐. 이제 감방 가면 너도 여자 구경은 한동안 땡이야. 게다가 유니폼 입은 여자야. 대학도 나왔을 테고. 네깟 놈 주제에 대학 나온 여자랑 언제 섹스를 해보겠냐? 벌써 아랫도리가 시큰시큰해오지?' 하지만 철기는 여전히 아무 대답도 하지 않았다. 고개를 푹 숙이고 있던 여자가 이상한 낌새를 눈치챘는지 슬그머니 몸을 가눴다. 철기가 한동안 곤혹스러운 표정을 짓다가 고개를 흔들었다.

"에이, 아무리 그래도 그건 아니지. 겁탈은 안 돼. 왜냐하면 울 아버지가 도둑질은 해도 사람 다치게 하지는 말라고 그랬고, 그리고 또, 그러니까, 에이 몰라 몰라. 아무튼 사내새끼가 쪽팔리게 강간이 뭐냐, 강간이. 어둠 속에 살아도 최소한의 신사도라는 게 있어야지. 그리고 털이로 들어가면 이삼 년이면 되지만 강간으로 들어가면 너 그거 골치 아파진다. 저년이 여기서 겁탈당하고 경찰에 잡혀가면 잠자코 있을 년 같냐?"

"맞아요. 저는 절대 가만히 있지 않을 거예요." 구석에 웅크리고 있던 여자가 갑자기 자리에서 몸을 꼿꼿하게 일으키며 냅다 소리를 질렀다.

"저년이! 확 처발라버릴라. 누구 때문에 이 지랄이 됐는데." 홧김에 내가 여자에게 소리를 질렀다.

여자가 다시 고개를 떨어뜨리고 몸을 웅크렸다. 생각해보니 철기 말이 맞다. 신사도 어쩌고 하는 말은 거지 같은 이야기지만 강간으로 잡혀간다는 건 좀 그렇다. 강간으로 들어가면 빵에서도 사람대접 못받는다. 나와서도 밤거리에서 염치가 안 선다. 에이 진짜. 되는 일이 하나도 없다. 나는 잠바를 머리끝까지 덮어쓰고 바닥에 드러누웠다. 잠이나 자자. 자고 또 자면 시간이야 알아서 갈 테고, 시간이 가면 경찰도 올 테고. 경찰이 오면 그다음엔 놈들이 다 알아서 할 것이다. 잠을 청하려고 눈을 감자 금고 바닥의 서늘한 냉기가 등줄기를 타고 올라왔다.

얼핏 잠이 들었는데 요란한 공구 소리에 다시 잠이 깼다. 철기 녀석이 공구를 들고 남은 금고문을 부지런히 따고 있었다. 여자는 한쪽 벽끝에서 여전히 걱정스런 표정으로 앉아 있었다.

"지금 뭐해?" 내가 짜증 섞인 목소리로 물었다.

"화투 찾아. 화투라도 있으면 셋이서 패 돌리면 되니까 안 심심하잖아."

"미친놈아, 화투를 금고 안에 보관하는 인간이 어디 있냐?"

"그건 모르는 일이지. 울 아버지는 금고 안에서 금으로 된 마작패를 발견하기도 했다더라."

"등신아, 그건 금이니까 그렇지."

"그럼 금으로 된 화투가 나올지도 모르지."

"그만해. 그거 다 따면 형량이 더 늘어날지도 모르잖아."

"설마 금고문 몇 개 더 땄다고 형량이 늘어나겠냐. 어차피 저 문이 닫히는 순간에 형량은 정해졌어."

"설령 화투가 나온들."

"심심해서 그래. 가만히 앉아 있으면 울화통만 터지고."

"공구 소리 때문에 시끄러워서 잠이 안 오잖아."

하지만 철기 놈은 내 말에 아랑곳하지 않고 여전히 금고를 따고 있었다.

"이 새끼가 정말."

내가 연장통 속에 있는 공구를 하나 집어 철기에게 던졌다. 철기는 장난스러운 표정으로 날아온 공구를 슬쩍 피했다. 그리고 깔깔거렸다. 내가 연장 하나를 더 집어들었을 때 구석에 있던 여자가 조심스럽게 입을 열었다.

"감옥은 어떤 곳이죠?"

"뭐?"

뚱딴지같은 질문이라 욕이라도 한 바가지 해주려고 했는데 여자의 표정이 너무나 슬프고 침울했다.

"감옥 말이에요, 영화에 나오는 것처럼 그렇게 무서운 곳이에요?" 여자가 다시 물었다.

"아냐, 아냐. 영화에 나오는 건 구라가 좀 심한 거지. 감옥이란 게 기본적으로 그렇게 살벌한 곳은 아니야. 처음엔 좀 힘들겠지만 곧 적응도 되고 감방에 가면 재미있는 친구들도 많으니까. 시간이 지나서 친해지면 같이 놀기도 하고 이야기도 하고 뭐 그렇게 시간 때우는 곳이지." 철기가 대신 대답했다.

"예전에 텔레비전에서 보니까 멕시코 여자 감옥이 나오던데 거긴 힘센 여자 죄수가 만날 힘없는 여자 죄수를 때리고 밤마다 성폭행도 하던데요."

"에이, 그건 멕시코 이야기고 우리나라는 한방에서 다 같이 지내는데 뭐 그렇기야 하겠어. 밖에 못 나가니 좀 갑갑해서 그렇지, 여기나 감옥이나 살다보면 사람 사는 곳은 다 똑같아." 철기가 여전히 금고문을 따면서 말했다.

"뭐 그렇지. 사람 사는 곳이야 어디나 다 비슷비슷한 거지." 내가 철기의 말을 거들었다.

"이제 저는 어떡해요?"

철기와 내 말이 전혀 위로가 안 되었는지 여자는 무릎에 얼굴을 파묻고 다시 훌쩍훌쩍 울기 시작했다. 감옥에 간다고 생각하니 무서운 모양이다. 하긴 나도 처음 감방으로 끌려갔을 때는 저 여자처럼 무서웠다. 처음엔 뭐든 무서운 법이다. 철기는 우는 여자를 한동안 안쓰러운 눈길로 바라보다가 어깨를 한 번 으쓱거리고는 다시 공구를 켜고 금고문 따는 일을 시작했다. 나는 다시 잠바를 얼굴까지 덮어쓰고 바닥에 드러누웠다.

"찾았다."

그때 갑자기 철기가 금고 안에서 뭔가를 꺼내며 소리쳤다.

"봐! 봐! 내가 이런 거 있다고 했지." 철기 놈이 아주 신이 나서 말했다.

철기의 손에 들려 있는 것은 화투가 아니라 금으로 만든 주사위였다.

"뭘 그깟 걸 찾았다고 호들갑이냐." 내가 말했다.

"주사위 하나면 얼마나 많은 놀이를 할 수 있다고. 종이만 있으면 뱀놀이 같은 것도 할 수 있잖아." 철기가 얼굴에 흥분을 감추지 못한 채 말했다.

"뱀놀이? 그게 뭔데?"

"뱀놀이도 몰라? 뱀놀이가 얼마나 재미있는데. 어릴 때 그런 것도 안 해봤어? 추억의 뱀놀이?"

철기는 내가 뱀놀이를 모른다는 것을 도무지 이해할 수 없다는 표정이었다.

"추억이고 지랄이고 몰라. 아가씨는 뱀놀이 알아?" 내가 여자에게 물었다.

여자가 무릎에 파묻었던 얼굴을 들었다. 얼마나 울었는지 눈이 퉁퉁 부어 있었다.

"뱀놀이 알아요." 여자가 울먹거리며 말했다.

"거봐, 저년도 안다잖아. 너는 고등학교까지 나온 놈이 어떻게 뱀놀이도 모르냐?" 철기가 빈정대듯이 말했다.

"야 이 새끼야, 고등학교가 뱀놀이 따위나 가르치는 곳인 줄 아냐. 이 무식한 새끼야." 내가 화를 버럭 내며 말했다.

"이리 와봐, 내가 가르쳐줄게. 내가 판을 그릴 테니까 잘 보고 설명을 들어. 아주 쉬운 거야. 그리고 아가씨, 당신도 그만 울고 이리 와. 운다고 일이 해결되나. 기분 전환도 할 겸 같이 뱀놀이나 해." 철기가 여자를 보고 말했다.

"그렇지만 이 판국에 뱀놀이가 다 무슨 소용이에요?" 여자가 신경질적으로 소리쳤다. 여자의 소리는 절규에 가까울 정도로 우악스러웠기 때문에 철기와 나는 잠시 멍해졌다. 그러나 여자는 자기가 지금 신경질을 부릴 처지가 아니라는 것을 깨달았는지 무릎에 얼굴을 묻고 다시 엉엉 울기 시작했다. 처음에는 짜증스러웠는데 조금 측은한 느낌이 들었다. 더구나 유니폼 입은 여자가 우니까 더 불쌍한 것 같았다.

"뱀놀이 재미있는데." 철기가 멋쩍은 듯 말했다. "뱀놀이는 둘이서 하면 재미 별론데." 철기가 연이어 말했다.

철기도 여자가 좀 안쓰럽기는 한 모양이었다. 여자는 철기와 나의 우호적인 태도에 약간 안심이 되었는지 이제는 맘 놓고 큰 소리로 울기 시작했다. 그러자 아주 곤혹스러운 분위기가 되었다. 가서 몇 대 패면 조용해지기야 하겠지만 어쩐지 지금은 그럴 타이밍이 아닌 것 같았다. 여자는 한참 동안 큰 소리로 울었다. 하지만 여자가 울건 말건 철기는 무슨 채권 같은 종이 뒤에다가 줄을 그어서 백 개의 칸을 만들었다. 그리고 각각의 칸에다가 1부터 100까지 숫자를 적은 다음 여기저기에 뱀을 그려넣었다.

"이게 뱀놀이야? 뱀을 요리조리 피해서 백까지 도착하는 거 말이지?" 내가 말했다.

"아니지, 처음에는 뱀을 타고 올라가는 게 더 좋지."

"어쨌거나 이 새끼야. 나 이거 알아."

"아가씨는 정말 뱀놀이 안 할 거야?" 철기가 여자를 보고 말했다.

여자는 아주 한심스럽다는 표정으로 우리를 바라보더니 다시 무릎에 얼굴을 파묻었다. 철기가 여자를 잠시 바라보다가 아쉽다는 표정으로 고개를 돌렸다.

"안 할 건가봐, 우리끼리 하자." 철기가 말했다.

여자 말이 맞다. 이 마당에 뱀놀이가 다 무슨 소용인가. 그렇다고 안 하면? 이 기나긴 시간에 안 하면 또 뭘 할 건가. 그래서 철기와 나는 뱀놀이를 시작했다.

추억의 뱀놀이. 길이가 긴 뱀도 있고 길이가 짧은 뱀도 있다. 머리를 하나 가진 뱀도 있고 머리를 두 개 가진 뱀도 있다. 많이도 그려놨다. 뱀. 몇 살 때까지 이 유치한 놀이를 했을까. 기억도 나지 않는다. 철기가 먼저 주사위를 던졌다. 그리고 내가 던졌다. 철기가 다시 주사위를 던지고 내가 던지고. 뱀을 타고 올라갔다가 뱀을 타고 떨어지고. 뱀에 죽고 뱀에 살고. 우리는 두 시간이나 쉬지 않고 뱀놀이를 했다. 100에 먼저 도착한 사람이 꿀밤을 열 대쯤 때리기도 하고, 목말 태워주기 같은 시시한 심부름을 시키기도 했다. 그것도 시들해지자 금고 안에 돈다발과 보석 들을 잔뜩 꺼내서 100에 먼저 도착한 사람이 갖기로 하는 내기도 했다. 하지만 철기가 내 돈을 십오억쯤 먹었을 때 뱀놀이는 시시해졌다. 번호를 정해 돈을 일이억쯤 걸고 그 번호에 걸리면 보너스를 주는 놀이도 해보았지만 시시하기는 마찬가지였다. 중간에 놓여 있는 돈들을 다 먹고 요리조리 뱀을 피해서 끝까지 가면 뭐하는가? 돈을 수십억씩 먹어봐야 이 금고 안에 갇혀서 뭘 한단 말인가. 게다가 철기 놈의 머리통에 꿀밤을 때리는 벌칙은 내 손만 더 아픈 바보짓이다.

"에이, 시시해."

내가 바닥에 벌렁 드러누웠다. 철기도 주사위를 집어던지고 바닥에 드러누웠다. 그때 여자가 갑자기 얼굴을 들고 소리쳤다.

"방법이 있어요."

"무슨 방법?" 내가 물었다.

"여기서 빠져나갈 방법 말이에요."

"어떻게?" 바닥에 누워 있던 철기가 벌떡 일어나며 물었다.

"금고를 턴 것은 두 분이 한 일이고 저는 아저씨들에게 납치되어서 어쩔 수 없이 끌려온 걸로 하면 되잖아요. 그러니까 저는 위협과 협박에 못 이겨 어쩔 수 없이……."

철기의 싸늘한 표정을 봤는지 여자의 말꼬리가 흐려졌다.

"이년이, 우는 게 가여워서 봐주니까 누굴 호구로 아나. 야, 이년아, 누구 때문에 이 지랄이 났는데? 니가 양심이란 게 고양이 코털만큼이라도 있다면 이 마당에 어떻게 그런 말이 입 밖으로 나오냐. 그러니까 지금 너 혼자만 살겠다는 거 아냐?" 철기가 말했다.

"그렇지만 이왕 이렇게 된 거, 모두 죽을 수는 없잖아요. 한 명이라도 살 수 있으면 살아야죠. 아까는 신사도 어쩌고 하더니만 다 헛말인가 봐요. 그리고 저라도 살아야 밖에서 옥바라지라도 할 거 아니에요."

여자의 표정이 아주 필사적이었다. 철기는 신사도라는 말에 잠시 멈칫했다. 철기 놈은 신사도라는 말에 뭔가 삥 가는 구석이 있다. 그러니 평생 애인 하나 못 만들고 만날 여자들에게 사기나 당하지.

"저년 말대로 그렇게 할까?" 철기가 물었다.

"총 맞았냐? 왜, 저년이 정말 네 옥바라지라도 할 것 같아서? 철기야. 철기야. 제발 정신 좀 차려라, 철기야. 이 마당에 자기 혼자 빠져나가려고 하는 저 여우 같은 년이 네 옥바라지 잘도 하겠네요."

"그게 아니라 우리 둘만 잡혀가도 되는 일인데 구태여 여자까지 끌고 갈 건 없잖아. 또 전과도 없는 년인데. 불쌍하잖아." 철기가 타이르듯이 말했다.

"신사도를 가진 놈이 여자를 그렇게 우악스럽게 패냐?" 내가 말했다.

"그건 아까 순간적으로 너무 열이 받아서 그런 거고. 알잖아, 나 욱하는 성질. 그러니 그냥 여자는 놔주자." 철기가 칭얼거렸다.

나는 철기의 말에 대답하지 않고 고개를 딴 곳으로 돌렸다.

"너는 사내새끼가 속이 어째 그래 밴댕이만 하냐?" 철기가 다시 말했다.

"다 된 밥에 코 빠뜨린 게 누구 때문인데? 저년이 미친년처럼 날뛰다가 버팀목만 안 찼어도 우리는 지금쯤 별 다섯 개짜리 호텔에서 베네수엘라 아가씨랑 그 짓을 하고 있었을 거다. 어디 베네수엘라뿐이겠냐. 러시아, 미국, 필리핀 아가씨들을 다 불러놓고 미녀선발대회라도 열었겠네. 그런데 우리는 감방 가고 저년은 밖에서 룰루랄라 하게 해주자고? 너야말로 속도 없냐?"

"하긴, 베네수엘라는 좀 아깝네. 베네수엘라 애들은 참 예쁜데. 미스유니버스대회를 봐도 좀 예쁘다 싶으면 다 베네수엘라거든." 철기가 정말 아쉽다는 듯이 말했다.

우리는 베네수엘라 아가씨들과 별 다섯 개짜리 특급 호텔을 상상하며 잠시 입맛을 다셨다. 그때 구석에서 눈치를 보던 여자가 수줍게 입을 열었다.

"저를 빼주면…… 제가 대신 해드릴게요."

철기 놈과 나는 그 말을 듣고 잠시 멍해졌다.

"뭘? 뭘 대신 해줘?" 철기가 조심스럽게 물었다.

"베네수엘라……." 여자가 아주 작은 소리로 말했다.

베네수엘라? 철기가 내 눈을 바라봤다. 나도 철기 눈을 바라봤다. 갑자기 머릿속에서 백 년 동안의 낮잠을 자던 톱니바퀴들이 미친 듯이 돌아가기 시작했다. 베네수엘라, 베네수엘라, 베네수엘라. 이러면 이야기가 달라진다. 뭐 철기 놈이나 나나 어차피 감방에 갈 것이고, 물귀신처럼 저 여자를 끌고 들어가본들 남는 것도 없다.

"정말이야? 정말 빼주면 해줄 거야?" 내가 물었다.

"그럼 정말이죠. 그렇지만 두 분 다 해드릴 수는 없어요. 아무리 상황이 그래도 사람이 지켜야 할 도리가 있는 거죠. 제가 창녀도 아니고……. 어쨌든 두 분 다 해드리는 건 곤란해요." 여자가 단호하게 말했다.

"그럼 누가 해?" 철기가 말했다.

"너는 신사도나 지켜, 인마." 내가 말했다.

"아니지, 이건 경우가 다른 거지. 아까는 겁탈이고 지금은, 거 뭐이냐, 어디까지나 서로 합의해서 하는 상황인데."

철기가 절대 물러설 수 없다는 듯 강하게 나왔다.

"그건 두 분이 알아서 정하세요. 그보다 우선은 경찰에 조사를 받을 때 제대로 하기 위해 입을 맞춰야 해요."

여자는 이제 제법 생기가 도는 것 같았다. 그러더니 이내 명랑한 목소리로 경찰에게 우리가 해야 할 말들을 또박또박 이야기했다.

"그러니까 일단 저는 흉악한 강도들로부터 흉기로 협박을 받았기 때문에 어쩔 수 없이 출입문 열쇠와 금고 비밀번호를 주게 된 거예요. 당신들은 저를 놓아주면 경찰에 신고할까봐 부득이 금고 안까지 끌고 들어온 거고요. 그런데 제가 놀라운 상황 판단력과 뛰어난 기지를 발휘하여 금고문에 받쳐둔 버팀목을 발로 걸어차버렸기 때문에 고객들의 돈을 안전하게 지킬 수 있었던 거지요. 또 흉악한 강도들도 잡을 수 있게 된 거구요. 뭐 대충 이런 이야기예요. 어때요?"

"그런데 흉악한 강도는 우리를 말하는 거야?" 철기가 물었다.

"아니, 말이 그렇다는 거지요." 여자가 금고문이 닫힌 이후 처음으로 환하게 웃으며 말했다.

"에이, 강도, 흉기, 협박 이런 건 우리 스타일이 아니야. 우리는 그런 무서운 짓 못하는 사람들이야. 강도, 흉기 이런 건 좀 그렇고, 그냥 살짝 위협했다고 하지?" 내가 절충안을 내놓았다.

"그렇지만 살짝 위협만 했는데 열쇠도 주고 비밀번호를 줄줄이 다 불었다면 웃긴 일이잖아요."

"그래도 흉기로 위협했다고 하면 안 돼. 형량이 늘어나. 게다가 사내새끼가 얼마나 못났으면 쪽팔리게 여자를 흉기로 위협하나. 나는 절대 그런 캐릭터 아니야." 철기가 단호하게 말했다.

"알았어요, 알았어요. 그냥 말로 무섭게 위협했다고 할게요." 여자가 말했다.

철기와 나는 여자의 말에 대해 잠시 생각했다.

"그러면 정말 그거 해주는 거지? 베네수엘라?" 철기가 여자에게 재차 확인을 했다.

"해준다니까요. 사람 말을 왜 그리 못 믿어요?" 여자가 약간 짜증을 내며 말했다.

"좋아, 까짓 거. 그렇게 해." 철기가 신이 나서 말했다. 그리고 내 쪽으로 고개를 돌리고는 "인생 어렵게 갈 거 뭐 있어, 다 좋은 게 좋은 거 아냐?" 하고 말했다.

"그래, 까짓 거. 뭐." 내가 흔쾌히 철기 말에 동의했다.

"그럼 이제 저를 묶어주세요." 여자가 말했다.

"묶다니?" 내가 물었다.

"경찰이 언제 들이닥칠지 모르는데 지금부터 묶여 있어야지요. 또

묶인 자국도 있어야 경찰이 의심하지 않잖아요."

"햐! 확실히 똑똑한 여자예요. 그런 세세한 디테일까지 다 생각하고. 그치?" 철기가 나를 향해 말했다.

"그러면 베네수엘라는 어쩌고?" 내가 물었다.

"아이참, 베네수엘라 할 때만 살짝 풀면 되죠." 부끄러운지 여자가 살포시 웃으면서 말했다.

웃으니까 여자는 참 예뻤다. 그리고 이제 여자의 얼굴에서 눈물 자국은 보이지 않았다. 우리는 가방에서 밧줄을 꺼내 여자의 손목과 다리와 몸을 묶었다. 묶은 모양새가 맘에 들지 않았는지 여자가 짜증을 냈다.

"이렇게 어설프게 묶으면 어떡해요. 뭔가 가짜 같은 느낌이 들잖아요."

우리는 할 수 없이 묶은 밧줄을 다시 풀었다. 그리고 여자가 지시하는 대로 손목, 팔과 다리 그리고 몸통을 꽁꽁 묶었다. 여자는 밧줄이 제대로 묶였는지 팔다리를 흔들어 확인하고는 약간이라도 헐렁한 곳이 있으면 다시 풀어서 꽉 묶으라고 말했다. 우리는 여자가 말한 헐렁한 곳을 다시 풀어서 세게 묶었다.

"너무 세게 묶은 것 같아. 피도 안 통할 것 같은데." 너무 꽉 묶인 여자의 모습이 안쓰러운지 철기가 말했다.

"그러게, 경찰은 월요일이나 돼야 올 텐데 지금은 좀 풀고 있어도 되잖아." 내가 말했다.

"아니에요, 아니에요. 묶여 있으니까 오히려 맘이 편해요. 혹시라도 경찰이 들이닥칠지도 모르잖아요." 여자가 밝은 목소리로 말했다.

여자는 정말 묶여 있는 것이 훨씬 마음 편한 것 같았다. 오히려 묶

여 있으니까 점점 더 쾌활해지는 것 같기도 했다. 급기야 여자는 우리
가 처음 금고문을 열었을 때처럼 깔깔거리며 웃기까지 했다.

　이제 철기와 나는 아름다운 베네수엘라의 짝을 뽑기 위해 뱀놀이판
앞에 앉아 있다. 황금 주사위를 판 중간에 놓고 우리는 서로의 눈을
노려봤다.
　"구차하게 여러 번 할 것 없이 그냥 깔끔하게 딱 한 판으로 끝내
지?" 철기가 말했다.
　내가 고개를 끄덕였다. 딱 한 판이다. 지면 사내답게 신사도나 지키
며 멀찌감치 물러서서 베네수엘라와의 일이 끝날 때까지 벽만 바라보
는 것이다. 우리는 뱀놀이판과 주위에 어지럽게 흩어져 있던 돈과 보
석 들을 멀찌감치 치워버렸다.
　선을 잡은 건 철기였다. 녀석이 주사위를 던졌다. 그다음에는 내가
던졌다. 다시 철기가 던지고 그다음엔 또 내가 던졌다. 우리는 둘 다
말이 없었다. 주사위를 잡은 손에서 식은땀이 나는 것 같았다. 철기
놈이 요리조리 뱀을 피해 한 칸씩 나아갈 때마다 입안이 바짝바짝 타
들어갔다. 여자도 누가 자신의 짝이 될지 궁금한 모양인지 밧줄에 묶
인 채로 몸을 이리저리 비틀어서 판 근처까지 왔다. 당연히 나를 응원
하고 있겠지. 아무래도 중학교를 중퇴한 철기 놈보다는 고등학교라도
졸업한 내가 낫겠지. 암, 그렇고말고. 내가 먼저 90번대를 밟았지만
이내 긴 뱀을 밟고 미끄러졌다. 뱀이 미웠고 뱀이 야속했고 뱀이 무서
웠다. 하지만 철기 놈의 말도 방금 97번 뱀을 밟고 40번까지 미끄러졌
다. 뱀이 고마웠고 뱀이 사랑스러웠고 뱀에게 감사했다. 우리는 뱀을
타고 올라갔다 뱀을 타고 떨어지기를 수도 없이 반복했다.

그리고 나는 지금 수많은 뱀들을 지나서 94번을 밟고 있다. 95번에 뱀 하나, 97번에 뱀 하나, 99번에 뱀 하나. 아! 이 징그럽고 얄미운 뱀들, 많기도 많아라. 하지만 상관없다. 이제 주사위가 육으로만 떨어지면 저 베네수엘라는 내 거다. 나는 천천히 황금 주사위를 들어올렸다. 철기 놈의 눈빛이 바짝 긴장해 있다. 밧줄에 묶여 있는 여자도 바짝 긴장해 있다. 나는 밧줄에 꽁꽁 묶인 채 나를 바라보는 베네수엘라에게 회심의 윙크를 보내고 주사위를 꼭 움켜쥐었다. 나는 천지신명과 조상님과 알라신과 하느님과 부처님 그리고 내가 아는 모든 신들에게 빌고 또 빌었다.

'이제 저는 아무것도 필요 없어요. 돈도 필요 없고, 멋진 자동차도 필요 없어요. 그저 육 한 번만 나오게 해주세요. 솔직히 제 인생에서 뭐 하나 잘해준 것도 없잖아요. 그러니 이번에 육 한 번만요! 제발 육 한 번만요. 네?'

나는 허공으로 주사위를 던졌다. 황금으로 만들어진 주사위가 천장의 할로겐 빛을 받아 반짝이며 허공으로 떠올랐다. 허공에서 빙글빙글 돌고 있는 저 주사위. 몇 번이냐, 몇 번이냐, 대체 몇 번이냐. 나도 모르게 내 입에서 간절한 한마디가 튀어나왔다.

"제발, 육 한 번만. 육!"

| 우수상 수상작 |

뒤에

김태용

1974년 서울 출생.
2005년 《세계의문학》에 〈오른쪽에서 세 번째 집〉을 발표하며 등단.
소설집 《풀밭 위의 돼지》, 장편소설 《숨김없이 남김없이》 등.
한국일보문학상 수상.

0

도시가 붕괴될 때 나는 어떤 이야기를 하고 있어야 할까.

내가 떠나온 자연. 내가 떠나온 사람. 시간들. 장소들. 이름들. 문장들. 이야기들. 물음들. 울음들. 나는 더듬거리며 밤 그리고 도시의 문장을 읽는다. 문장들이 이야기로 흡수된다. 문장들을 빨아들이는 이야기가 있다. 이야기의 위장을 허물어뜨리는 문장도 있다.

다시 시작하자. 아무도 나에게 대답을 원하지 않는다. 소가 여물을 먹듯 문장을 쓰고 있다. 문장 뒤에 오는 문장이 있다. 이름 뒤에 오는 이름이 있다. 목소리 뒤에 오는 목소리가 있다. 이야기 뒤에 오는 이야기는. 어떤 이야기는 처음으로 돌아가지 않는다. 처음을 모방하면서 끝을 향해 나아갈 뿐이다. 끝을 향할 뿐 끝에 다다르지는 않는다. 이야기의 점진적 이동. 그것만이 이야기 뒤에 오는 이야기다.

나는 무를 씹고 있다. 무는 희고 둥글고 매끄럽다. 달고 맵다. 매일 밤 무를 먹는 게 일이 되었다. 집에 조그만 텃밭이 있다면 무를 키워도 좋을 것이다. 그러나 무언가를 키우는 것에 재주가 없는 나는 무밭을 망칠 것이다. 때로는 홍수와 가뭄으로 나의 노력과 무관하게 무밭이 엉망이 될 것이다. 폐허가 된 무밭을 보며 절망에 빠질 것이며 더 이상 무를 먹지 않게 될 것이다. 나는 자연에 저항하는 인간이 아니다. 그것이 두려움의 본질이다.

무를 잡아뽑을 때 인간은 어떤 표정을 짓게 되는가. 몇 방울의 땀이 등줄기를 타고 흘러내려갈 것이다. 이유 없이 화가 나 무청을 갈기갈기 찢어놓을 때도 있을 것이다. 여유가 있다면 무밭을 가꾸는, 무처럼 입을 다물고 있는 농부를 고용할 것이다. 무밭을 가꾸는 농부의 모습을 지켜보면서 계절의 변화를 느낄 것이다. 어느 순간 무를 키우는 것이 아닌 무밭을 가꾸는 농부를 키우고 있다고 새삼 알게 될 것이다. 부끄러워지겠지. 웃지 않을 수 없다. 웃음 뒤에 오는 것은. 그것이 또 나를 절망에 빠뜨리게 만들 것이다. 자연만 떠올리면 두려움에 가속이 붙는다.

소가 여물을 먹듯 무를 씹고 있다. 무 같은 문장은 좋다. 무 같은 문장으로 이루어진 이야기가 좋다. 그러나 무 같은 게 뭔지 도통 모르겠다. 어렴풋하게 유추할 수 있지만 문장으로 표현할 수 없다. 무의 특성을 알고 있다고 해도 언어가 사물의 특성을 그대로 노출시킬 수 있는 것은 아니다.

이렇게 말하는 것이 가능할까. 이 이야기는 참 무해요. 이 문장은 어렴풋이 무와 닮았네요. 무 껍질처럼 언어의 껍데기가 벗겨지고 있어요. 이 글은 무 없는 무밭이로군요. 이야기 없는 문장이 가능할까. 혹은 그 반대라도. 그만둘 수 있다면 그만둬야 할까. 밤은 너무나 길다. 달리 무를 씹고 씹을 수밖에.

무를 씹고 있다. 하룻밤에 하나씩. 무 한 입에 문장 하나가 떨어지면 좋겠다. 신문지에 무 껍질이 가득하다. 무 껍질을 나눠줄 발 없는 작은 짐승이 있다면 좋겠다. 짐승이 무무, 하고 울면 무 껍질을 던져 줄 것이다. 짐승이 무 껍질을 무무, 하고 씹는 것을 지켜볼 것이다. 끝내 나는 짐승의 이름을 붙여주지 않을 것이다. 이름이 없으니 부를 일도 없을 것이다. 이름이 없는 짐승은 매일 밤 스스로 자신의 이름을 부르듯 무무, 하고 울어야만 할 것이다. 무무, 소리에 잠을 설치면 좋겠다. 그러면 참 좋을 것이다. 바라는 것이 많아서 좋겠다.

찐 무를 먹고 이빨이 빠진 개의 이야기를 들은 적이 있다. 큰어머니가 내 바지 속에 손을 집어넣어 고추를 만지면서 이야기를 했다. 터지고 갈라진 거친 손이 닿을 때마다 고환이 오그라들었다. 큰어머니의 이야기에는 쓰라린 교훈이 있었다. 이빨이 빠진 개는 이빨이 빠져도 이빨이 빠진지 모르고 아무거나 씹다가 턱이 빠져 죽었다지. 아마. 믿지 않을 수 없다. 어떤 이야기는 갑작스러운 죽음으로 끝난다. 죽음이 이야기의 주름을 팽팽하게 당기는 것도 사실이다. 큰어머니의 손에서 나의 고추는 주름이 잡혔다. 더 이상 세계의 주름을 잡을 이야기가 없다. 어떤 이야기는 주름이 접혔다 펴졌다 하다가 끊어지고 만다. 나의 이야기에는 이빨이 빠져 있다. 문제는 이빨이 빠진지 모르고 아무 문장이나 씹으려 한다는 것이다. 언제 이야기의 턱이 빠질지 모른다. 이야기의 턱이 빠지면 좋겠다. 도시가 붕괴되기 전에. 기다린다. 그것만이 유일하다.

도저히 기다릴 수 없어 무를 먹고 집을 나섰다. 밤공기가 매끄럽게 목덜미를 감싼다. 어떤 밤들은 아무것도 노출시키지도 않고 은폐시키지도 않는다. 밤은 걸어가는 자로 인해 농도가 달라질 뿐이다. 더 걷자. 밤의 서늘함이 무릎까지 올라오면 잠시 걸음을 멈춰도 좋다. 서두를 필요가 있겠는가. 어떤 이야기는 모든 것이 정지될 때 시작된다.

돌아보면 어떤 문장들이 그림자처럼 길게 늘어져 있는 게 보인다. 문장의 급소에 침묵을 박아넣는 그림자도 보인다. 밤이 깨진다. 깨진 밤을 긁어모아 도시의 뒤편으로 달아나는 그림자도 있다. 이야기는 주로 밤에 사용된다. 밤에 이야기하는 것을 좋아하면 발 없는 짐승으로 태어난다. 역시 큰어머니의 말이다. 근거는 없지만 믿지 않을 수 없다. 나는 밤 짐승이 되어 도시를 거닐고 있다. 발이 없다면 온몸으로 밀고 미끄러지면서 나아가는 것이다. 밤의 도시는 문장으로 덮어두기 좋다. 문장 속에서 도시는 잘 곰삭을 것이다. 침울한 욕망과 어둠 속에 떠다니는 실패한 욕망의 부유물들이 도시의 부패를 가속시킬 것이다. 잘 썩어 문드러지면 붕괴 직전의 도시를 한 움큼 건져 맛을 볼 것이다.

조미료가 없는 천연의 이야기는 그렇게 시작된다. 그러나 누가 이런 이야기에 이름을 붙일 것인가. 손바닥을 뒤집어도 손바닥이 나오는 이야기의 맹점을 어떻게 찾겠는가. 찾을 생각도 없겠지. 찾을 생각도 하지 마라. 우리의 혀는 자극적인 것에 단련되었다. 자극 뒤에 자극이 온다. 너무나 무뎌져서 이야기의 균열을 느끼지 못한다. 이야기의 허를 찌를 수 있는 혀가 필요하다. 진정하자.

어떤 이야기는 또 밤의 치마폭에서 시작된다. 물을 탄 간장을 조금씩 입에 흘려넣듯 이야기가 허벅지 사이에서 새어나온다. 다리가 없는 거미라던가 입에서 털이 자라는 아이라던가 눈을 깜빡일 때마다 다른 얼굴로 둔갑하는 요괴라던가 인간의 언어를 거꾸로 따라하는 부엉이라던가 하는 이야기가 밤 속으로 기어다니고 있다. 기어다니는 것은 때론 너무나 비천해서 아름답고 슬프다. 두려움을 감추고 있기에 더 그렇다. 자연을 위해 자세를 낮출 필요가 있다. 이야기는 밤 속에서 길을 잃고 말 것이다.

이것이 내가 원한 이야기인가. 밤, 도시 그리고 무에 대한 이야기를 하고 싶었다. 그것이 내가 사랑하는 것들이라고는 말할 수 없다. 사랑하는 것들은 문장으로 모아지지 않는다. 문장을 붕괴시키는 것들이 있다. 그것을 나는 사랑한다. 이야기를 할 순 있어도 말을 할 수는 없다. 무엇이 먼저인지 모르겠다. 그러니 계속 다시 시작해야 한다. 나는 여전히 붕괴 직전의 도시의 밤에 머물러 있고, 무는 내 뱃속에 가라앉아 있다. 배를 두드리면 무무, 하고 울린다. 나는 발이 없는 작은 짐승을 잉태할 것이다. 유산할 것이다. 죽은 짐승을 양육할 것이다. 이야기의 자궁벽을 긁는 소리가 들린다. 응고된 문장의 껍질이 떨어져나간다.

여기 이름을 가진 자가 있다. 목소리가 있다. 밤에만 불리는 이름이 있다. 밤에만 들리는 목소리가 있다. 목소리라 불리는 이름이다. 이름을 부르는 목소리다. 나를 물러서게 하고 머물게 하는 목소리. 나를 떠나 나로 돌아오는 목소리. 목소리와 목소리가 충돌한다. 깨진다. 음악처럼 무너져내린다. 목소리의 이중주. 어긋나는. 가능한. 유일한. 쓰라린. 결코 제 목소리를 내지 못하는. 어떤 목소리는 선회하고 배회할 때만 빛을 낸다. 목소리에 귀를 기울일 동안 장면 전환이 필요하다.

0

(손에 유리잔을 들고 있다면 일부러 떨어뜨릴 준비를 하며) 당신이 여기 무슨 일로.

(발을 어디로 감출지 몰라 허둥대며) 발 없는 밤 짐승이 되어.

(바닥에 떨어져 깨진 유리잔을 바라보는 듯) 그런 거짓말이 통할 줄.

(오른쪽 발을 들려다 왼쪽 발을 들어올리며) 이제 겨우 한 걸음을 내딛었다고 생각했는데.

(손을 들어올려 가라는 시늉을 하며) 다시 뒤로 한 걸음 물러서기를.

(추락하는 자처럼 팔을 허우적대며) 한 걸음 뒤면 추락.

(추락한 자를 조롱하듯) 그 바닥이 당신이 머물러야 할 곳.

(비굴하게) 여기 머물 수 있게.

(단호하게) 당신을 위한 이야기는 없어.

(비굴하게) 이 빈 자리는 누구를 위한.

(손가락을 들어올리며) 당신 뒤에 있는 누구.

(돌아보지 말아야지 하다가 돌아보며) 내 뒤에 있는 것은 나.

(돌아보는 자를 비웃으며) 이제 당신 뒤에는 당신이 아닌 누가.

(궁색한 변명을 늘어놓듯) 도대체 누구를 위한.

(단호하게) 당신이 아닌 그 누구를 위한.

(모르는 척하며) 그 누구라니.

(모르는 것을 모르는 대로 내버려두듯) 영원히 머물 수 있는 누구.

(모르는 척도 못하며) 그 누가 내가 아니라면.

(당신이 아는 유일한 것은 내가 아는 것의 한 조각에 불과하다는 듯) 당신이 아닐 수밖에.

(뒤늦게 후회하며) 내가 물러선 건 머물기 위한.

(후회해도 소용없다는 듯) 너무 멀리 물러났으니.

(여전히 모르는 척하며) 어제까지만 해도.

(어제 무슨 일이 있었는지 떠올리며) 어제는 어제일 뿐.

(지금 말하고 있는 어제가 특정한 어제를 말하는 것이 아니라고 항변하듯) 어제와 같은 오늘이.

(내일이야말로 모든 게 끝날 것이라고 각오하듯) 그건 내일이 되어서야.

(내일이 과연 올까 의심하며) 내일이면 나를 위한 자리가.

(어제와 마찬가지로 내일은 오늘을 떠올려야지 결심하며) 내일도 오늘 같은 내일이라면.

(거울의 뒤편을 바라보듯) 왜 오늘은 오늘을 벗어날 수가.

(거울의 뒤편에도 거울이 있다는 것을 알고 있기에) 오늘에서야 그것을 알았다니.

(무지를 위장하기 위해 애쓰며) 무지의 밤이 나를 인도하나니.

(무지는 자랑도 아니지만 부끄러움도 아니다 라고 뭔가 아는 것처럼) 무지의 말투를 쓰다니.

(성적 욕망을 빗대어) 조바심을 억누를 수 없어서.

(실패한 성적 욕망의 죄를 물으며) 섣부른 충동이 모든 것을 그르치고.

(비굴하게 돌아눕듯이) 이렇게라도 머물 수 있게.

(이제 모든 행동을 멈추고 정신을 녹여야 할 때임을 알리며) 물러서면 사라질 환영이니.

(어떤 태양도 나의 얼어붙은 정신을 녹일 수 없다는 듯) 환영이라도 좋으니.

(정신이고 나발이고 지긋지긋한 어제를 또다시 들먹이는 자신에게 화를 낼 수도 없어 답답함을 느끼며) 그러나 어제의 환영과 다른 것을.

(상대방이 흥분한 탓에 기회를 잡았다는 듯 서둘러 말하며) 어제의 환영이 오늘의 악몽으로.

(악몽, 이라는 단어에 깜짝 놀라 들고 있는 유리잔을 떨어뜨리며) 그게 가능할 수는.

(마치 악몽을 한 번도 경험한 적이 없는 사람처럼 들떠서) 악몽 뒤에 오

는 악몽에 대하여.

(그런 말은 함부로 하는 게 아니라는 듯) 그런 말은 함부로 하는 게.

(이제 악몽을 요요처럼 자유자재로 다룰 수 있다는 듯) 악몽 뒤에 오는 악몽에 대하여.

(눈앞을 어지럽히는 요요를 집어치우라고 외치듯) 당신은 결코 말할 수 없는.

(언제 그랬냐는 듯 다시 비굴하게) 말할 기회가 부족한.

(단호하게) 이미 기회가 사라진.

(이제 비로소 악몽의 실체를 알았으니) 악몽의 연속이었다는.

(거짓말이 들키기를 바라며) 나의 악몽은 끝이 났다는.

(할 말이 없지만 입을 다물고 있을 수도 없으니) 그럼 다시 환영으로 출발.

(사전을 펼쳐 아무 단어나 소리 내 발음하듯) 나의 사전에서 이미 꿈의 문장들은 사라지고.

(자신의 문장에 도취한 자가 그렇듯 이제 당신이 아닌 문장이 자신의 유일한 대상이라는 것을 알게 되어서) 모든 문장이 허구인 것을.

(나는 좀처럼 도취될 수 없는 인간이기에) 나는 그 허구에 죽음을 걸었다는 것을.

(어떤 문장이 이야기를 뒤집을 것인가 떠올리며) 나를 위한 이야기는 정말.

(단호하게 아니 맥없이) 당신을 위한 이야기는 없어.

(이 문장은 아니야) 나의 말도.

(좀처럼 끝이 나지 않을 것을 예감한 뒤 그러나 왜 미련을 두고 있는지 골몰하며) 이제.

(이 문장도 아니야) 나의 물음도.

(지긋지긋해, 이 인간은 도대체, 왜, 여전히, 라고 생각하며 목소리 뒤에 오는 목소리로 사라지기로 결심하고) 없어.

(이 문장도) 나의 울음도.

(사라지며) 없어.

(이 문장도) 울음 뒤에도.

(사라진 뒤에) 없어.

0

무한의 독백으로 건축된 도시 안에서 우리의 대화가 이야기의 붕괴를 예고할 수 있을까. 읽기만 하면 사라지는 문장이 있다. 사라지면서 뒤에 오는 문장을 무너뜨리는 문장이 있다. 모든 문장이 이야기의 외곽으로 물러서고 있다. 우리가 감추고 있는 이야기는 끝내 문장으로 떠오르지 않는다. 영원히 괄호에 묶이고 만 것인가. 나는 대화법에 익숙한 사람이 아니다. 감정을 숨기고 말하는 법을 모른다. 당신이 부재할 때만 당신은 문장이 되어 이야기의 수면 위로 떠오르게 되어 있다. 사라진 것을 불러내는 것이 이야기의 맹점이다.

당신이 알아두어야 할 것이 있다. 나의 목소리가 들리는 곳이 나의 자리라는 것을. 환영에서 악몽으로. 악몽에서 악몽으로 이어지는 꿈의 악순환 속에서 나의 목소리만이 잠의 파수꾼이 될 수 있다는 것을. 얼어붙은 우리의 이야기를 쪼갤 수 있다는 것을. 기억나는가. 기억하라. 기억해다오. 망각의 가시덤불을 뚫고 기억의 저지대로 기어들어가다오. 우리가 파도의 푸른 곡선을 바라보며 서로의 무릎을 비벼대고 있을 때 세계와 우리 사이의 얇고 질긴 막을 찢고 울려 퍼지던 목소리가 우리의 육체와 영혼을 사로잡았다는 것을. 누군가 죽고 또 다른 누군가도 죽고. 도시의 내부에 금이 갔다는 것을. 그 목소리는 지상의 언어로 붙잡아둘 수 없다는 것을. 오로지 날려보내야만 되돌아오는 목소리라는 것을. 밤의 페이지를 뚫고 날아다닌다는 것을.

이제 나는 알게 되었다. 늦었지만. 늦게라도 도착했으니. 말해야겠다. 말할 수 있다고 믿었다. 당신에게 그것을 설명할 방법이 없다. 방법이 있다면 이 길고 지루한 이야기를 다시 시작하고 반복해야만 다다를 수 있는, 그러니까 이야기의 턱이 빠져라 문장을 지속할 수밖에 없는 것이다. 이 방법을 찾기까지 또한 얼마나 많은 문장 속을 배회하고 시간을 허비했음을 밝혀둔다.

문장의 거미줄로 당신을 붙잡고 싶은 것이 이 밤의 나의 욕망이요 진실이다. 그 이상 무엇이 있겠는가. 귀 기울여다오. 어떤 어조로 당신의 귀를 간질여야 할지 말해다오. 아니 말하지 마시오. 침묵으로 나에게 용기를 주시오. 내가 그날 당신에게 등을 보이며 돌아누운 것은 나의 악몽을 과장하기 위함이었다고 털어놓겠소. 창밖에서 양철 지붕으로 떨어지는 빗소리가 들려왔다. 어떤 비유를 쓰느냐에 따라 빗소리의 색채가 달라질 것이다. 어떤 언어가 자연의 점진적 변화를 붙잡아둘 수 있을까. 나의 뒤바뀌는 어조에 흔들리지 말기를. 오로지 당신은 침묵으로 나의 모든 언어를 흡수할 수 있기를. 모든 언어의 끝은 구부러지게 되어 있으니. 나의 목소리에 금이 가더라도 언제까지 버텨주기를. 당신의 환영이, 당신의 악몽이 나의 환영과 나의 악몽이 될 수 있기를. 무사히 잠의 사전을 덮을 수 있기를. 바라는 것이 많을수록 이 밤을 기록할 수 있는 문장이 늘어난다는 것을 잊지 말기를. 욕망은 지연되고 진실은 진리에 가 닿을 것이오.

나의 등 뒤에서 손가락을 세워 어깨를 두드리던 당신의 울음소리를 기억한다. 창밖의 빗소리와 함께 당신의 울음소리는 음악이 되지 못하는, 음악 이전과 음악 이후의, 경계 음악처럼 들렸다. 나는 귀 기울이고 있었다. 나의 악몽을 쪼개는 그 단조로운 반복의 중저음을. 도시가 천천히 붕괴되듯 음악이 무너져내릴 것 같았다. 내가 여전히 돌아누운 채로 있었던 것은 필요 이상의 감정을 노출시키고 싶지 않았던 것이다. 어떤 감정은 언어보다 앞서 나간다. 침묵 속에서 감정을 내맡길 수 있는 것이 필요했다. 밤이 우리를 지켜줄 수 있을 거라 믿었다. 영원히 밤이 지속될 수 없듯이 당신의 울음도 그칠 것이라 믿었다. 울음에 대한 어떤 물음이 필요했었다고 당신은 생각하겠지. 울게 내버려둘 수밖에 없는 나의 한계에 대해서 필요 이상으로 감정을 증폭시켰겠지. 애초에 울음의 원인은 사라지고 나로 인한 울음의 폭발이라고 생각했겠지.

밤이 물러나기 전 당신의 울음이 그쳤다. 그리고 당신 역시 나에게서 돌아눕는 뒤척임이 느껴졌다. 나는 왜 그때 몰랐는가. 당신의 울음이 결코 그칠 수 없다는 것을. 당신의 내부에서 더 큰 울음소리가 울려 퍼지고 있다는 것을. 당신의 침묵에 금이 가는 소리가 들린다. 이제 와서 그게 무슨 소용이냐고 당신은 무릎을 구부릴 것이다. 당신의 내부는 울음으로 꽉 차 더 이상 울릴 공명통이 없다는 것을. 이제 당신의 이름은 고통이 되었다.

뒤늦게 도착한 나의 언어들이 당신에게 독이 묻은 화살이 되어 꽂힌다는 것도 잘 알고 있다. 시간이 갈수록 독의 농도는 더 진해질 것이다. 문장으로 뒤덮인 밤의 이야기들이 독을 잉태하고 있다. 내 안에서 당신은 금이 가고 당신은 무수히 많은 당신으로 쪼개진다. 그렇다면 내가 말한 당신은 도대체 누구인가. 누구인가. 누구도. 나의 독을 빨아들이는 침묵의 당신은 어디 머물면서 물러가고 있는가. 당신의 침묵은 왜 금이 갈 뿐 쪼개지지 않는가. 나의 물음은 왜 이제야 당신의 울음에 가 닿게 되어 있는가. 창밖의 빗소리가 들려온다고 믿게 만드는 어떤 소리가 정신의 모서리를 갉아먹고 있다. 이 문장은 감정을 녹이기 위해 사용되었음을 용서하기 바란다. 말해다오. 나는 물러서고 있는가. 머물고 있는가. 침묵을 쪼개는 울음이 될 수 없는 물음은 과연 없는가. 나의 물음에는 왜 독이 묻어 있는가. 독은 왜 약이 되지 못하는가. 정신을 못 차리겠다.

　이야기를 우회하고 선회하는 문장들이 있다. 나는 그것을 둥근화살문장이라고 부르겠다. 결국 이렇게 나는 무에 대한 이야기에서 멀어지고 있다. 멀어지더라도 돌아가게 되어 있다. 반복한다. 물러나는 것은 머물기 위함이다. 나의 사랑의 방식은 그러하다. 다른 건 모르겠다. 노력해도 안 되는 일이 있는 것이다. 이야기로 돌아가자. 둥근화살문장은 무의 이야기를 관통할 수 있을까. 무 속에서 밤 그리고 도시 이야기를 할 수 있을까. 당신에 대한 이야기는 이렇게 접히고 마는가. 언제 다시 돌아올지 모르겠다. 돌아올 수 있을까. 돌아왔을 때 당신은 그대로 머물러 있을까. 역시 나는 또 당신에게서 물러서고 있다. 머물기 위해 물러선다고 말해도 믿지 않겠지. 믿지 않을 거야. 나의 둥근화살문장은 머물 수가 없으니. 뒤에 오는 것은 이야기의 끝없는 추락이다. 바닥부터 다시 시작하자.

0

　나란 이야기는 이렇게 시작해도 좋다. 고랭지농법 같은 이야기. 나는 무밭에서 태어났다. 우박이 떨어지는 밤 무밭에 숨어서 여자는 나를 낳았다. 도시 여자였다. 나의 울음소리는 우박 소리에 묻혀 들리지 않았다. 새벽에 큰어머니가 소피를 보러 나왔을 때 여자는 이미 죽어 있었다. 어떤 이야기는 죽음으로 시작할 수밖에 없다. 여자의 가랑이 사이에 눌려 있는 나의 얼굴은 희고 둥글고 둥글어서 무 같았다. 팔다리도 짧았다. 큰어머니가 한 말이다. 큰어머니가 무밭의 주인이었다. 마른 무청처럼 머리카락이 푸석거렸고 치아가 시커멌다. 전체적으로 무쪽같이 생긴 사람이었다. 무밭 옆의 작은 오두막에서 홀로 살고 있었다. 도시 여자는 도시로 다시 돌아가지 못했다. 여자의 시신을 마을에 넘기기 전 큰어머니는 여자의 원피스를 벗겨 옷장에 숨겨두었다. 내가 태어난 날이면 그 옷을 꺼내 만져보곤 도로 감췄다. 입고 싶었지만 옷이 찢어질까 두려웠다. 좀처럼 몸이 작아지지 않았다. 자신의 큰 몸을 저주하듯 무를 뽑아 뒤로 던졌다. 오두막의 지붕이 매년마다 한 뼘씩 주저앉았다.

도시에서 길을 잃으면 간혹 무밭으로 흘러들어오기도 하나보다. 무밭에서 무 낳았지. 큰어머니는 무를 깎으며 말했다. 나를 무, 라고 불렀다. 겨울이면 오두막 가득 찐 무 냄새가 진동했다. 찐 무를 눈송이에 찍어 먹었다. 몇 번의 겨울이 지나도 찐 무를 던져줄 개 한 마리 보이지 않았다.

바람에 오두막이 흔들리는 밤이면 큰어머니가 바람 든 무를 찔러보듯 나의 엉덩이 사이로 손을 집어넣곤 했다. 밤에 이야기하는 것을 좋아하면 발 없는 짐승으로 태어난다. 이야기는 그렇게 시작됐다. 큰어머니의 이야기 속에서 나의 고추 주름이 점점 펴져갔다. 어느 날 밤 무밭에 나가 달빛 아래서 수음을 할 때 큰어머니가 뒤에 서 있는 것을 보았다. 둘 다 얼어붙은 무처럼 가만히 서 있었다. 그날 이후 큰어머니는 더 이상 이야기를 하지 않았다. 하루가 다르게 이야기의 주름이 잡히다가 결국 쪼그라들었다. 다리가 없는 거미에게 다시 다리가 생겼고, 입에서 털이 자라는 아이의 입에서 털이 뽑혔고, 눈을 깜빡일 때마다 다른 얼굴로 둔갑하는 요괴의 얼굴은 사라졌고, 인간의 언어를 거꾸로 따라하는 부엉이는 부엉부엉 하고 울게 되었다. 모든 것이 이야기 이전의 자연으로 돌아갔다.

큰어머니는 무를 뽑다 말고 벌렁 뒤로 누워 죽은 척하곤 했다. 큰어머니의 머리 위로 양떼구름이 지나갔다. 무무. 어떤 양은 그렇게 울었다. 겨울철에도 이가 시려 찐 무를 먹지 못했다. 무밥을 푹푹 끓인 뒤 간장 한 방울을 떨어뜨려 천천히 마셨다. 간혹 무밭에 거꾸로 솟아 있는 무가 발견되곤 했다. 더 이상 큰어머니의 이야기를 들을 수 없는 나는 스스로 이야기를 만들어야만 했다. 어디서부터 시작해야 될지 몰랐다. 어디서부터 시작해도 이야기는 끝이 나지 않았다. 매번 다시 시작할 수밖에 없었다. 이야기 뒤에 이야기가 오고 있었다. 어떤 이야기는 거꾸로 시작되기도 했다. 엉부엉부.

내가 옷장에 숨겨진 원피스를 입고 잠이 든 것을 보자 큰어머니는 무로 나의 고추를 내려쳤다. 못써. 큰어머니의 마지막 말이었다. 큰어머니는 작은어머니가 되었다. 폭풍이 부는 밤 작은어머니를 오두막에 가두었다. 문 앞에 걸어놓은 무청들이 바람에 바스러져 날리고 있었다. 원피스를 입은 채 나는 무밭에 쪼그리고 앉아 가랑이 아래로 떨어지는 무를 보았다. 둥글지도 희지도 않은 무였다. 그 무를 안고 나는 무밭을 떠났다. 어디선가 부엉이가 사람의 목소리를 흉내 내며 울었다. 써못써못.

무를 낳은 여자가 도시에서 무밭으로 숨어들었듯 나의 이야기는 무밭에서 도시로 기어들어가야만 한다. 이야기의 무밭에서 내가 뽑아낸 것은 어떤 문장일까. 어떤 문장들은 거꾸로 뒤집히곤 한다. 소가 여물을 먹듯 이야기의 껍질을 깎아먹고 있다. 무밭을 뒤흔드는 바람이 불어온다. 이야기의 귀를 간질인다. 도시는 붕괴 직전이다. 큰어머니가 이야기의 속살을 찢고 나와 나를 부른다. 무야. 말한다. 나의 목소리를 통해 말한다. 목소리 전환. 목소리의 점진적 변화. 어떤 목소리는 이야기를 망측하게 둔갑시킨다.

0

무야. 이제와 소용없다는 것을 잘 알고 있다. 솔직해질 수 있다면 소용없어도 상관없다. 솔직히 말하면. 나는 한 번도 솔직히 말한 적이 없구나. 솔직할 필요가 없는 삶을 살았다. 이야기 속에 살고 있는 사람이 솔직한 게 무슨 소용이겠니. 너는 꼭 나를 이렇게 등장시켜야 했니. 할 수 없지. 나의 말은 너의 이야기 속에서만 빛을 낼 수 있으니. 할 수만 있다면 너의 이야기를 암전 속에 가두고 싶은 것이 나의 솔직한 심정이다. 무야. 나는 나의 말이 소용없어질 때까지 기다렸다. 이제 말하겠다. 나는 너의 큰어머니가 아니다. 나는 너의 작은어머니가 아니다. 무야. 나는 너의 어머니가 아니다. 너의 어머니가 될 바에는 부엉이가 되어주겠다. 이제 나는 모든 말을 거꾸로 할 참이다. 어영부영. 잘 들어라. 거짓말이다. 거꾸로 말해도 너는 쉽게 알아들을 테니 거꾸로 말하지 않겠다.

나의 인생은 너로 인해 뒤집혔다. 무밭을 가꾸는 나의 평온한 삶이 너로 인해 한순간 금이 갔다. 너의 울음소리가 나의 삶에 물음을 던져주었다. 물음에 응답하기 위해 나는 이야기 속에서 이야기보따리를 풀어놓았다. 이야기를 할수록 이야기가 달라졌다. 애초에 이야기보따리 따위는 없었다. 보따리를 풀면 보따리가 있을 뿐이다. 그러나 나의 이야기는 세상을 주름잡을 만한 이야기였다. 나의 이야기 속에서 너는 자라났다. 너의 고추의 주름이 그렇게 펴질 줄 누가 알았겠냐. 알고 있다. 무야. 이제 네가 주름잡을 세상이 없다는 것을. 무밭을 버리고 도시로 간 너에게 이야기는 무용하다는 것을. 도시는 이야기를 외곽으로 몰아낸다는 것을. 도시를 붕괴시킬 이야기는 없다는 것을. 너는 너의 이야기를 하고 싶었겠지. 하지만 너는 오로지 무밭의 이야기를 맴돌며 문장을 가공시킬 뿐이다. 자연은 스스로 변형될 뿐 이야기로 달라지지 않는다.

밤 그리고 도시에 대한 이야기가 네가 하고 싶었던 이야기라고. 내 말에 끼어들지 마라. 이미 끼어들었어도 잠자코 있어라. 이야기의 주름을 잡아당기지 마라. 네가 기억하는 모든 이야기는 너의 이야기 반대편에 자리하고 있다. 잊을 수 있다면 잊어라. 그리고 너의 이야기의 구멍을 뚫고 기어들어가거라. 자세를 좀 더 낮춰라. 잊지 못할 것이다. 너의 이야기는 나의 이야기로 돌아오게 될 것이다. 너의 이야기 뒤에 나의 이야기가 아가리를 벌리고 있다. 이것이 너의 이야기에 대한 나의 저주다.

나의 무밭에 버려진 저주 덩어리. 무야. 너는 그런 짐승이었다. 너는 영원히 성장하지 말았어야 했다. 이야기의 독을 빨아들이지 말았어야 했다. 네가 나의 무밭에 흩뿌린 희멀건 국물에 무들이 미쳐 날뛰고 말았다. 네가 나를 오두막에 가두었을 때 나는 스스로를 다시 옷장에 가두었다. 원피스가 걸려 있던 자리에 나를 걸어놓았다. 바람 든 무처럼 속이 비워지고 있었다. 엷은 바람에도 내부가 떨리는 거대한 울림통이 되었다. 그제야 비로소 나의 이야기가 시작되고 있다는 것을 알았다. 어떤 이야기는 누군가가 떠나고 난 뒤에 시작되나 보다. 무를 심지도 않은 자리에 무가 자란 이야기에 나는 더 이상 위로받을 수 없었다. 나의 이야기는 이제 고통으로만 둔갑할 뿐이었다. 너의 언어를 빌려 말하면 고통이 이야기의 본질이다. 어렵다. 어지럽다. 거짓말하지 마라. 고통은 사건이다. 일어나는 것이다. 너는 고통을 모른다. 고통에 본질 따위는 없다. 고통은 오로지 고통으로서만 말해질 뿐이다. 너의 언어는 허약한 감정의 뿌리에 흔들리고 있다.

　얼마 후 나의 무밭은 폐허가 되었고 오두막은 붕괴되었다. 그렇게 이야기가 끝이 났다. 네가 이야기 뒤에 이야기를 알고 있다면. 무야. 발이 없는 밤 짐승으로 다시 돌아가라. 이야기가 불필요한 이야기를 집어삼킨 도시에 대한 이야기를 해라. 그렇다고 나의 무밭을 도시 이야기로 더럽히지는 마라. 네가 입고 도망간 원피스는 나의 옷장에 다시 갖다 두어라. 무야. 너는 도시에서 원피스가 하나의 조각이라는 것을 알게 되었겠지. 원피스. 한 조각. 나의 이야기가 너의 이야기 중 한 조각에 불과하다는 것을 잘 알고 있다. 원피스. 이런 말을 왜 하고 있는지 묻지 마라. 나도 부끄러워할 줄은 안다. 바람이 불면 흔들리는 것은 무청뿐만이 아니다. 아무 여자에게나 무를 주지 마라. 어떤 여자들은 무밭에 쥐도 새도 모르게 무를 낳고 도망간다. 너도 알고 있다고 말하지 마라.

　무야. 나의 이야기는 너의 이야기에 포함되지 않는다. 이건 너의 이야기지 나의 이야기는 아니구나. 너를 원망할 수 없다. 나의 이야기는 너의 목소리를 관통할 수 없다. 흠집 정도는 낼 수 있겠지. 너도 할 수만 있다면 목소리를 바꾸고 싶겠지. 어떤 이야기는 아무리 애를 써도 목소리가 달라지지 않는단다. 무야. 무를 뽑을 땐 다음에 뽑을 무를 생각하고 뽑아라. 무밭에 있는 게 다 무라고 믿으면 안 된다. 이야기에서 쓰라린 교훈을 찾으려 들지 마라. 무야. 한 시절 우리의 이야기는 유야무야한 이야기에 불과했다. 불과하더라도. 나의 저주가 너의 이야기에 구멍을 뚫을 수 있기를 바란다. 균열이 일어나기를. 소용없지만. 늦었지만.

도시가 붕괴될 때 너는 어떤 이야기를 할지 궁금하다. 거짓말이다. 사실 궁금하지 않다. 다만 이렇다. 무야. 이미 이야기가 붕괴되고 있어도 다시 시작해라. 네가 나를 부른 것에 대한 보답은 없다. 이만하면 나도 할 만큼 하지 않았나 하는 생각뿐이다. 이제 나의 이야기를 내려놓고 싶구나. 빠져나갈 수 있다면 빠져나가는 것이 좋다. 네 마음대로 해라. 네가 나를 큰어머니로 부르건 말건 솔직히 이젠 아무렇지도 않다.

0

이게 정말 나의 이야기일까. 나의 이야기는 처음부터 바닥을 헤매고 있을 뿐이었다. 추락과 동시에 바닥인 이야기. 바닥에 닿기 전 추락의 쾌감도 없었다. 팔을 허우적대지도 못했다. 바닥에서 어떻게 다시 올라갈 수 있을까. 어떤 문장이 나를 지상의 밤으로 데려갈 것인가.

나는 도시의 밤을 걷고 있었다. 걷다가 멈췄다. 그렇게 기억한다. 일단 멈춤. 잠시 멈춤. 다시 멈춤. 영원히 멈춤. 멈춤의 전환. 멈춤의 점진적 이동. 모든 행동 뒤에는 정신을 녹일 필요가 있다. 분석과 정의. 그런 낱말들이 나의 문장들을 붕괴시키기 전 바닥에 납작 엎드려야 하리라. 내가 곧 이야기의 바닥이 돼야 할 것이다. 둥근화살문장이 이야기 이전과 이야기 이후의 경계 이야기를 아슬아슬하게 빗겨나가도록. 바닥 아래에는 무엇이 있을까. 이야기의 바닥에도 도시의 밤이 흐르고 있지 않을까. 목소리가 들리지 않을까. 거꾸로 말할 필요는 없지만 거꾸로 솟을 필요는 있다. 바닥 아래를 파고드는 이야기도 있을 것이다. 바닥을 뜯어내고 그 안에 웅크리고 있는 이야기의 틈을 뚫고 더 낮은 곳으로 내려가야 하리라. 닿을 때까지. 닿지 못하더라도. 발음할 수 없는 언어의 오물을 온몸에 덕지덕지 묻혀가며.

내가 불렀던 이름들. 내가 잘못 불렀던 이름들. 당신이라는 이름의 목소리로. 이야기를 접었다 폈다 할 수 있는 목소리가 있다. 이런 말을 했었던가. 모르겠다. 지금처럼 내가 밤의 도시에 멈춰 서 있을 거라고 당신은 예상했을지 모른다. 당신의 예상은 적중했고, 그것이 나의 또 다른 이야기의 종말을 예고할 것이다. 멈춰 서 있는 것은 문제도 아니다. 내가 하려던 이야기는 이미 나를 지나쳐 갔거나 아직 내 뒤에 머물러 있다. 밤 그리고 도시 이야기를 하려고 했었다. 무 이야기라면 이제 지긋지긋하다. 폐허의 무밭처럼 문장들이 쪽나고 있다. 이야기 속의 저주가 이야기 밖에서 실현되고 있다.

나의 이야기는 이야기라는 낱말의 벽돌 쌓기에 불과한지 모르겠다. 그것이 진정 내가 원한 이야기인가. 맞는다면 맞고 틀리다면 틀리다. 벽돌도 쌓다보면 건축이 된다. 허물어지는 것도 건축이다. 어떻게 허물어지는가가 중요하다. 이야기의 건축. 바닥 아래로 무한히 뻗어나가는 건축. 무밭 아래서 무슨 일이 벌어지는지 우리는 모른다. 모두들 이야기와 화해하라고 나를 부추긴다. 나는 이야기와 화해하고 싶지 않다. 언제 싸웠는지도 모르겠다. 싸움이 가능하기나 할까. 이야기는 무형의 건축이다. 밤만 되면 여기저기로 자리를 옮겨 다닌다. 허점의 문장이라 노리면 이미 허점은 다른 문장에 가 있다. 할 수만 있다면 이야기를 점진적으로 와해시키고 싶다. 와해되어도 이야기는 이야기로 남는다.

우리가 도시를 거닐고 있을 때 도시는 서서히 붕괴되고 있었다. 도시가 붕괴될 때 우리의 정신도 함께 무너져내린다. 도시는 붕괴를 위해 설계되었다. 도시는 거대한 폭약이다. 폭약의 도화선에 불을 붙일 이야기가 필요하다. 이런 문제가 있다. 그것이 모든 도시의 건축을 불신하게 만드는 까닭이다. 솔직해질 필요가 있다면 솔직해져야 할까. 누구를 위해. 누군가에게 이야기는 폭약보다 더 잔혹한 폭력으로 다가갈 수 있을 것이다. 어떤 문장들은 불발의 연속이고 그것이 곧 이야기가 된다. 도시가 붕괴될 때 나는 이야기를 하고 싶었다. 이야기의 연막탄을 터뜨리고 공포탄을 쏘아올리고 싶었다. 바라는 것이 많아서 좋을 때가 있다. 지금은 아니다. 도시가 붕괴되는데도 이야기를 하고 있어야 하다니. 하지 않을 수 없다. 하지 않을 수 없다. 하지 않을 수 없다.

도시가 붕괴되기 전 우리는 도시에서 길을 잃었다. 거짓말이다. 길을 잃었다 착각하게 만들었다. 당신을 녹여 문장으로 만들기 위해. 당신은 말한다. 우리가 길을 잃었다고. 나는 말한다. 우리는 길을 잃어야 했다고. 어떤 이야기는 도시에서 길을 잃으면 무밭으로 흘러들어가게 되어 있다. 당신을 안심시키기 위해 나는 큰어머니의 이야기를 들려주었다. 이야기의 주름. 다다를 수 없는 세계의 주름 이야기. 당신은 믿을 수 없다는 표정을 지으면서 믿고 있었다. 엉부엉부. 우리는 무와 무 사이의 좁은 이랑에 누워 뒹굴었다. 무밭에서 할 수 있는 일이란 그렇게 많지 않았다. 발에 차이는 것이 전부 무는 아니었다. 마른 무청 같은 당신의 음모가 나의 입에서 자라났다. 좀 더 가볼까. 처음부터 이런 이야기를 원한 것이 아니었을까. 자극 뒤에 오는 자극 앞에서 우리는 무장해제된다. 당신의 원피스가 찢어졌다. 허벅지가 벌어졌다. 나는 그 안에서 나의 이야기를 건축했다. 한 조각도 못 되는 이야기를. 어영부영. 나의 이야기는 찐 무이고 당신은 우연히 찐 무를 덥석 문 개일지도 모른다. 나에게도 이야기의 망명지가 있다면 당신과 함께 뒹굴던 무밭이오. (뒤돌아보며) 내가 이렇게 말한다. (뒤돌아선 채) 그러면 당신은 말한다. 나에게 무밭은 유형지에 불과했어요. 오로지 당신을 위한 무밭이지 나를 위한 무밭은 될 수 없어요.

멈춰도 나아가는 이야기가 있다. 끌려가다 자기도 모르게 끌고 가는 이야기도 있다. 아무것도 되돌릴 수 없다. 도시가 붕괴되었고 당신도 붕괴되었다. 붕괴 뒤에 붕괴가 있었다. 나 역시 도시와 함께 붕괴되었다. 붕괴 이후 나는 폐허의 목소리로 남아 이야기 뒤에 이야기를 부르고 있다. 불러도 돌아오지 않는 이야기가 있다. 돌아오지 마라. 거기서 다시 시작해라. 어떤 이야기는 붕괴 이후에 시작되기도 하나 보다. 이야기 뒤에 이야기가 이어지고 있다. 다시 시작하고 있다. 도시 뒤에 도시가 있다. 도사리고 있다. 그것이 내가 이야기를 이어가는 이유다. 거꾸로 말할 수 없다. 거꾸로 말해도 이야기를 되돌릴 수 없다. 다시 시작해도 처음으로 돌아가지 않는다. 그렇다. 가능하다. 유일하다. 쓰라리다. 이것이 이야기의 고통과 사랑 뒤에 오는 것이다. 라고 나는 알게 되었다.

|우수상 수상작|

猫氏生

황정은

1976년 서울 출생.
2005년《경향신문》신춘문예에 단편〈마더〉가 당선되어 등단.
소설집《일곱시 삼십이분 코끼리열차》, 장편소설《百의 그림자》등.
한국일보문학상 수상.

이 몸은 다섯 번 죽고 다섯 번 살아났다.

최초의 출생을 포함하면 다섯 번 죽고 여섯 번 살아났다고 말하는 편이 옳을지도 모르겠다. 출생이란 살아났다고 하는 것과는 여러 가지로 의미가 다르니 역시 다섯 번 죽고 다섯 번 살아났다고 말하는 편이 옳을까. 어느 쪽이든 굳이 말하자면 의미 없는 이야기다. 모처럼 뜨거운 이 몸에서 열을 내고 있는 것은 이 몸을 먹어치우려는 염증의 무리일 뿐, 차갑지도 뜨겁지도 못한 채로 간신히 생각을 이어가고 있으니 이 몸은 곧 죽을 것이다. 시력도 거의 사라졌다. 바닥에 바짝 닿은 턱을 통해 흙냄새를 맡는다. 이미 밤. 이 몸은 사방 인간들이 둘러놓은 장막 안에서 이 몸을 더럽히는 세계가 완파되기를 기다리고 있다. 猫生 십오 년, 인간으로부터 받은 이름은 몸, 나는 인간의 우방이 아니다.

*

평생을 먹을 것과 거주를 두고 인간과 경쟁했다.

경쟁했다고 말하기도 부끄러울 정도로 쫓겨다니기만을 반복했으므로 평생을 먹을 것과 거주를 두고 인간에게 원한했다, 라고 말하는 편이 옳을까. 내게도 삼색 털이 아름다운 비율로 섞여 있던 어미와 형제들이 있었다. 모두 죽었다. 미심쩍은 고기를 나누어 먹고 피를 토하다가 딱딱해졌다. 내가 그들처럼 되지 않은 것은 여덟 마리 형제들 가운데 가장 쇠약해 어미가 물어다 준 고기를 입에 대보지도 못했기 때문이었다. 겨울이었다. 홀로 살아남아 미요미요 울었다.

눈이 내렸다. 내리는 동안 자취 없이 녹아버릴 정도로 미약한 눈이었으나 우는 것을 멈추고 귀를 기울이자 싸락싸락 바닥에 닿는 소리가 들려왔다. 더는 울 기운도 없었다. 이제 죽는다고 생각했다. 그 무렵 인간에게 발견되었다. 발소리도 듣지 못했는데 비 가림 역할을 하는 널빤지 틈으로 둥지를 들여다보고 있었다. 밋밋한 얼굴을 가진 노인이었다. 나는 경계했다. 생기를 잃어 납작해진 어미의 등 뒤로 대피해 노인을 노려보았다. 그가 널빤지 틈으로 손을 넣었다. 잔뜩 엎드렸으나 그 손에 잡혀 노인의 방으로 옮겨졌다. 노인은 딱딱한 침상에 걸터앉아 나를 무릎 위에 올렸다. 노랗게 마디진 손가락으로 내 발이며 목을 주물렀다. 이따금 얼굴 높이로 들어올려서 입김을 불어넣고 다시 주물주물 만졌다. 이 과정 중에 체온을 받았다. 고양이의 몸으로 인간의 체온을 받아들였다. 인간의 앞발이랄지 그들 나름 손이라고 구별해 부르는 오목하고 주름진 부분에 배를 붙이고 눈꺼풀 속이 빨개지도록 짜디짠 체온을 빨아들였다. 실수였다. 실수고 뭐고 판단할 겨를도 없는 어린 몸으로 저지른 일이었으나 그 뒤로 몇 번이고 되살아나는 유별난 목숨이 되었다. 고양이로서 말하자면 더러워졌다. 뭐라 말할 수 없는 몸으로 살게 된, 뭐라 말할 수 없는 평생의 시작이었다.

노인은 눈썹도 별로 돋지 않은 얼굴을 내게 들이대고 있다가 햐아, 하고 말했다. 나는 마침내 더워진 배 속에서 치민 것을 캑 토했다. 노인은 다시 한 번 햐아, 하고 말하더니 손을 오므렸다가 폈다가 하며 이 몸을 이리저리 굴렸다. 다갈색 벽들과 낡은 사물들이 빙글빙글 돌았다.

*

잡식의 냄새가 밴 방이었다. 한동안 그 방에서 설탕을 섞은 물이나 죽 같은 것을 받아먹으며 자랐다. 나중엔 이것도 저것도 챙겨주지 않아 그 방에 서식하는 벌레를 먹었다. 벌레라면 얼마든지 있었다. 책상 하나 침상 하나 등받이 없는 의자 하나 전기주전자 하나 난로 하나 그리고 뭐라더라 라라디 라디오 하나 냉장고 하나 옷가지며 책을 담은 궤짝 하나 벽에 고정된 선반 두 개 이불 한 점 고양이 한 마리 노인 하나만으로 더는 발 디딜 틈도 없는 좁은 방이었으나 그토록 벌레가 번성했다. 노인은 매일 밤 잠들기 전 식빵 조각에 고소한 기름을 발라 바닥에 놓아두었다. 조금 뒤엔 무수한 벌레들이 그 냄새를 향해 모였다. 노인은 종이를 말아쥐고 침상에 걸터앉아 기다렸다가 민첩하게 벌레들을 두드려 죽이고 흡족한 듯 잠자리에 들었다. 벌레란 인간과 다름없이 잡식하는 몸이고 보니 터지면 냄새가 진했다. 다른 인간들은 옷깃에라도 그 냄새가 배는 것을 꺼려 좀처럼 그 방에 들어서지 않았다. 책상 하나 침상 하나 등받이 없는 의자 하나 전기주전자 난로 하나 라디오 냉장고 옷가지며 책을 담은 궤짝에 벽에 고정된 선반 두

개를 포함해 이불 한 점 모두가 뭔지 모를 끈기로 덮여 어두운 빛깔을 띤 가운데 노인 혼자만 말쑥한 모습으로 앉거나 누워 지냈다.

다른 인간들은 그를 두고 곡씨, 라고 불렀다.

그는 하루 세 차례 방문을 잠가두고 외출했다. 대개는 산책이었고 이따금 몇 군데 사무실에 들렀다. 그는 그곳에서 말없이 둘러보거나 아무렇게나 놓인 쓰레기를 정돈하거나 그 가운데 쓸 만한 물건을 줍거나 장 사장이라는 사람에게 전달해달라는 단서가 달린 불평을 들었다. 한 달에 한 번은 그들로부터 지폐를 받아 은행에 들렀다. 그곳을 나선 뒤에는 길가에 설비된 전화기라는 것을 통해서 접니다 곡입니다 이번 달 세를 입금했습니다 324호와 356호는 미납이고요 356호는 두 달째 미납입니다, 라는 등의 내용으로 통화를 마치고 상쾌한 얼굴로 산책했다. 매일 많은 사람들 곁을 지나다녔고 많은 사람들 역시 그의 곁을 지났으나 그와 그들 간에 특별한 친분은 없어 보였다. 애당초 사람의 주거로 적합하지도 않은 낡고 쇠락해가는 상가의 상자나 다름없는 방에서 수십 년째 먹고 자고 생활하는 걸인 같은 노인이라며 상인들은 그를 꺼렸다. 그러거나 말거나 곡씨 노인은 매일 같은 거리를 한결같이 말쑥한 모습으로 오갔다. 비가 내리거나 하는 날엔 엔카나 팝을 틀어두고 그리운 듯한 얼굴로 청취했다. 때로 고불고불한 글씨로 가사를 적어 이웃에게 선물 주었다. 이웃은 마지못한 듯 받아들였다가 노인이 돌아서고 나면 구겨서 버렸다.

*

나쁜 냄새가 나는 바람이 분다.

이제 끝이다.

끝이었으면 좋겠다.

다섯 번 살아났으니 여섯 번째 살아나지 않으리란 보장이 없다.

이런 생각은 하고 싶지 않은걸.

하고 싶지도 않은 생각을 하며 죽어가고 있는 고양이란 볼썽사납다.

인간적이다.

더러워졌다고 빈정 들어도 할 말이 없는 것이다.

*

나쁜 냄새가 나는 바람이 불었다.

곡씨 노인이 오전 외출을 하려고 문을 열면 이 몸도 그 방을 빠져나와 상가를 돌았다. 노인을 따라다니거나 나대로 돌아다녔다. 언제나 끈끈한 것을 밟았고 언제나 납을 태우는 냄새를 맡았다. 밟는 것만으로도 하루를 망치는 듯하고 맡는 것만으로도 뼈가 나쁜 방향으로 휘어지는 듯하다고 시비를 걸어오는 동족을 만난 적도 있었다. 어이 내 말 듣고 있는 거야, 라고 그는 말했다. 그따위 태평한 얼굴로 돌아다니지 마라 여기는 말이지 번화가라는 곳이야 인간들이 중심가라고 말하는 곳이다 중심가라는 것은 말이지 사람도 많고 사물도 많고 사고도 많고 많은 것들이 많아서 너나없이 누구에게나 위험한 구역이라는 뜻이다 애송이, 라면서 진심으로 발톱을 세워 내 뺨을 쳤다. 나로선 그저 지나는 길에 당했다. 꼬리가 뭉툭했고 오른쪽 눈이 있어야 할 자리가 텅 비어 있었다. 털이 드문드문 빠졌고 보기 드물게 마른 모습이었다. 고양이로서도 알아듣지 못할 말을 몇 마디 더 하다가 그는 문득 조용해졌다. 이 몸을 빤히 바라보다가 부스럭 돋은 코를 치켜들고 슷슷 공기를 빨아들였다. 냄새 이 냄새, 하고 그가 말했다. 인간의 체온을 빨았구나 너, 하며 넋을 놓은 얼굴이 되었다. 그 틈에 도망쳤다. 부근에서 본 적이 없는 놈이었다. 상가에서 만나게 되는 내 동족들은 초조하고 신경질적인 경우가 많았다. 일상적으로 위협을 겪고 있는데다 대개는 제대로 먹지 못해 배가 빈약하거나 지독한 것을 먹어 배가 부풀어 있었다. 타고나길 몸의 형태가 좋지 못한 경우도 많아서 꼬리가 묘한 방향으로 접혔거나 등이 휘어졌거나 발끝이 제대로 형성되지 않았거나 네 개 중 한 개나 두 개의 다리가 짧거나 너무 길거나 거기다 멀쩡한 경우라도 깨끗한 물을 마시지 못해 얼굴들이 좁았다. 모두 신경이 곤두서서 등을 구부리고 다녔다. 그런 모습을 일상적으로 만나고 보니 그것이 보통이라고 생각할 정도였다. 세상 고양이란 모두 그 정도는 각박하고 허기진 얼굴을 하고 있는 거라고 생각했다. 그런 얼굴들과 견주어도 그는 유별난 얼굴을 하고 있었다.

돌이켜보건대 그도 같지 않았을까.

이 몸과 같지 않았을까.

이제 와 물을 수는 없는 것이다.

그 뒤로 멀찍한 거리에서 한두 번 보았다가 더는 보지 못했다.

*

남을 두고 유별난 얼굴이었다느니 말할 처지는 아니다.

이것저것 유독한 것을 듬뿍 먹고 자랐다. 벌레를 먹거나 쥐를 먹거나 새를 먹거나 인간이 먹다 남기거나 먹고 뱉은 것을 먹었다. 그 부근의 벌레나 쥐나 새나 어차피 유독한 것을 먹고 자란 유독한 몸들이라서 그런 것을 먹고 자란 이 몸도 덩달아 유독했다. 다른 몸에게 먹혀도 그 몸에 보탬이랄 것이 없는 몸이었다. 몸이고 보니 외롭거나 배고파 서러우면 와옹와옹 울었다. 때로 탁 트인 곳에서 여럿이 모여 울었다. 인간 중엔 나와 내 동족을 두고 천적 없는 몸들이라 쓸데없이 번성한다고 불평하는 자도 있었으나 모르는 말씀 인간이야말로 우리의 훌륭한 천적이었다. 무엇보다도 이 몸 다섯 차례의 죽음 가운데 던져지거나 머리에 무언가를 맞거나 되게 걷어차이는 등 적어도 세 차례 죽음의 직접적인 원인이 인간이었던 점을 생각해보면 고양이에게 천적이 없다는 불평이란 자신들의 기질과 적의를 과소평가하는 우스운 이야기일 뿐이다.

먹을 것을 두고 인간과 고양이가 경쟁하는 일도 있었다.

곡씨 노인의 상가 부근은 식사 때가 되면 냄비에 장을 끓이는 냄새 양파를 볶는 냄새 소금에 절인 생선을 태우는 냄새 등으로 공기가 매우 짰다. 음식을 배달시켜 먹은 인간들은 먹고 남은 음식을 바깥에 내다 놓았다. 대담한 놈들은 이걸 먹으러 다녔다. 뼈 모양이 도드라진 빈약한 등과 다리를 구부려서 언제든 어느 방향으로든 도망갈 태세를 갖추고 생선 뼈라거나 노른자라거나 고사리 같은 것을 먹었다. 이런 것을 먹으러 다니는 무리는 비단 내 동족들만은 아니라서 종이나 판자로 간신히 비를 가리며 사는 인간들 중에 식은 음식을 먹으러 나오는 인간들이 있었다. 냄새가 또렷하고 가죽도 또렷해서 누구보다도 또렷한 모습을 하고 있는데도 묘하게 무시당하며 인간들 틈에 앉아 음식을 먹었다. 봉투를 마련해서 국물이고 뭐고 쓸어담아 남모르는 곳에 가져가서 먹는 사람도 있었으나 대개는 음식을 발견한 자리에 앉아 먹었다. 손가락이나 손바닥으로 음식을 쓸어 입에 넣고 괴로운 듯한 표정으로 천천히 씹었다. 전부 먹은 뒤엔 그릇을 내려두고 다음 그릇을 찾아 이동했다. 사람이고 고양이고 식은 음식을 먹으려면 늦어서 될 일이 아니었다.

*

곡씨 노인은 정오가 조금 지난 무렵에 반찬 그릇과 젓가락을 챙겨서 방을 나섰다. 깨끗한 옷차림에 머리를 단정하게 빗고 산책이라도 하는 듯한 모습으로 상가를 한 바퀴 돌면서 사람들이 먹고 내놓은 음식을 모았다. 기름이나 국물이 묻어 얼룩덜룩한 종이를 들추고 식판을 살펴보고 젓가락을 사용해서 남은 음식을 그릇에 가지런히 담았다. 뚜껑이 달린 깊은 그릇도 따로 챙겨서 국물을 모았다. 그렇게 모은 반찬을 냉장고에 두고 두고두고 먹었다. 바닥이나 계단이나 어쨌거나 사람들의 발 높이에 놓인 접시에서 음식을 건져 먹고 사는 이 노인을 두고 상인들은 불가사의한, 자기에게도 그런 인생이 가능하다고 말하기가 불가능한, 성가시게 하거나 해를 끼치는 것이 없는데도 불쾌한, 이유를 모르게 불쾌해서 더 불쾌한, 불쾌 자체라고 수군거렸다. 네 발로 돌아다니는 짐승들과 경쟁하듯 맨손으로 남은 것을 먹어치우는 인간도 있는 마당에 곡씨 노인의 수집이랄까 음식을 처리하는 모습은 차라리 격이 있어서 음식을 먹고 내놓은 사람들도 대놓고 뭐라하지는 못했다. 그저 자신들과는 종이 다른 생물을 보는 듯 바라보았다. 저래서야 단지 먹고 살아갈 뿐이라며 자신들이라고 크게 다른가 하면 그것도 아닌 듯한데 곡씨 노인을 흘겨보았다.

*

    그렇다면 그대들에게는 먹고사는 것 외에 중요하게 여기며 추구하는 다른 것이라도 있다는 말일까, 삼가 묻는다면 고양이 따위가 알까 도대체 다른 것을 추구할 수 없을 정도로 먹고살기만으로도 각박한 인사人事를 길에서 빌어먹는 고양이 따위가 알까, 라는 면박이나 들을 수 있을까. 먹고살기를 방패 삼아 이 몸처럼 조그만 생물과의 공생조차 생각할 여지를 두지 않는 짐승의 대답이란 기대할 것도 없는 것이다.

    몸이고 보니 외로우면 울었고 배고프면 먹었다.

    십팔 놈의 고양이 저놈의 고양이 저런 고양이 개새끼들, 하며 많은 인간들이 이 몸을 적으로 삼았다. 먹고살기도 고단한데 고양이마저 성가시게 한다며 한참 공명하고 있는 내 조그만 두개골에 뜨거운 물을 뿌리거나 인간들이 먹고 버린 음식을 뒤지는 입을 막대로 후려쳤다. 심심풀이나 놀이가 아니고 단지 먹을 것을 구하려는 진지한 노력 중에 입을 맞고 보면 원한을 품지 않을 수 없었다. 인간도 고양이 못지않게 우는 경우가 다반사인데다 이 계에서 가장 시끄러운 생물이 인간이라는 점까지 생각해보면 억울해 땅을 칠 노릇인 것이다. 도무지 이 몸이란 짐승 역시 먹고사는 것을 제일로 여기는 처지, 먹고사는 일로 따지자면 어느 짐승의 먹고사는 일이 가장 중요한지는 누구도 간단히 말할 수는 없는데도, 자기들만 살아갈 가치가 있다는 듯 아무 데나 눈을 흘기는 인간들이 승하는 세계란 단지 시끄럽고 거칠 뿐이니 완파되는 편이 좋을 것이다.

    곡씨 노인은 점심을 먹고 나면 선선한 자리에 앉아 양지를 바라보

았다. 음료 깡통과 담배꽁초가 박힌 화단을 등지고 앉아서 사람들이
며 자동차며 끊임없이 흐르는 거리를 바라보았다. 깨끗하게 닦인 유
리 벽 너머에서 물건을 파는 남자가 노인을 유심히 보았다. 하루는 그
가 그 문을 매끄럽게 열고 바깥으로 나와서 노인을 향해 걸어왔다. 장
사하는 맛이 떨어지고 오가는 손님들에게 위화감을 줄 수 있으니 거
기 앉아 있지 말라고 그가 경고했다. 곡씨 노인은 그 자리를 단념하지
않고 이후에도 종종 그곳에 앉았다. 물건을 파는 남자가 인상을 쓰고
바라보거나 이쪽으로 다가올 것처럼 가게 밖으로 나오면 그때 일어서
서 그 자리를 떴다. 곡씨 노인이 자리를 뜨고 나면 내가 그 자리에 앉
았다.

항의의 의미랄까 남자를 바라보고 있으면 그가 납작한 조각을 집어
내게 던졌다.

*

어떤 전망이나 경치라는 것은 바로 그 자리에서만 발생하는 고유한
것이고 보니 단념하기가 쉽지 않은 것이다. 이 몸에게도 그런 자리가
있었다. 쥐라거나 남은 밥이라거나 뭐든 먹고 배가 부르면 편안한 자
리에서 발을 핥고 곡씨 노인의 방으로 갔다. 어린 몸이었던 시절이 지
나간 뒤로 노인은 나를 특별히 보살피지 않았다. 애완동물과 사육자
라는 관계는 이미 아니었다. 다만 칠이 벗겨진 문고리를 향해 묘오묘
오 부르면 문을 열어주었다. 나는 그 방의 궤짝과 선반을 순서대로 밟
아서 창으로 올라갔다. 창이라고 부르기도 묘한 것이 본래는 창이 없
던 방에 통풍구를 내려고 천장 가까운 곳에 투박하게 뚫어둔 사각 틈

에 불과했다. 곡씨 노인은 겨울이라서 바깥이 몹시 추울 때를 제외하고는 그 구멍을 열린 채로 놓아두었다. 창 바깥은 낭떠러지처럼 지상을 향해 깊이 떨어지는 외벽이었다. 높고 좁은 곳에서 도시를 내려다보았다. 인간들이 어디론가 이동하며 만들어내는 불빛 띠들을 바라보았다. 여기저기서 번쩍번쩍 움직이는 불빛들은 언제나 흥미로워서 이쪽도 눈을 빛내며 유심히 보았다. 저 불빛 근처에 위험하고 사나운 것들이 도사리고 있다는 것을 모르지는 않았어도 그토록 멀고 좁은 곳에서 보고 듣는 도시란 안전하게 여겨졌다. 바깥에서도 그런 경치쯤 볼 수 있는 탁 트인 곳이 얼마든지 있었으나 그 자리가 좋았다. 해 지고 난 뒤엔 그 방으로 돌아가 잠을 청하는 날이 많았다. 이따금 노인이 몸을 뒤집는 기척에 눈을 떠보면 그 조그만 방이 마치 천 년은 묵은 것처럼 어둡고 진하게 가라앉아 있었다. 나는 꼬리로 벽을 쓸어보고는 하다가 잠들었다.

*

십팔 놈의 인간 이런 개 같은 인간, 하며 노인에게 방문객이 들이닥친 것은 어느 끈적끈적한 오후의 일이었다. 닫힌 문을 발로 차고 등장한 그는 아래층에서 장사를 하는 상인이었다. 자물쇠며 각종의 도구들을 진열해둔 작은 가게에서 물건을 팔거나 열쇠를 깎는 남자였다. 언젠가 나는 그로부터 조기 껍질과 머리를 얻어먹은 적이 있었다. 접시에 남은 것을 멀찍이 던져주고 내가 먹는 것을 울적하게 지켜보던 모습을 나는 기억해두었다. 곡씨 노인 정도는 아니더라도 거칠게 백발이 섞인 머리를 하고 있었고 어깨가 넓었다.

그는 입구에 서서 돈을 어떻게 했느냐고 곡씨 노인에게 물었다. 돈 내 돈 그 돈을 어떻게 했느냐고 어디로 갔느냐고 그걸 다 어떻게 했느냐고 외치며 주먹으로 문을 쳤다. 공들여 열쇠를 깎는 데 사용하던 손을 폈다 말았다 하며 금방이라도 곡씨 노인을 덮칠 듯 바라보았다. 노인은 꼼짝도 하지 않고 서 있었다. 내가 내 가겟세를 당신한테 줬어 안 줬어, 당신이 그걸 받았어 안 받았어, 라고 남자가 물어도 줬다거나 안 줬다거나 대답 않고 자기 발가락 쪽을 보고 있었다. 남자는 분을 삭이지 못해 얼굴을 붉히고 서 있다가 노인의 라디오를 집어 바닥에 던졌다. 라디오가 깨지고 부품이 튀었다. 그 속에 서식하던 벌레들이 바깥으로 나왔다가 불빛을 보고 허겁지겁 기계 속으로 돌아갔다. 대답해보라고 남자가 말했다. 자 말해봐 당신 그 돈을 어떻게 했어 다섯 달치나 되는 돈 그 돈을 왜 가게 주인이 받은 적이 없다고 발뺌을 하는지 당신이 말해봐 그 돈이 어느 구멍으로 들어갔는지 좀 대답을 해보라고 하며 근처에 있던 의자를 집어 벽을 향해 던졌다. 부러질 듯 벽을 맞고 튕겨나간 의자가 침상에 박혔다. 노인이 그래도 대답을 않고 있자 남자는 두 손을 허리에 얹었다. 숨을 고르는 것처럼 천장을 향해 얼굴을 들더니 자기 발을 내려다보고 도저히, 라는 듯 고개를 저었다. 물건을 던지거나 발로 차내며 그가 한 발 한 발 노인에게 다가갔다. 노인의 어깨를 잡고 강하게 밀쳤다가 끌어당겼다가 도로 밀치기를 반복하며 말했다. 인간아 때릴 수도 없고.

때릴 수도 없고 이걸.

이걸.

때릴 수도 없고.

마침내 노인이 비틀거리며 주저앉자 책상에 놓여 있던 돋보기 단추 필기구를 넣어둔 나무 접시 같은 것들이 노인의 팔에 쓸려 바닥으로 노인의 배 위로 떨어졌다. 남자는 뒤로 물러나서 노인을 내려다보았다. 해결해 어떻게든 뭐를 팔아서든 해결해, 라고 말해두고 울적한 얼굴로 방을 한 바퀴 돌아보더니 그곳을 빠져나갔다.

*

나는 숨어 있던 곳에서 털을 세우고 나왔다. 어지러운 방 안을 돌아다니며 남자가 만진 사물들의 냄새를 일일이 확인하고 노인을 향해 앉았다. 주변에서 기색을 살폈다. 곡씨 노인은 천천히 움직였다. 배에 얹힌 돋보기와 바닥에 흩어진 단추 필기구 나무 접시를 주워서 책상 위에 올리고 깨진 것들을 점검했다. 부서진 라디오를 추스를 때는 좀 더 조심스럽게 다루어서 작은 조각 하나까지 빠짐없이 봉투에 모아두었다. 의자를 바로 세워두고 그 밖의 깨진 것들을 한쪽으로 치우고 말려올라간 이불을 정돈한 뒤 서랍을 뒤져 어느 시절의 제품인지 모를 더러운 반창고를 꺼내 넘어질 때 생긴 팔꿈치 상처에 붙였다. 마지막으로 벽에 걸려 있던 점퍼를 떼어내 툭툭 먼지를 털어 도로 벽에 걸어두고 침상에 걸터앉아 쉬었다. 날이 보랏빛으로 저물고 있었다. 노인은 손가락으로 무릎을 더듬으며 앉아 있다가 침상에서 일어나 냉장고 쪽으로 걸어갔다. 냉장고를 열고 안을 살폈다. 구겨진 쟁반에 먹을 것이 담긴 그릇을 담아서 침상으로 돌아왔다. 노인은 무릎에 쟁반을 올려두고 음식을 먹었다. 나는 그의 발 근처로 가서 바지 자락에 뺨을 비볐다. 호오, 하고 노인이 말했다. 묘오, 하고 내가 말했다. 너, 하고 노인이 말했다.

이름도 없이 살아가니 좋으냐 이름이 없으니 너는 뭐라는 짐승이냐 이름을 붙여줄까 몸 몸 몸은 어떠냐 몸 돌이킬 수 없도록 몸이라 이봐라 몸 그러고 보니 너 참 볼품없구나 보잘것없는 몸이로구나 보잘것없기로는 나도 뒤처지지 않는다 말하자면 보잘것없는 인생이었다 보잘것없는 것을 먹고 보잘것없이 살아왔다 돈도 없고 배경도 없고 박차고 나갈 패기도 없이 말이다 내일 죽어도 안타까울 것이 없으나 아들이 하나 있다 어딘가에 살아 있을 것이다 살아 있다면 아비와는 다르게 패기 넘치게 살아 있을 것이다 그놈은 더 좋은 것을 먹을 것이다 내가 먹어보지도 못한 것들을 먹을 것이다.

노인은 젓가락을 사용해서 차게 식은 밥을 먹느라고 말을 쉬었다. 맛도 냄새도 묘한 무 반찬을 집어 우적우적 씹더니 턱에 국물을 묻힌 채로 말했다.

아비 곁에서는 도저히 수가 없다며 떠나가는 자식에게 매달려보지도 못하는 인생이란 야 참으로 보잘것없는 것이었다, 라면서 곰곰 음식을 씹었다.

그런데 너 그걸 아냐, 하고 노인은 말했다.

그놈이 아비하고는 다르게 살아보겠다고 그토록 박차고 나갔건만 실은 보잘것없이 살아가고 있을 것이다. 아들의 인생이라도 별수 없을 것이다. 그놈도 나와 똑같이 보잘것없을 것이다, 라고 말하고 노인이 웃었다. 음식을 담은 볼이 불룩하게 도드라졌다. 흐흐 웃으며 먹느라고 목이 메었는지 반찬 그릇을 쥐고 국물을 마셨다. 노인은 속이 시원하다는 듯 한 차례 더 웃더니 평소의 얼굴로 돌아가 아무 일 없었다는 듯 주운 반찬을 먹었다.

그로부터 며칠 뒤 곡씨 노인은 거주를 옮겼다.

사람들이 찾아와서 곡씨 노인의 짐을 실어냈다. 책상 침상 의자 주전자 난로 라디오 냉장고 궤짝 선반 이불 한 점 말고도 다양한 사물들이 그 방에서 밀려나와 복도에 쌓였다. 곡씨 노인은 별다르게 하는 일 없이 방 안팎을 드나들거나 조금 떨어진 곳에 서서 사람들이 자기 물건을 꺼리며 다루는 것을 지켜보았다. 나는 창으로 올라가 좁은 방에서 사람들이 이렇게 저렇게 움직이며 물건을 내가는 모습을 지켜보았다. 짐을 나르는 사람들은 이렇다 저렇다 말도 없이 물건을 나르다가 이따금 허리를 펴고 나를 바라보았다.

대부분의 짐이 바깥에 부려진 뒤로는 곡씨 노인이 하루 종일 계단을 오르내리며 어딘가로 짐을 날랐다. 전부 나른 뒤에 그는 살던 방으로 돌아왔다. 새로 그 방에 들기로 한 사람들이 벽이며 바닥에 밴 냄새 때문에 인상을 찌푸리며 비질을 하고 있었다. 노인은 입구에서 방을 둘러본 뒤 가스관에 연결된 버너를 가리켜 보였다. 손수 개조한 버너인데 자신에게는 이제 소용이 없으니 두고 간다고 그는 말했다. 화력이 세서 아주 유용하다고 직접 불을 켜 보이고 대견한 듯 아쉬운 듯 불꽃 다발을 들여다보았다. 새로 그 방에 들기로 한 사람들은 노인에게 네 네 알겠습니다 대답을 해두고 가스 튜브를 잘라 버너를 바깥에 내다놓았다. 저녁에 노인이 지나가다가 사람들이 지나다니는 길에 놓인 자기 버너를 보았다. 어쩔까 망설이는 기색도 없이 그는 그 물건을 챙겨서 새로운 거주지로 가져갔다.

나는 노인의 발뒤꿈치를 따라 꼭대기 층으로 올라갔다.

매캐한 냄새가 나는 막다른 방에 노인의 짐들이 놓여 있었다. 곡씨 노인과 같은 인간이 살아가는 데 필요한 전기라거나 가스라거나 연결된 것 없고 창도 없는 방이었다. 네 개의 벽 간격은 좁은데 천장은 터무니없이 높아 방의 어느 구석에서든 머리를 젖혀 위를 바라보면 끝없이 상승하는 듯하고 몸은 깊은 상자 속으로 가라앉는 듯해 아찔했다. 습기를 먹고 변색된 벽 물감 부스러기들이 사방에서 부스러져내렸다. 나는 이 방이 불만스러워 노인의 물건들 위로 걸어다니며 야오야오 울었다. 내 소감이야 좋거나 말거나 노인은 어디론가 연결된 둥근 전구 하나를 켜두고 비질을 했다. 창 대신 문을 조금 열어두고 이 문이 몇 번인가 저절로 닫힌 뒤로는 나뭇조각을 구해서 경첩에 받쳐두었다. 책상 하나 침상 하나 등받이 없는 의자 하나 주전자 하나 난로 하나 부서진 라디오 냉장고 하나 옷가지며 책을 담은 궤짝 하나 선반으로 사용했던 판자 두 점 이불 한 점 어느 것 하나 버리지 않고 챙겨온 물건들의 자리를 잡고 마지막으로 점퍼를 툭 툭 털어 벽에 걸어두려다가 못을 찾지 못해 궤짝에 걸쳐두었다.

노인은 이 방에서 연결할 데도 없는 버너를 구석에 놓아두고 침상에 앉아 지냈다. 날이 쌀쌀해지고 더욱 쌀쌀해져도 경첩에 받쳐둔 나뭇조각을 빼지 않고 놓아두어서 이따금 내가 그 틈으로 드나들었다.

어느 날 배가 젖어 돌아가니 문이 닫혀 있었다.

그 뒤로 노인을 만나지 못했다.

*

곡씨 노인의 예전 방을 쓰게 된 사람들은 그 좁은 방에 책상을 세

개 들여놓고 종일 그 앞에 앉아 일했다. 벽을 바라보거나 머리를 긁으며 전화기를 얼굴에 붙인 채로 끊임없이 말했다. 골재가 드러난 천장을 수리하고 벽 물감을 새로 발라 몰라보게 달라진 모습이었으나 그래도 지워지지 않고 냄새가 남아 있어 나는 이따금 착각을 하고 그 방을 찾아갔다. 사람들이 나를 발견하기 전까지 입구에 앉아 방 안을 들여다보았다. 내가 도시를 전망하던 자리 그 창엔 둥근 날개를 여러 개 가진 물건이 두 개나 박혀서 부우우우 소리를 내며 열심히 돌아가고 있었다.

이따금 꼭대기 방을 찾아가서 문고리를 바라보며 울었다.

아무리 불러도 열어주지 않는 것이 분하고 안타까워 어떻게된거야 어떻게된거야 하며 울었다. 영물이라 이상한 소리를 내며 운다고 사람들이 이 몸을 쫓았으나 이상하기로 말하자면 인간도 마찬가지잖아 인간도 충분히 이상하게 울잖아 훨씬 이상하게 울잖아.

밤이고 낮이고 인간이 우는 소리를 들었다.

하나같이 다르고 하나같이 음산하고 하나같이 길고 구슬픈 소리 특별히 밤이 되면 그런 소리들로 거리가 문득 고요해지거나 소란스러워졌다.

어느 날 개나리 덤불 속에서 털을 고르고 있다가 사방이 소란해 나와보니 한 인간이 다른 인간들 틈에서 고래고래 울고 있었다. 한 손에 늘어진 비닐봉투를 쥐고 아무것도 쥐지 않은 손으로는 주먹을 쥐고 다른 인간들을 노려보며 뭐어어어 내가아아 다아아아 하며 걷고 있었다.

나는 이 인간에게 배를 걷어차여 일생을 마쳤다.

배를 걷어차인 아픔도 느낄 틈 없이 달아났으나 멀리 가지 못했다.

몸을 움직일 수 없었다. 며칠간 아무것도 먹지 못하고 물도 마시지 못하고 피를 조금씩 뱉어내다가 주목나무 덤불 밑에서 죽었다. 아침에 납작해졌다가 오후에 부패한 배 덕분에 다리를 들었다가 밤에 되살아났다. 약간은 어리둥절했어도 고양이란 본래 그런 생물이라고 생각했다.

그로부터 머지않은 밤에 좁은 길에서 나와 같은 고양이가 차에 눌리는 것을 목격했다. 이제 살아나겠지, 생각하며 지켜보았으나 되살아나지 않았다.

*

일생을 마친 뒤에도 일생이란 가능성이 남으니 좋을까.

목숨에 관한 가능성뿐이라면 어떨까.

이 몸에게는 좋지 않았다. 나쁜 일뿐이었다.

나쁜 일뿐이었을까, 라고 묻는다면 대답하겠다.

나쁜 일뿐이었다.

나쁘고 나쁘고 나쁠 뿐이라서 뭐랄까 나쁨에 대한 기준이랄 것도 애매하고 무감각해졌다. 목숨에 관한 가능성이라는 것도 도무지 비좁기가 이를 데 없었다. 되게 걷어차여 죽게 된 일생 이후로도 던져지거나 머리에 무언가를 맞거나 병에 걸리거나 먹지 못할 것을 먹고 배를 앓다 죽었다. 한 차례 일생을 마치고 되살아난다고 몸까지 멀쩡해지는 건 아니었다. 죽기 직전에 얻은 상처나 통증이 사라지지 않고 남아 엎드려 지냈다. 언제나 목이 마르고 배고팠다. 등이나 가슴 부근의 느낌이 짜증스러워 혀로 핥으면 죽은 털이 목을 메울 듯 가득 묻어나왔다. 뼈가 뒤틀리고 머리의 형태도 울퉁불퉁해졌다. 죽고 살기를 거듭할수록 깡마르고 험악한 몰골이 되어갔다. 최근 재수 없고 불길하게 생긴 것들이 늘어나 부근의 이미지 가치가 떨어진다며 적극적으로 이 몸을 해코지하려는 인간들을 피해 다니는 일도 고단했다. 깨끗한 물이나 배불리 마시고 앞뒤 경계 없이 하루라도 푹 잤으면 싶었으나 그런 날은 좀처럼 오지 않았다.

어느 밤에 나는 먹으려고 평소보다 멀리 나갔다. 계란 껍질과 말라비틀어진 사과 심을 발견해 먹고 달을 바라보며 그늘 속으로 걸었다. 목이 말랐다. 길 가장자리에 고인 물 냄새를 맡았다. 그때 뒤쪽에서 무슨 일인가 벌어졌다. 순식간에 몸이 들려 자루에 담겼다. 빗물에 젖은 털 냄새가 나는 차에 실려 어딘가로 옮겨졌다. 나처럼 방심한 틈에 잡혀온 짐승들이 울어대고 있었다. 귀 모양도 제대로 잡히지 않은 어린 녀석부터 늙은 녀석까지 이 몸 십여 개체가 넘는 동족들과 같이 각종의 분비물로 덮인 철창에 갇혔다. 미지근하게 끓는 듯 좋지 않은 냄새가 났다. 안색 나쁜 인간 두 명이 침침한 불빛 아래서 우리를 들여다보았다.

이것뿐이냐 오늘은 이게 전부다 한 마리당 십만 원이니까 에 또 한 놈 두시기 석삼 전부 얼마냐 야 야 이래도 괜찮을까 걸리면 어떻게 되냐 야 아무도 모른다 정말로 배를 째고 난소며 정소 같은 거 떼어내고 하면 비용과 노력이 몇 배는 든다 이렇게 자국만 내고 방사하면 아무도 모르는 거야 막말로 지들이 일일이 따볼 거냐 이것들 배 속에 그게 있는지 없는지 구청 직원들이 따서 확인할 거냐고 그렇다고 이것들이 나 있소 나 없소 고발을 할 거냐 쓸데없는 말 그만하고 사진 찍어라 증거를 남겨라 우리 아니더라도 어차피 누군가는 이렇게 해서 그 돈

타내는 거다 이게 다 먹고살자고 하는 일인데, 하며 한 마리씩 집어내 짧고 가느다란 칼과 피 묻은 금속 접시가 놓인 널빤지에 올렸다. 꼼짝하지 못하도록 그들이 이 몸을 약품으로 처리했다. 배가 위쪽을 향하도록 몸을 뒤집어두고 거친 솜씨로 배를 갈랐다. 가르자마자 가른 곳을 검고 빳빳한 실로 봉한 뒤 공식적으로 네 놈은 이제 불임인 거다, 하며 귀 끝을 가위로 잘라냈다.

마비되어서 눈도 감지 못했다.

찢어질 듯 바싹 눈이 마른 채로 당했다.

그 뒤로 자루에 담겼다가 다시 차에 실려 엉뚱한 곳에 버려졌다.

*

새벽 무렵이었다. 비가 내리고 있었다. 바닥으로 던져지자마자 방향도 보지 않고 물을 튀기며 달렸다. 가장 먼저 눈에 들어온 구멍으로 뛰어들었다. 깊숙이 앉아서 한쪽으로 기울어진 뿔 모양의 입구를 노려보았다. 어딘가의 틈으로 흘러내린 빗물이 바닥에 고였다. 발이 젖고 엉덩이가 젖고 배가 젖고 가슴이 젖어도 움직이지 않았다. 단단하게 물린 듯 감각이 사라져버린 하반신이 성가시고 공포스러워 이따금 발가락과 꼬리를 씹으면서도 입구에서 눈을 뗄 수 없었다. 언제 그 가느다란 틈으로 나타날지 모를 인간의 얼굴과 손을 경계했다. 그들이 모두 가버렸다는 확신이 들 때까지 기다렸다.

정오가 넘어서야 입구 근처에 앉을 수 있었고 그로부터도 한참이 지나서야 바깥으로 머리를 내밀어볼 수 있었다.

인적도 그 밖의 기척도 없는 곳이었다.

거대한 입에 베어 먹힌 것처럼 부서지고 허물어진 것들을 바라보았다. 사방 인간의 냄새로 가득했으나 인간은 보이지 않았고 그들이 살고 머물렀던 집들의 흔적, 집들이었다가 이제는 다만 흔적이 되어버린 돌 더미들이 무더기 무더기 펼쳐져 있었다. 나는 간신히 그 가운데 하나에 올랐다. 광범위한 폐허의 가장자리에 높다란 장막이 올라와 있었다. 어디까지나 이어져서 바깥에서 안으로도 안에서 바깥으로도 오가기가 쉽지 않아 보였다. 혼자 된 것을 확인하고서야 젖은 배를 핥았다. 감각이 돌아와 불꽃이 튀는 것처럼 배가 쓰라렸다. 잘린 귀에 피가 맺혀 그 달고 짠 냄새를 맡고 벌레들이 달라붙었다. 장막 저편에서 인간들이 움직이며 만들어내는 소리가 들려왔다. 이따금 머리를 들고 귀를 말리며 그 소리를 들었다.

이 몸은 이렇게 이곳에 당도했다.

갈라진 배는 속수무책으로 악화되었다. 제대로 꿰매두지 않아 조금만 움직여도 벌어지고 피가 샜다. 핥아도 핥아도 아물지 않고 고름이 고였고 염증이 번져 시력을 서서히 잃었다.

*

장막 위로 달이 떴다.

아직 그 정도는 분간할 수 있다.

허물어진 모서리에서 아슬아슬하게 버티던 돌이 구르는 소리가 들린다.

밤이 되면 장막 저편은 불을 밝히고 장막 위로 온갖 그림자들을 펼쳐낸다. 이곳이 어둡고 그곳이 밝을수록 그림자는 또렷하다. 이 몸 그

왁자한 그림들을 바라보며 그간을 지냈다. 오늘 밤에도 그들이 나타날 것이다. 불빛을 등지고 선 인간들이 장막 안쪽을 향해 물건들을 던져두고 달아날 것이다. 온갖 것들이 있다. 부서진 의자며 탁자 도자기 바구니 깡통들 음식을 포장했던 종이들 상자들 담배들 녹슨 금속들 샹들리에 쪼개진 판자 바늘과 비닐들 샹들리에 하나 더. 형태가 있어 버릴 수 있는 것이라면 뭐든 먹던 것 입던 것 사용하던 것 때로는 산 것 죽은 것 이곳엔 그런 식으로 사방에서 쌓여가는 쓰레기뿐이다.

죽어가는 고양이와 쓰레기뿐이다.

다시 산다면 어쩔 것인가.

나는 또 한 번의 일생을 두려워하고 있다. 너무 많은 것들이 그들의 손에 달렸으니 목숨조차도 내 것 같지 않은 이런 세상은 두 번도 성가시다. 일생일사로 기품 있게 살아가는 다른 짐승들과는 다르게 눈물 흘린다. 다시 일생이 어떨 것인가 내일이라도 이 장막 안에 나타날 인간은 또 어떨 것인가 생각하며 어디까지나 비천하게 걱정하고 있다.

猫生 십오 년, 이름은 몸.

일생이 곧 끝날 것이다.

| 선정 경위 · 총평 |

제35회 이상문학상 선정 경위와 총평

*정리 : **권영민**《문학사상》 편집주간 · 서울대 교수)

금년도 이상문학상 본심이 2011년 1월 4일 열렸다.

본심 심사위원으로는 비평가 김윤식 선생, 권영민 선생, 소설가 윤후명 선생, 윤대녕 선생, 김인숙 선생 등이 참여하였다.

본심에 올랐던 후보작들은 다음과 같다.

공지영 〈맨발로 글목을 돌다〉

정지아 〈목욕 가는 날〉

김경욱 〈빅브라더〉

전성태 〈국화를 안고〉

김   숨 〈아무도 돌아오지 않는 밤〉

김언수 〈금고에 갇히다〉

김태용 〈뒤에〉

황정은 〈猫氏生〉

이상문학상 대상 수상작의 최종 결정 단계에서 심사위원들은 〈아무도 돌아오지 않는 밤〉, 〈국화를 안고〉, 〈맨발로 글목을 돌다〉를 대상對象으로 진지한 논의를 펼쳤다.

김숨 씨의 〈아무도 돌아오지 않는 밤〉은 잘 짜여진 소설이지만 소설적 공간 속에서 이루어지는 기다림의 의미를 긴장감 있게 형상화하는 데에까지 미치지 못하고 있다는 지적이 있었다.

전성태 씨의 〈국화를 안고〉는 잘 다듬어진 세련된 문장을 바탕으로 하고 있음에도 소설적 주제에 담긴 인간의 운명에 대한 해석 자체가 리얼리티를 획득하기 어려운 요소가 많다는 지적을 받았다.

공지영 씨의 〈맨발로 글목을 돌다〉는 주인공의 내면 의식에 대한 표현 자체가 산만하다고 느껴질 정도이지만, 역사적 현실과 개인의 삶을 대비시키는 폭넓은 관점이라든지 제도적 폭력에 대응하는 개인의 의지와 그 실천에 대한 믿음이 설득력을 발휘하고 있다는 점에서 주목을 받았다.

이상문학상의 권위와 전통, 대상 작품의 소설적 특징과 그 성과 등을 놓고 이루어진 최종 심사 과정에서 심사위원들은 모두 공지영 씨의 〈맨발로 글목을 돌다〉를 대상 수상작으로 선정하는 데에 찬성했다.

이번에 이상문학상 대상을 수상하게 된 소설가 공지영孔枝泳 씨는 1963년 서울 태생으로 연세대 영문학과를 졸업하였다. 대학 시절 학생운동에 참여하고, 졸업 후에는 노동운동에 가담하다가 감옥에 수감된 바 있다. 이러한 학생운동 경험을 소설화한 것이 1988년 등단작 단편 〈동트는 새벽〉이다. 첫 장편《더 이상 아름다운 방황은 없다》(1989)에서부터 한국 사회의 시대적 상황을 배경으로 사회적 불평등을 폭로하고 부조리한 상황을 비판하면서 이를 개혁하고자 하는 자신의 의지를 표현하고 있다. 장편소설《그리고, 그들의 아름다운 시작》(1991),《무소의 뿔처럼 혼자서 가라》(1993),《고등어》(1994),《착한 여자》

(1997), 《봉순이 언니》(1998), 《우리들의 행복한 시간》(2005), 《즐거운 나의 집》(2007), 《도가니》(2009) 등이 있으며, 소설집 《인간에 대한 예의》(1994)와 《존재는 눈물을 흘린다》(1999), 《별들의 들판》(2004) 등을 출간하였다.

작가의 경험적 자아를 통해 성찰한 폭력과 고통의 알레고리

'나'는 자신의 소설을 일본어로 번역한 H를 만나러 가는 새벽, "가슴으로 이상한 통증"이 지나가는 걸 느낀다. 그때 '나'에게 문장들이 장대비처럼 쏟아진다. 내가 H를 처음 만난 것은 내 소설의 일본어판 출간 기념에서였다. H는 북한에 납치당했다 돌아와 번역가로 활동하는 상흔을 지닌 사람이다. 그를 처음 본 순간부터 나는 "그의 삶이 내 삶 속에 끼어드는" 예감이 든다. H에 대한 느낌을 묻는 일본 기자들 물음에 나는 "착한 사람들에게만 그런 일들이 일어나는 이유는 그들만이, 선의를 가진 그들만이 자신에 대한 진정한 긍지로 운명을 해석할 수 있기 때문"이라고 대답하지만 그들은 이해하지 못한다. 새벽 빗소리를 들으며 나는 자신의 삶에 생채기가 난 순간들을 되짚어본다. 그리고 위안부로 끌려간 '순이'와 탈레반에게 납치당한 친구들이 속한 교회에 다녔던 조카, 아우슈비츠의 비극, 또 글을 쓰지 못하고 지나간 칠 년의 세월들……

삶의 어떤 순간, 바람결이 바뀌는 것을 느낄 수 있듯 나는 H와의 만남을 통해 변화를 감지한다. H와의 네 번째 만남을 앞두고 나는 무언가가 자신의 속에서 방향을 틀고 있는 것을 선명하게 느낀다.

인간에 대한 폭력의 역사와 그와 대비되는 현실의 개인적 고통을 작가의 경험적 자아를 통해 진지하게 성찰한 작품으로, 마침내 한 인간의 성장으로 귀결되는 서사의 알레고리가 돋보인다.

알몸으로 마주 선 풍경 속에 비친 인간 본연에 대한 이해

"엄마가 죽었능가 살았능가 궁금하도 않냐?"는 언니의 성화에 나는
일도 미룬 채 친정집으로 내려간다. 다리가 불편한 어머니와 목욕을
가기 위해서다. 어머니의 늙어가는 모습을 지켜보는 것이 괴로워 일
을 핑계로, 아이들을 핑계로 어머니와 멀어졌던 나는, 아웅다웅 서로
부대끼며 살아온 어머니와 언니의 모습에서 묘한 거리감을 느낀다.
오른팔을 언니에게 의지한 채 보조를 맞춰 느릿느릿 계단을 내려가
는 어머니를 보며, 언젠가 전화를 해 "후제 니 오면 한번 뽀듬아볼란
다." 했던 말을 떠올린다.

목욕탕 로커 앞. 나는 십수 년 된 내복과 삭은 면 팬티를 벗어낸 어
머니의 알몸과 마주하게 된다. 겹겹의 주름으로 남겨진 지난한 세월
의 흔적을 살피며, 그동안의 삶이 얼마나 적적하고 쓸쓸했을지를 짐
작한다. 나는 사양하는 어머니의 손을 가만히 뿌리치고, 멀어진 세월
의 묵은 때를 벗기듯 목욕타월로 그녀의 몸에 비누칠을 한다.

목욕탕이라는 공간 속에서 알몸으로 마주한 어머니와 딸. 그 풍경
을 통해 그려내는 이해와 사랑의 감정에 서린 온기가 따스하다. 인간
본연에 대한 이해를 가족의 서사를 통해 풀어낸 작품.

우화적으로 그려낸 인간 군상의 위선과 나약함

목사인 아버지와 할아버지의 형에 대한 기대는 크다. 형은 동네 사람도 어려워하는 아버지에게 대꾸할 수 있는 유일한 존재이다. 아버지의 말대로라면 형이 죄를 짓지 않았기 때문이지만 나는 형의 죄악들을 잘 알고 있다. 형은 내가 일곱 살 때 서커스단의 인간 대포알이 되어 처음 하늘을 날았다. 전설이 된 형은 내가 열 살 때, 동네 조무래기들의 하늘을 날 수 있냐는 질문에 축대 끝에서 몸을 날린다. 형의 머리에 북두칠성이 흉터로 내려앉았다. 그 후 형의 정신이 온전할 때라곤 식탁 앞에서뿐이다. 집안의 기대는 고스란히 내 몫이 된다.

신학 대학생이 된 나는 여자친구의 성화에 못 이겨 형을 소개해준다. 취미가 '하늘 날기'라는 형의 말에 셋은 번지점프를 하러 간다. 형이 점프를 한 뒤, 나는 용기가 없어 포기하고 만다. 형의 마지막 비행은 죽어서였다. 나는 목사가 되었고 형의 유골을 어릴 적 축대 위에 올라 허공에 뿌린다. '빅브라더'가 진짜로 하늘을 나는 순간이었다.

모두의 사랑과 기대를 한 몸에 받았지만 너무나 '인간적'이어서 인간이 만들어낸 체제에 속박받지 않았던 '빅브라더'의 짧은 삶을 통해 인간 군상의 위선과 나약함을 우화적으로 풀어낸 작품.

전통적 서사 구성과 아름다운 문장의 여운이 돋보이는 작품

사흘간 눈이 내린 새벽녘, 여자는 국화 다발을 들고 산책을 나선다. 국민학교 탱자 울타리 너머 테니스장에는 인기척이 없다. 지난 늦가을, 울타리에 단단히 박혀 있는 테니스공을 발견하고 꺼내보려 했지만 가시에 찔려 물러나곤 했다. 오 의원 집 앞을 지날 때마다 왠지 모를 조바심이 일어 종종걸음을 치게 된다. 오 의원은 그 지방 유지로, 두 아들은 의사로 길러냈지만 딸은 열여덟에 자살을 했다. 지난가을 남자와 오 의원 딸과의 영혼결혼식이 파혼했다는 소식을 들었다. 여자는 어느 날 산책길에서 우연히 남자의 무덤을 보았고 남자가 광주에서 군인들의 총에 죽은 청년이라는 사실을 알게 되었다.

여자는 젊은 비구니(하월)가 주지로 있는 암자로 향한다. 하월은 자리를 비웠다. 공양주 보살에게 남자가 다시 오 의원 딸과 결혼식을 올리게 되었다는 소식을 듣는다. 여자는 전근을 간다는 소식을 전하고 신부의 영정이 있는 삼신각에 들러 국화를 올리며 행복을 빈다. 울타리에 박혀 있던 공을 힘겹게 빼서 테니스장에 던져넣고 집에 돌아와 잠에 빠진 여자에게 하월이 찾아온다. 설핏 잠에서 깬 그녀는 하월이 조용히 문을 나서는 모습을 본다. 얼핏 코끝에 국화 향이 풍겨왔다.

전통적인 소설 문법에 충실히 따른 서사적 구성력과 미려한 문장은 국화 향의 여운을 느끼게 한다. 작가가 일관되게 견지해온 역사와 사회에 대한 문제의식이 잘 드러난 작품.

밀도 있는 구성과 문체로 그린 인간관계의 부조리성

'나'는 시아버지와 함께 살고 있다. 하루에 한 시간 산책을 하고 책을 필사하거나 뉴스를 보는 것이 노인의 일과이다. 중풍을 앓고 난 뒤 노인은 하루 종일 오리 뼈를 고아 먹는다. 오늘도 집 안은 노린내로 가득하다. 저녁 일곱 시, 노인은 말없이 밖으로 나간다. 남편은 여덟 시쯤에 집에 들어온다고 했다.

여덟 시가 넘었지만 남편은 돌아오지 않는다. 밤 산책을 나간 노인도. 202호 여자는 돌아왔을까? 사실 나는 202호 여자를 초조하게 기다리고 있다. 전날 노인에게 202호 여자가 삼십만 원을 빌려갔고 오늘 저녁에 돈을 가져올 거란 얘기를 들었던 터다. 노인은 나보고 그 돈을 받아서 쓰라고 했다. 노인과 같이 산 지 이 년, 나는 불편하다. 아니 불안하다. 노인은 내가 오리 뼈 국물과 그가 먹던 음식을 몰래 버린다는 것을 알면서도 모르는 척하는 것만 같다.

열한 시가 다 되어가도록 노인은 돌아오지 않는다. 들통 속 오리 뼈 국물은 바닥까지 졸아들었다. 노인은 오늘 밤 한 숟가락도 국물을 먹지 못할 것이다. 그런데 왜 아무도 돌아오지 않는 걸까? 나는 집을 나선다. 노인을 찾아 돌아왔을 때 남편과 202호 여자가 돌아와 있기를 바라며.

아무도 돌아오지 않는 밤, 제한된 공간에서 누군가를 기다리는 여자의 심리 묘사를 통해 안일한 일상 속에 내재해 있는 인간의 불안 심리와 관계의 부조리성을 탄탄한 구성과 밀도감 있는 문체로 그려낸 작품.

물질만능주의 사회에 던지는 유쾌하지만 씁쓸한 풍자

금고털이 철기와 사기가 전공인 나는 사설 금고업체 과장인 여자를 설득해서 금고털이를 계획한다. 금요일 밤 아홉 시, 셋은 드디어 금고 문을 열었다. 여자가 실수로 금고문에 받쳐둔 버팀목을 발로 찰 때까지 우리 얼굴에는 웃음이 떠나지 않았다. 금고에 갇혀버렸다. 차가운 특수강 금고 안에서 우리의 꿈은 산산조각 났다. 하릴없이 금고 안을 뒤지던 철기가 금으로 만든 주사위를 찾아내고 둘은 '뱀놀이' 판을 그려서 뱀놀이를 하는 도중, 여자가 자신은 협박에 못 이겨 끌려왔다고 말해주면 '베네수엘라'를 해주겠다고 제안한다. 애초에 둘은 금고털이에 성공하면 오성 호텔에서 베네수엘라 아가씨와 즐거운 시간을 보내기로 했던 것. 철기와 나는 베네수엘라의 짝을 정하기 위해 황금 주사위를 뱀놀이판 중간에 놓고 서로 노려보고 있다. 승부는 딱 한 판. 둘은 뱀을 타고 올라갔다 내려가기를 수도 없이 반복했다. 지금 나는 94번을 밟고 있다. 100까지 뱀 세 개가 도사리고 있다. 6만 나오면 베네수엘라는 내 것이다. 지금 이 순간 돈도 멋진 자동차도 필요 없다. 나는 허공으로 주사위를 던졌다. 인생에서 뭐 하나 잘된 일이 없었던 나의 입에서 간절한 한마디가 튀어나왔다. "제발, 육 한 번만. 육!"

무한경쟁주의와 물질만능주의 시대에 던지는 유쾌하지만 씁쓸한 한 편의 풍자극. 간절하게 마지막 주사위를 던지는 삼류인생 '나'의 모습에 '욕망'으로 가득 찬 우리들의 초상이 겹쳐진다.

새로운 서사방식과 텍스트의 가능성에 대한 실험정신

나는 소가 여물을 먹듯 문장을 쓰고 있다. 문장 뒤에 오는 문장, 이야기 뒤에 오는 이야기가 있다. 어떤 이야기는 처음으로 돌아가지 않고 끝을 향할 뿐 끝에 다다르지는 않는다. 나는 밤, 도시 그리고 무에 대한 이야기를 하고 싶었다. 사랑하는 것들은 문장으로 모아지지 않는다는 걸 늦었지만 이제 알게 되었다. 하지만 그것을 설명할 방법이 없다. 그러니 문장을 지속할 수밖에 없다. 내가 이 방법을 찾기까지 얼마나 많은 문장 속을 배회하고 시간을 허비했음을 밝혀둔다.

도시 여자는 우박이 떨어지는 밤 무밭에 숨어서 나를 낳았다. 새벽에 큰어머니가 소피를 보러 나왔을 때 여자는 이미 죽어 있었다. 옷장에 숨겨두었던 여자의 원피스를 입고 잠이 든 나를 본 큰어머니는 무로 나의 고추를 내려쳤다. 나는 폭풍이 부는 밤 그녀를 오두막에 가두고 무밭을 떠났다. 나는 당신을 안심시키기 위해 큰어머니의 이야기를 들려주었다. 허벅지가 벌어진 그 안에서 나는 한 조각도 못 되는 나의 이야기를 건축했다. 멈춰도 나아가는 이야기, 불러도 돌아오지 않는 이야기가 있다. 거기서 다시 시작해라. 다시 시작하고 있다. 그것이 내가 이야기를 이어가는 이유다.

새로운 서사방식과 텍스트의 가능성에 대한 실험정신이 돋보이는 작품으로, '이야기가 없는 이야기'라는 작가의 텍스트 실험성과 감각적인 문장이 인상적인 작품.

고양이의 눈으로 그린 폭력이 만연한 인간계에 대한 묵시록

이 몸은 다섯 번 죽고 다섯 번 살아났지만 다시 곧 죽을 것이다. 나는 지금 인간들이 둘러놓은 장막 안에서 내 몸을 더럽히는 세계가 완파되기를 기다리고 있다. 어미와 형제들 모두 미심쩍은 고기를 나누어 먹고 피를 토하고 죽어갔다. 노인이 홀로 남겨진 나를 발견하여 잡식의 냄새가 밴 자신의 방으로 데려가 체온을 나누어주었다. 노인이 오전 외출을 하려고 문을 열면 나도 방을 빠져나와 인간들의 중심지를 돌아다녔다. 인간들은 먹고살기도 고단한데 고양이마저 성가시게 한다며 뜨거운 물을 뿌리거나 막대로 후려쳤다. 노인도 나를 버렸다.

어느 밤 먹이를 찾아나선 나는 인간에게 붙들려 불임 수술을 당한다. 풀려나자마자 온 힘을 다해 내달리다 이곳으로 뛰어들었다. 갈라진 배는 속수무책으로 악화되었다. 이곳은 죽어가는 고양이와 쓰레기뿐이다. 나는 또 한 번의 생이 두렵다. 너무 많은 것들이 그들의 손에 달린 이런 세상은 두 번도 성가시다. 猫生 십오 년, 이름은 몸. 일생이 곧 끝날 것이다.

인간의 시대, 개발 폭력과 무한경쟁으로 인간 자신도 도태되어갈 수밖에 없는 우리 시대의 현주소를 고발한 묵시록적 작품. 고양이의 눈으로 본 세기말적 인간상과 폭력이 만연한 그들의 세상은 휴머니즘에 대한 진지한 성찰을 요구한다.

|심사평|

각 심사위원들의 중점적 심사평

운명, 작가끼리의 대화방식

작가끼리란 어떻게 만나는가가 바로 이 작품의 참주제. 작가끼리의 만남이란 여사여사하다는 것. 작가는 이 대목에서 썩 민첩하오. '운명이다' 가 그것. 작가란 운명에 제일 민감한 족속이라는 것. 그것은 한결같이 맨발이라는 것.

김윤식(문학평론가, 서울대 명예교수)

 공지영 씨의 〈맨발로 글목을 돌다〉에서 매력적인 것은 제목이오. 글목이란 작가 말대로 '글이 모퉁이를 도는 길목' 을 가리킴인 것. 글쓰는 자가 자기의 글이 방향을 바꾸는 길목을 가리킴인데 그 앞에 맨발이라 했으니까, 글쓰기란 구두도 양말도 신지 않아야 된다는 것. 한치도 꾸며내서는 안 된다는 것. 이 울림이 너무 커서 사람들이 눈살을 찌푸릴 수도 있는 일. 과연 맨발로 섰는가, 거기엔 자기 미화가 없는가, 예쁜 양말로 대단치도 않은 발을 감싸지 않았을까가 그 하나. 다른 하나는, 그렇다면 저만 그런가, 누군들 맨발로 모퉁이를 돌지 않겠는가, 어째 저만 그렇다고 우길까 보냐가 그것. 이 두 가지 물음이 바로 이 작품의 승부처.
 이에 대해서는 다음과 같은 견해들이 있을 수 있겠소. 소설이란 서

사 문법이 있고 거기에 준하여 행해지는 것인데, 그래서 최소한 자기를 타자화함인데, 이를 위반하고 맨발로 나서도 되는가가 그 하나. 그러니까 이는 소설보다 잘난 다른 차원의 글쓰기가 아니겠는가. 다른 하나는, 이 점이 중요한데, 작가 공지영 씨만이 할 수 있음이라는 것이오. 《무소의 뿔처럼 혼자서 가라》(1993)의 작가이기에 가능한 사안이라는 것.

제목이 던지는 이런저런 시비 또는 매력에 대해 작가는 어떻게 반응할까. 썩 내키지는 않지만 아마도 부정도 긍정도 하지 않으리라 짐작되오. 어째서? 두말하면 군소리. 공씨는 단지 소설 한 편을 썼을 뿐이니까. 있는 그대로의 소설로 받아들이면 되지 않겠는가. 맞는 말.

〈맨발로 글목을 돌다〉는 단편소설이오. 주인공인 '나'는 시방 일본으로 가고 있소. 왜? 신 기자의 부탁으로 일본인 작가 H와 인터뷰를 하기 위해서요. 왜 '나'가 흔쾌히 나섰는가. 2007년 '나'의 작품을 일역한 장본인이 H니까. 이 작품은 그러니까 '나'와 H의 관계를 다룬 것. '나'가 H와 만난 것은 세 번. 도쿄에서 두 번. 한국에서 한 번. 첫 번째 만남은 2007년 사월. 두 번째는 2008년. 세 번째는, 연도는 밝히지 않았으나 H의 책이 서울에서 출판되었을 적이겠는데, 아마도 2010년쯤일까. 이 소설의 내용은 첫 번째 만남이 중심부를 이루었고 두 번째 만남은 국제 문학대회였으니까 객관적 만남이라고나 할까. 다듬어 말해 첫 번째 만남이 개인적이자 내밀한 만남일 수밖에. 그 내밀성은 어디에서 오는가. 바로 여기에 이 작품의 참주제가 잠복되어 있소. '나'가 작가라는 것. 그리고 H도 작가라는 것. 주목할 것은 '나'가 공지영일 수도 박지영일 수도 없고 그냥 작가라는 것. H도 북한에 납북되어 이십사 년간 살다가 귀국한 일본인이 아니라 그냥

'나' 또래 나이의 작가라는 점. 그렇다면 작가끼리란 어떻게 만나는가가 바로 이 작품의 참주제. 작가끼리의 만남이란 여사여사하다는 것. 작가는 이 대목에서 썩 민첩하오. '운명이다'가 그것. 작가란 운명에 제일 민감한 족속이라는 것. 그것은 한결같이 맨발이라는 것.

영장류의 길

공지영의 〈맨발로 글목을 돌다〉는 새로운 시대의 '나들목'을 제시하는 소설이다. 입을 꾹 다물고 앞을 바로 응시하는 신념으로 삶의 지평을 열어 보인다. 성큼성큼 걷는 보폭도 인상적이어서 허투루 살아가는 자세를 부끄럽게 한다. 그리하여 허물도 아프고 실체도 아픈 현상으로 살아 있음을 보는 것이다.

윤후명(소설가)

　겨울이 오기 전 양평에 갔다가 문득 언덕 옆을 쳐다보니 늘어진 나뭇가지에 걸려 있는 게 눈에 띈다. 못 보던 것인데 무엇일까. 흐린 눈을 비비며 다가갔다. 뱀의 허물이다. 길게 늘어져 있다. 뱀은 길다는 사실을 확인한다.

　소설의 변혁은 어떻게 오는가. 요즘의 젊은 소설들을 대할 때, 밀려오는 물음이자 대답. 소설이란 이야기가 없을 수 없지만 이야기 자체는 아니라는 사실이 새삼스럽다. 그래서 소설은 묵은 허물을 벗어던지고 또 다른 몸을 갖는다. 한 걸음 더 나아가, 소설은 이거다 하는 순간 이름만으로 남고 실체는 없게 되어 다시 태어난다. 사랑하는 자는 경계하지 않으면 안 된다. 우리가 과거의, 현행의 의미에 안주하여 있으려는 동안 어루만지고 있는 실체가 허물에 불과해서는 안 된다.

뱀의 허물벗기나 동식물의 진화를 무슨 변혁이라고 일컬을 것도 없겠다. 독자를 배반하기 위해서, 눈속임을 하기 위해서 허물을 걸어두는 것쯤이야 친절이라고 할 수 있다. 이 달콤한, 혼곤한 시간들이 각각刻刻 쌓여 오늘 이 소설 밀레니엄이라는 새로운 간빙기 앞에 우리는 서 있다.

오늘의 소설들의 실체를 적나라하게 본다. 옛 모습과 새 모습이 한눈에 보이는 현장이다. 소설이 재미를 추구하는 게 아니라 궁극적으로 영감을 추구할 때, 우리는 영장류로서 존재할 수 있을 것이다. 영감이란 삶의 핵을 말하기 때문이다.

공지영의 〈맨발로 글목을 돌다〉는 새로운 시대의 '나들목'을 제시하는 소설이다. 입을 꾹 다물고 앞을 바로 응시하는 신념으로 삶의 지평을 열어 보인다. 성큼성큼 걷는 보폭도 인상적이어서 허투루 살아가는 자세를 부끄럽게 한다. 그리하여 허물도 아프고 실체도 아픈 현상으로 살아 있음을 보는 것이다.

작가의 내면 풍경, 드러내기와 감추기의 소설적 변증법

〈맨발로 글목을 돌다〉에서 한 작가의 내면 풍경을 서사화하는 드러내기와 감추기
의 특이한 진술방식은 이 작품이 겨냥하고 있는 소설적 전략이라고 할 수 있다. 이
소설은 서로 다른 에피소드의 상관관계를 읽어내는 특이한 연상적 기법에 의해 그
범위를 넓혀간다. 그러나 소설적 주제에 무게를 더하는 또 다른 에피소드들이 잇
달아 덧붙여지면서 그 주제에 대한 시각을 스스로 조정해나갈 수 있도록 만든다.

권영민(문학평론가, 서울대 교수)

　이번 이상문학상 후보작 가운데 내가 주목한 것은 공지영 씨의 〈맨
발로 글목을 돌다〉, 김경욱 씨의 〈빅브라더〉, 김숨 씨의 〈아무도 돌아
오지 않는 밤〉, 전성태 씨의 〈국화를 안고〉 등이었다. 소설적 기법이
나 그 주제를 해석하는 방법 자체가 일정한 소설적 성취에 도달하고
있다고 생각되었기 때문이다.
　최종적으로 후보작의 범위를 세 편으로 좁히면서 〈빅브라더〉를 먼
저 덮어놓았다. 인물의 성격에 대한 우화적 접근 자체가 흥미롭기는
하지만 대상과 화자 사이의 서술적 거리가 마음에 걸렸다. 성격의 형
상화 과정에서 드러나는 표현의 과장이 마음에 걸렸다. 〈국화를 안고〉
의 경우는 문장 자체가 수려하다. 소설적 주제도 아름답다. 그러나 이
주제를 해석해내는 방식 자체가 그 세련성에도 불구하고 좀 낡았다는

생각을 떨칠 수가 없다.

최종 선택의 단계에서 〈맨발로 글목을 돌다〉와 〈아무도 돌아오지 않는 밤〉을 놓고 고심했다. 다른 심사위원들도 대부분 나와 비슷한 판단을 했던 것 같다. 〈아무도 돌아오지 않는 밤〉의 경우는 소설적 구성이 단단하다. 이 작품과 유사한 패턴을 보여주는 이호철 씨의 〈닳아지는 살들〉이 언뜻 떠오르기도 하고, 오정희 씨의 〈저녁의 게임〉의 분위기가 느껴지기도 한다. 물론 소설적 상황의 설정 자체는 사뭇 다르다. 그러나 〈아무도 돌아오지 않는 밤〉에서 그려내고 있는 소설적 공간에는 기다림 자체의 긴장감이 부족하다는 느낌이다. 특히 이 작가의 소설적 성향 자체에서 자신의 목소리를 분명하게 드러내고 있는지 판단하기 어려웠던 점도 지적하고 싶다. 그러기에 좀 더 지켜보자는 마음이 앞섰다.

공지영 씨의 〈맨발로 글목을 돌다〉는 소설의 전면에 경험적 자아와 밀착되어 있는 '나'라는 화자를 내세움으로써 소설 쓰기와 관련되어 있는 요소들에 대한 일종의 메타적 진술을 가능하게 한다. 그러므로 이 소설이 다루고 있는 것은 하나의 소설이 만들어지는 과정에 해당한다. 작가 스스로 만들어낸 '글목'이라는 말 자체가 이를 집약적으로 표현한다. 이 소설의 이야기에서 작가가 주목하고 있는 것은 역사와 현실 속에서 반복되는 인간에 대한 폭력이다. 그것은 정치와 제도에 의해 이루어지기도 하고 종교와 이념에 의해 자행되기도 한다. 개인과 개인 사이에 일상적인 삶의 과정 속에서도 폭력이 생겨난다. 이러한 폭력에 대응하기 위해 그것을 견뎌야 하는 개인의 고통은 말하기조차 어려운 일이다. 특히 작가의 개인적 삶과 연관되는 고통의 체험을 소설의 이야기 속에서 그대로 드러내기란 그리 간단하지 않다.

〈맨발로 글목을 돌다〉는 어떤 목표를 두고 진행되는 행위의 구조를 보여주지 않는다. 이것은 이 소설에서 작가가 제기하고 있는 삶의 문제 자체가 지니는 관념성과 연관되는 특징이기도 하다. 이 작품이 서사의 구성을 해체하면서 펼쳐놓고 있는 숱한 상념들은 작가의 경험에 견줄 경우 그 성격 자체가 사소설적인 속성을 보여준다. 그러나 이 소설의 이야기는 사적인 영역에만 매여 있지 않다. 화자의 내면을 드러내 보이는 고백적 진술을 활용하고 있지만 자기 탐닉에 빠져들고 있지 않다. 소설 속의 화자는 자기 자신에게 부여된 운명적인 글쓰기의 문제와 마찬가지로 역사와 현실에서 인간의 가치와 그 존재 의미에 대한 진지한 성찰을 요구하고 있다. 바로 이것이 작가 스스로 명명한 '글목'에 해당한다. 그리고 여기서 느끼는 긴장과 전율이 이 소설의 무게임을 부인할 수 없다.

〈맨발로 글목을 돌다〉에서 한 작가의 내면 풍경을 서사화하는 드러내기와 감추기의 특이한 진술방식은 이 작품이 겨냥하고 있는 소설적 전략이라고 할 수 있다. 이 소설은 이야기 자체가 하나의 커다란 흐름을 따라가는 구성력에 의존하기보다는 서로 다른 에피소드의 상관관계를 읽어내는 특이한 연상적 기법에 의해 그 범위를 넓혀간다. 그러나 소설적 주제에 무게를 더하는 또 다른 에피소드들이 잇달아 덧붙여지면서 그 주제에 대한 시각을 스스로 조정해나갈 수 있도록 만든다. 에피소드의 중첩을 통해 해체된 서사의 구조를 다시 복원하는 이 새로운 서사방식은 작가 공지영 씨가 〈맨발로 글목을 돌다〉에서 착안해낸 자기표현법이라고 할 수 있다.

고통과 운명에 대한 고백적 해석

〈맨발로 글목을 돌다〉가 전달하고자 하는 고통과 운명에 대한 해석은 특유의 호소력과 맞물려 감동적인 여운을 남긴다. 인간이 자각하는 고통의 실체란 무엇일까? 모든 존재가 그로 인해 사슬처럼 연결돼 있다는 작가적 성찰과 '선의를 가진 사람만이 자신에 대한 진정한 긍지로 운명을' 받아들일 수 있다는 단호한 진술은 강한 설득력을 동반하고 있다.

윤대녕(소설가, 동덕여대 교수)

심사 전에 나는 공지영의 〈맨발로 글목을 돌다〉와 김숨의 〈아무도 돌아오지 않는 밤〉 두 편을 놓고 고민했다. 그리고 〈맨발로 글목을 돌다〉가 수상작으로 결정되었을 때 마침내 무거운 짐을 내려놓은 기분이었다.

심사가 진행되는 과정에서 전성태의 〈국화를 안고〉와 정지아의 〈목욕 가는 날〉이 함께 거론되었음을 먼저 밝혀두고 싶다. 전통적인 소설 문법을 충실히 따른 〈국화를 안고〉는 이른바 '잘 빚어낸 항아리' 같은 아름다운 구성력을 보여주는 작품이다. 그러나 중심 모티프라 할 수 있는 '광주' 이야기가 오히려 이 작품이 품고 있는 주제의 보편성을 떨어뜨린 게 아니냐는 지적이 나왔다. 이는 '광주 이후 칠 년이 지난 시간'을 서사적 시점으로 택한 데서 연유한 것이기도 하다. 무릇 소설에서 허구적으로 자행되고 있는 모든 이야기들은 삶의 근본 작동 원리인 원심력에 근거해 언제나 '지금, 여기'를 겨냥하고 있어야 하는 게 아닐까.

정지아의 〈목욕 가는 날〉은 이 작가가 끈질기게 되풀이하고 있는 가족 서사를 바탕으로 한 작품이다. 그런데 이 소설은 서두에 이미 결론이 드러나 있는 단조로운 구조를 취하고 있다. 전작 《봄빛》에서 보여주었던 '뜨거운 과정'의 성취를 돌아볼 때 이 작품은 지나칠 정도로 부드럽게 풀려 있다. 아마도 작가가 일단의 숨을 고르는 과정이 아니겠는가, 라는 느낌을 받았다.

김숨의 소설은 꾸준히 진화하는 미덕을 보여준다. 전작 〈쥐〉에서 나타났던 희극적 요소의 투박함이 〈아무도 돌아오지 않는 밤〉에서는 말끔하게 지워지면서 유연한 형태를 갖추고 있다. 또한 삶에 내재해 있는 관계의 부조리함과 원초적 감정으로서의 불우함, 또 그것들을 감싸고 있는 소멸감을 섬뜩하고 괴기스러운 어조로 서술하고 있다. 그런데 아쉽게도 마지막 장면에서 긴장감이 붕괴되면서 주제를 끌어안는 힘이 다소 약화되고 말았다.

공지영의 〈맨발로 글목을 돌다〉는 '내 가슴으로 이상한 통증'이 지나가는 밤의 순간을 포착해 다음 날 날이 밝아오는 시간대까지 '장대비 같은 문장'으로 써내려간 일종의 고백록이다. 그러기에 이 소설은 숨결이 매우 거칠고 미처 구조화되지 못한 장면들이 곳곳에서 출몰한다. 이는 다만 스케일상의 문제 때문일까? 그럼에도 이 작품이 전달하고자 하는 고통과 운명에 대한 해석은 특유의 호소력과 맞물려 감동적인 여운을 남긴다. 인간이 자각하는 고통의 실체란 무엇일까? 그것을 설명하는 일은 불가능에 가깝지만(언어화될 수 없으므로), 모든 존재가 그로 인해 사슬처럼 연결돼 있다는 작가적 성찰과 '선의를 가진 사람만이 자신에 대한 진정한 긍지로 운명을' 받아들일 수 있다는 단호한 진술은 강한 설득력을 동반하고 있다. 또한 이 작품의 진정한 주제라 할 수 있는 '한 인간이 성장해가는 것은 운명이다' 라는 결론에 도달하는 순간 거부할 수 없이 돌연 마음이 뜨거워진다.

수상을 축하드린다.

사적인 측면을 역사적으로 투영하고자 하는 진지함

사소설은 자전소설과도 약간 분류되는 개념일 터인데, 작가가 완전히 벗은 몸으로 작품의 전면에 등장하는 것이 과연 소설적으로 합당한 방식인가에 관한 논의가 있었다. 그러나 작가가 자신의 사적인 측면을 역사적으로 투영하고자 하는 진지함, 그것을 아울러내는 완성도가 높이 평가되었다.

김인숙(소설가)

젊은 작가들의 작품이 눈에 많이 띄었다. 실험성이 강했던 이제까지의 작품들이 좀 더 진보하고 있는 듯한 느낌을 받았다. 해체되었던 서사가 실험성 안에서 재구성되고 있다고나 할까. 그런 작품들을 모아 읽는 즐거움이 컸다.

전통적인 서사기법을 쓰고 있는 중견 작가들의 작품들은 여전히 친숙하고 넉넉하다. 전성태의 〈국화를 안고〉는 아름답다. 이름 모를 묘지에 바쳐지는 국화의 이미지가 작품 전체에 향기처럼 퍼져 있다. 작가가 일관되게 견지하고 있는 역사와 사회에 대한 문제의식은 여전히 감동적이지만, 새롭게 읽히는 측면에서는 약간 아쉬움이 남았다. 같은 선상에서 정지아의 〈목욕 가는 날〉도 인상 깊었다. 능청스러운 대사 속에서 알몸으로 벗은 모녀의 풍경이 정겹고, 뭉클하다.

김태용의 〈뒤에〉 또한 즐겁게 읽었다. 문장이 문장으로 이어지고, 이야기가 이야기로 이어지면서 마침내 남은 '뒤에', 그 무엇이 있을까. 곱씹어 여러 번 읽었다.

개인적으로는 김숨의 〈아무도 돌아오지 않는 밤〉이 끝까지 마음에 남는다. 기다리지 않지만 기다릴 수밖에 없는 사람들. 그러한 하룻밤의 풍경이 막막한 인생의 도정에 있는 주인공의 내부를 어둡게 투영한다. 그 어둠의 빛깔이 좋았다. 김숨은 등단 햇수가 꽤 됨에도 불구하고 여전히 젊은 작가다. 젊은 작가 김숨의 진지함, 글 속에 배어 있는 끈기 있는 노력, 찬찬한 묘사들은 언제나 나를 매료시킨다. 항상 더 나은 다음 작품이 기대되고, 그것을 기다리게 만드는 작가다.

공지영의 〈맨발로 글목을 돌다〉가 오래 논의되었다. 작가가 자신의 일본어판 소설을 홍보하러 일본에 갔다가 납북 경험이 있는 일본인을 만나는 것으로 이야기가 출발하는데, 지나친 사소설이 아닌가 하는 부분에 대한 논의가 집중되었다. 사소설은 자전소설과도 약간 분류되는 개념일 터인데, 작가가 이 소설에서 보여지는 것처럼 완전히 벗은 몸으로 작품의 전면에 등장하는 것이 과연 소설적으로 합당한 방식인가에 관한 논의였다. 그러나 작가가 자신의 사적인 측면을 역사적으로 투영하고자 하는 진지함, 그것을 아울러내는 완성도가 높이 평가되었다.

수상을 축하드린다.

| 작품론 · 작가론 |

공지영의 작품세계와
작가 공지영을 말한다

공지영의 작품세계 _
가장 많이 사랑하는 자는 패배자이며 괴로워하지 않으면 안 된다

'맨발'로 '글목'을 돌면서 그녀는 자신의 힘만으로,
자신의 언어만으로 이 힘겨운 과제를 수행하려 하지 않았다.
그녀는 타인들의 목소리를 자신의 영혼 내부에 수용하고자 했다.
그러므로 이 작품은 서로 겹치고 만나는 목소리들의 소설이다. 에고이스트의 자세를
풀어헤치고 타자를 자기 안에 담뿍 받아들이려는 겸허와 관용의 소설이다.
—방민호(문학평론가, 서울대 교수)

작가 공지영을 말한다 _ 문학, 인간에 대한 책임의 다른 이름

그녀가 계속해서 타자의 고통을 섬세한 시선으로 쓰다듬을 때,
자신의 고통에서 한발 물러나 오히려 타자의 고통을 절통한 자신의 것으로 체감할 때,
그러한 소통의 차원을 더 강력한 구체성과 진정성을 갖는 문학 형식으로 구현해낼 때,
그리고 그것이 무엇이든 쉽게 소비되는 시대에 그러한 소비됨을 거부하는
깊은 성찰적 울림을 지닌 것일 때, 그녀의 빛나는 문학적 변모는 완성될 것이다.
—안서현(문학평론가)

가장 많이 사랑하는 자는 패배자이며 괴로워하지 않으면 안 된다
─ 공지영 씨의 〈맨발로 글목을 돌다〉

'맨발'로 '글목'을 돌면서 그녀는 자신의 힘만으로, 자신의 언어만으로 이 힘겨운 과제를 수행하려 하지 않았다. 그녀는 타인들의 목소리를 자신의 영혼 내부에 수용하고자 했다. 그러므로 이 작품은 서로 겹치고 만나는 목소리들의 소설이다. 에고이스트의 자세를 풀어헤치고 타자를 자기 안에 담뿍 받아들이려는 겸허와 관용의 소설이다.

방민호(문학평론가, 서울대 교수)

1.

연말에 이어 연초까지 미처 끝내지 못한 일로 분주한 가운데 스승인 권영민 교수(《문학사상》 주간)로부터 공지영 씨가 올해 이상문학상 수상자로 선정되었다는 소식과 함께 작품론을 써보라는 말씀을 들었다. 선뜻 마음이 움직였다.

공지영 씨라면, 그녀와 나 사이에는 십 년이 넘도록 겨우 두세 번이나 만난 적이 있을 뿐으로 관계가 소원하다. 그것도 내가 공지영 씨 창작집에 해설을 썼다든가, 텔레비전이 공지영 씨 소설을 다룰 때 평론가 자격으로 출연한다든가 해서 만난 것이 고작, 결코 개인적으로 잘 아는 사이라고 할 수 없다.

그러나 이처럼 서로 어울리지 않았는데도 내 마음 한쪽에는 늘 공지영 씨가 살고 있었던 것 같다.

내가 비평 활동을 시작하던 1990년대 중후반에는 시대가 이념의 죽음을 선고하고 있었다. 문학이 이상을 추구할 수단이 될 수는 없고, 기껏해야 우리들은 문학을 향유할 수 있을 뿐이고, 문학 역시 우리를 위로할 수 있을 뿐이라는 담론이 무대의 주인공처럼 활보하고 있었다.

그때 솜씨 좋은 비평가들이 공지영 씨 문학을 타매해야 할 문학의 표본이라도 되는 양 그녀를 업신여기고 비난하기도 했다. 그러나 나는 그 반대편에 섰다. 나는 늘 공지영 씨 문학의 애호자였고, 그녀 문학에 아직 그녀가 현실화시키지 못한 가능성의 영역이 커다랗게 남겨져 있다고 생각했다. 나는 그녀의 단편소설들 〈무엇을 할 것인가〉, 〈인간에 대한 예의〉 등에 나타나 있는 작가적인 경험과 이상理想에 대한 집념을 사랑했다.

또한 나는 공지영 씨뿐만 아니라 신경숙 씨나 은희경 씨 문학도 통속적이라는 점에서 공통적인 면이 있고, 소설이란 본래 이 속됨에서 멀리 벗어나지 않은 것이며, 중요한 것은 그럼에도 불구하고 어떤 새로운 생각을 시도하느냐에 있는 것이라고 생각했다. 이 점에서 공지영 씨 문학에는 아직 숨겨진 미래가 컸다.

그로부터 십 년 이상의 세월이 흘렀다. 그리고 한국에서 가장 빛나는 문학상의 하나인 이상문학상이 지금 그녀에게 돌아갔다. 나는 공지영 씨 문학에 대한 여러 상념을 안고 수상작을 펼쳐들었다.

〈맨발로 글목을 돌다〉. '글목' 이란 '글의 길목' 이란 뜻으로, 공지영 씨 자신이 만든 말이라고 했다. 맨발로 글의 길목을 돌면서 소설을 썼다는 말이겠다. 낯설면서도 의미심장한 제목이다. 나는 이 새로운 말에 유의하면서 소설을 끝까지 단숨에 읽어내려갔다. 그리고 마침내 내가 이 소설에 해설 말을 붙이게 된 것을 내심 다행스럽게, 나아가 아주 즐거운 노역으로 받아들일 수 있었다.

나는 실로 오랜만에 한 사람의 비평가로서 세상과 '나'를 잇는 다리를 놓으려고 애쓴 고투가 느껴지는 소설을 만났다. 어떤 대화를 나누고 싶은 소설을 만났고, 작가의 영혼을 어루만져주고 싶은 소설을 만났다.

2.

〈맨발로 글목을 돌다〉는 목소리로 들끓는 소설이다. 나는 이 작품을 읽어내려가는 내내 공지영 씨 육성이 내 귓가에 윙윙 울리고 있는 것 같은 느낌을 받았다. 그것은 이 작품 속 주인공이 바로 공지영 씨 자신임을 이 작품이 너무나 분명히 드러내고 있기 때문일 것이다.

작품에 등장하는 고유명사는 텍스트 안과 바깥을 연결한다. 소설 속에 《우리들의 행복한 시간》이 등장하고 그것을 쓴 작가가 등장할 때, 이 작품은 그 안에 어떤 식으로든 개입되어 있지 않을 수 없는 허구적 요소들에도 불구하고, 작품 속 이야기를 작품 바깥의 공지영 씨 자신의 것으로 단단히 결부시킨다. 때문에 나는 이 소설을 공지영 자신의 어떤 변화를 기록한 것으로 받아들일 수 있었다. 그러나 물론 소설은 소설이다.

소설 속에서 《우리들의 행복한 시간》을 쓴 작가인 '나'는 H를 인터뷰하기 위해 일본으로 여행을 떠나야 하는 전날 밤 이상하게 잠을 이루지 못한다. 소주를 마시려 하자 어떤 깊은 아픔이 찾아든다. 고통 속에서 그녀는 "살기 위해 고통의 의미를 찾아내려고 머리를 부볐던 시간들"을 반추한다. 그녀는 "언제부터인가 나는 우는 것이 하찮은 일이 아니라는 것을 깨닫게 되었기에" 그러지 않으려고 "가슴을 좀 웅크리고 편한 자세를 취해" 본다. 그러자 "문장들이, 장대비처럼" 그녀를 향해 쏟아진다.

그로부터 작가는 조각조각 흩어진 이야기 같은 것을 써내려간다. 이 글들은 밤새 잠을 이루지 못하면서 생각한 것들을 쓰기 시작한 것이기 때문에 일견 두서없어 보인다. 그러나 작중 이야기는 그녀가 한밤 사이에 이 작품을 쓰지 않았음을 알려준다. 그녀는 그날 밤 자신에게 쏟아진 문장들, 상념들을 바탕으로 작품을 쓰기 시작해서, 뜬눈으로 밤을 새우고, 〈토니오 크뢰거〉를 들고 일본으로 건너가, 그것을 읽으면서 이 작품을 계속해서 쓰면서 고치고, 그러면서 여기에 어떤 플롯을 부여하려 했다. 이렇게 해서 이 소설은 일견 생각의 편린들을 주워모은 것처럼 보이지만 그 안에 어떤 정교한 생각의 질서를 갖추고 있는 독특한 작품이 되었다.

이 소설의 각 부분들은 성당의 모자이크화처럼 구성되어 있다. 그러면서 어떤 시작과 결말을 지향한다. 모자이크화는 정지된 상태 그 자체로 신의 섭리를 표상할 뿐이지만 이 언어로 된 작품은 시작에서 끝으로 연결되어야 하고, 그래서 어떤 플롯을 갖추어야 한다. 이 플롯을 통해서 작가는 무엇을 기록하려 했는가.

하나는 언어에 관한 새로운 인식이다. 작품 속에서 작중화자인 '나'는 작가로서 언어에 대한 자신의 생각을 기록해간다. 어렸을 적부터 그녀는 "모든 세상의 밭에서 언어를 캐다가 다듬고 토막 내고 끓이며 맛이 있는 음식을 만들어내고" 싶어했다. 그러나 "생각을 언어로 표현해 소통하고자 하는 행위는 언어 자체의 한계에 궁극적으로 방해받는다". 이제 그녀는 생각한다. "인간은 언어로써가 아니라 영혼으로 소통한다."

그러나 이렇게 생각하면서도 그녀는 다른 한편으로 아우슈비츠 수용소에 갔던 기억을 떠올린다. 거기 비석에는 "어두움이 빛을 이겨본 적이 없었다."라는 문장이 기록되어 있었다. 그때 그녀는 그곳에서 희생된 수많은 사람들의 삶의 무게와 이 문장의 무게가 팽팽한 긴장을 이루고 있는 것 같은 느낌을 받으면서 "언어의 위대함"을 다시 한 번 깨닫는다. 이제 그녀는 더 이상은 언어가 투명한 매체라고 생각하지 않지만, 그럼에도 그러한 언어의 한계에 대한 인식을 넘어 다시 한 번 그것을 향해 두려움 섞인 용기를 내지 않을 수 없다.

작중 결말 부분에서 그녀는 자신이 오래전 젊었을 때 했던 말, "글은 모든 사람의 가슴에서 넘치다가 엎질러져 나오는 것이고 그렇게 엎질러져 나온 글들은 상처처럼 빨간 속살에서 터져나온 석류알처럼 우리를 기르고 구원"한다던 말, "글이 우리를 구원할 수 있다"고 했던 말을 다시 한 번 승인한다. 이 말은 마치 변증법의 정반합처럼 새로운 차원 위에 세워진다.

다른 하나는 삶 자체에 대한 인식 전환이다. 이 소설 속 주인공은 반복적으로 "자기 힘으로 어쩔 수 없는 삶을 사는 사람"에 대해 이야기한다. 더 정확히 표현하면, '자기 힘으로는 어쩔 수 없는 삶을 사는 사람'일 것이다. 작중 결말 부분에서 그녀는 "운명의 부름에 답하겠다고, 내가 계획했던 모든 희망을 버리고 가보겠다고, 그 끝에 무엇이 있는지 보러 가기 위해서가 아니라 그냥 그가 부르니까 내가 대답하겠다고" 한다. 작중에서 그녀는 "내 인생은 난파했고, 나는 이곳이 어디인지 도무지 알 수 없었다"고 쓰기도 한다. 어느 날 아침 성경 시편의 구절, "지나온 상처마다 악취가 가득하오니, 내 어리석은 탓이오이다"를 보고, 그 활자들이 고름 고인 가슴에 갈고리처럼 파고들었으며, 그럼에도 불구하고 이 문장은 과녁을 정확히 맞힌 것이었기에 고통스러웠음에도 어떤 쾌감을 주었다고, 이 말이 불꽃처럼 자신을 정화시켜주었다고 쓰기도 한다.

작중에는 성경 해석에 관한 이야기가 나온다. 이 작품의 주인공은 아침이 오면 습관처럼 촛불을 켜놓고 십자가 앞에 앉는다. 성경은 그녀의 삶을 통어하는 가장 큰 목소리 가운데 하나다. 작중에서 그녀는 탈레반에게 친구들을 빼앗긴 조카에게 운명에 대해 이야기한다. 그것은 욥의 고통에 관한 해석을 담고 있다. '나'는 타인의 견해를 빌려 말한다. 욥의 이야기는 "고통의 불가해성에 대한 인류의 통찰"이라고. '나'는 또한 카인과 아벨에 대해서도 이야기한다. "우리 모두는 (…) 아벨의 족속이다. 우리 모두란 (…) 카인의 족속들을 포함한다. 카인과 아벨은 둘 다 헛됨의 내부에서 분리될 수 없는 한 쌍이다."

마침내 이 작품의 결말 마지막 부분에서 그녀는 "어쨌든 한 인간이 성장해가는 것은 운명"이라고 쓴다. 이 운명을 받아들이기까지 고통 속에서 분노하고 반문하고 의심했던 것을 거둬들이고, 인생을 자신의 의지로 바꾸어갈 수 있다고 생각하지 않고, 그것이 어떤 것이든 살아가보겠노라고, 생의 운명에 순응해보겠노라고 쓴다. 이 순응 역시 단순한 순응은 아니다. 언어에서처럼 이 순응은 순응하지 않는 순응, 고통을 감내하면서 자신의 생을 끝까지 사랑해보겠노라는 처절한 운명

애다. 이것은 생을 향한 자아의 의지를 배제하지 않는다.

3.

이 소설의 모자이크적 구조는 이 작품으로 하여금 타인들의 목소리들을 다각도로 수용할 수 있게 해준다. 이 작품의 모든 인물들, 사건들은, 비록 소설 속 주인공이자 화자인 그녀 자신의 목소리로 채색되어 있다 해도, 그녀의 것으로 환원할 수만은 없는 많은 목소리들의 존재를 드러낸다. '맨발'로 '글목'을 돌면서 그녀는 자신의 힘만으로, 자신의 언어만으로 이 힘겨운 과제를 수행하려 하지 않았다. 그녀는 타인들의 목소리를 자신의 영혼 내부에 수용하고자 했다. 그러므로 이 작품은 서로 겹치고 만나는 목소리들의 소설이다. 에고이스트의 자세를 풀어헤치고 타자를 자기 안에 담뿍 받아들이려는 겸허와 관용의 소설이다.

우선 이 작품에는 젊은 나이에 북한에 납치되어 갔다 오랜 시간이 흐른 뒤에야 일본에 돌아올 수 있었던 H의 목소리가 나타난다. 이 작품은 H의 책과 근황을 취재하기 위해 일본에 가야 하는 일을 앞두고 그와의 만남을 회상하면서 시작하여 밤을 다 지새운 후 그를 만나기 위해 집을 떠나는 것으로 끝난다. 이 작품에는 H의 인생과 그가 고통 속에서 얻은 사유의 목소리가 담겨 있다.

또한 이 소설에는 그녀가 '순이'라고 명명한 '위안부' 할머니들, 아우슈비츠에 끌려갔다 살아남은 프레모 레비나 빅토르 프랭클 같은 사람들, 탈레반에 친구를 빼앗긴 그녀의 조카처럼, 폭력에 의해 인생이 뒤바뀐 사람들의 목소리가 담겨 있다. "인간이 인간의 생을 폭력으로 뒤바꿔놓는 일을 저는 가장 증오하고 있습니다." 작중 주인공의 이 말은, 작품 전체에 몽타주처럼 산포되어 나타나는 폭력의 희생자들, 남편의 폭력에 시달리다 끝내 결혼 생활을 정리해야 했던 자신마저 그 대열에 포함될, 많은 사람들의 고통에 찬 목소리와 연쇄반응을 일으킨다. 이 점에서 그녀는 분명 제 처지에 만족해서 움직이지 않는 비활성 기체 같은 존재가 아니다.

뿐만 아니라 이 작품에는 그녀와 다른 작가들의 목소리가 담겨 있다. 공지영 씨 소설 중에 이 작품만큼 타인의 견해를 많이 참조하고 있는 작품도 없을 것이다. 내가 가장 좋아하는 공지영 씨 소설 〈무엇을 할 것인가〉는 후일담 소설의 전형이되 작가적 경험만이 삐죽 솟아 있을 뿐 지성과 교양의 표정은 없는 것처럼 보인다. 메마른 시기에 경험이 작가를 사로잡은 탓일 것이다. 그러나 이 작품의 제목조차 실은 레닌의 팸플릿 〈What is to be done〉에서 온 것임을 상기해야 한다. 〈맨발로 글목을 돌다〉는 결과적으로 386세대의 작가들 가운데 공지영 씨만큼 풍부한 교양적 축적을 이룬 작가도 없음을 보여준다. 김승옥, 오스카 와일드, 토마스 만의 목소리가 그녀의 목소리와 함께 어울린다. 그녀는 이 작가들의 목소리를 인유적으로 활용하여 자신의 체험에 해석적 힘을 부여한다. 뿐만 아니라 그들의 목소리를 자신의 목소리로 바꾸어 독자들에게 전달하고, 그러면서 그들을 통합하고, 마침내 자신의 삶의 토대 위에서 재탄생시킨다. 특히 토마스 만의 〈토니오 크뢰거〉의 메시지는 그녀의 삶 속에서 새로운 위치를 할당받는다.

마지막으로 하나 더. 공지영 씨 소설이 이 세대에 속하는 다른 작가들의 소설과 다른 점 가운데 하나는 그것이 숭고, 즉 범인의 사유능력으로 해결할 수 없는 문제들에 대한 목소리의 존재를 예비해둔다는 점이다. 앞에서 언급한 시편, 욥기, 카인과 아벨에 관한 이야기들은

자신의 문학의 전환점, 인생의 전환점에 선 소설 속 주인공으로 하여
금 자신이 마주친 불가해한 실존적 상황을 이해할 수 있도록 하기 위
해 숭고한 목소리의 개입을 승인한 결과다.

왜 공지영 씨 소설은 많은 독자들을 초대하는가. 그것은 그녀가 현
재를 지배하는 논리를 승인하지 않고, 그럼으로써 독자들을 현재에
속박시키지 않고, 더 나은 실존적 상황, 더 나은 세계 상황에 대한 소
망을 품을 수 있게 하기 때문이다. 오랫동안 비평가들은 독자들이 다
만 문학을 향유할 수 있기를 원한다고 말하곤 했다. 그러나 공지영 씨
소설을 읽는 독자들은 독자들이 그런 사람들만은 아님을 알려준다.
그들은 그들의 영혼에 숭고한 감정과 이상이 깃들일 수 있도록 해주
는 소설 또한 필요로 한다.

이렇게 타인의 목소리들을 이끌어들임으로써 그녀는 자신과 세계
를 잇는 가교를 건설하고자 한다. 소설의 한쪽 끝에는 '나'라는, 자신
의 불행을 끌어안고 어쩔 수 없는 고통에 사로잡혀 신음하는 여성이
있다. 다른 한 편에는 세계가 있다. 이 세계는 H와 아우슈비츠와 위안
부들의 고통이 가득하다. '나'의 고통과 타인들의 고통을 저울에 달
면 저울의 어느 쪽 추가 더 기울게 될까? 과연 양쪽의 무게는 팽팽할
까? 그러나 소설 속의 '나'는 그렇게 말하지 않을 것이다. 그렇지 않
다. 세계의 고통이 구원을 얻을 수 없다면, 세계가 폭력으로부터 구원
되지 못한다면, '나' 역시 '나'의 고통을 변제받을 수 있다 해도 결코
완전한 행복을 느낄 수 없다. 이러한 태도는 그녀의 생각을 세계에 깊
이 참여시킨다.

4.

여기서 나는 이 작품이 이상문학상 수상작이라는 사실을 염두에 두고 이를 이상 말년의 작품들과 잠시 비교해보고자 한다.

이상은 과연 어떤 작가였던가. 그는 그 자신의 고통에 사로잡힌 사람이었던가. 민족적 고통에 눈뜬 사람이었던가. 세계를 가로지르는 문제를 안고 신음했던가. 〈날개〉에서 〈동해〉, 〈종생기〉, 〈실화〉에 이르는 이상의 말년은 처참했다. 그는 폐결핵과 가난에 시달렸고, 결혼 생활에 적응하지 못했다. 온갖 이유를 댔지만 실은 자유와 새로운 삶의 출발점을 찾아 일본으로 건너갔다. 그의 일본행은 단순히 개인적 고통에서 벗어나기 위한 탈출이 아니었다. 이때 그는 어떤 문학을 해야 하느냐를 두고 고민하고 있었다. 〈날개〉는 이미 모더니즘의 정점에 오른 작품이었지만 그는 결코 이 추상적인 현대성의 문학에 만족하지 못했다. 그에게는 새로운 문학이 필요했다. 내가 생각하기에 그것은 민족적 고통과 세계사적 변화를 함께 표현할 수 있는 문학이었다.

이상이 일본에 가 죽고 해방이 된 후 그의 문학은 여러 번에 걸쳐 재발견되었는데, 그것은 이상을 언어의 개혁자로서만이 아니라 그 사유의 보편성의 차원에서 새롭게 이해하는 것이었다. 그런데 이 보편성이란 인류가 직면해 있는 문제에 대한 인식 없이 획득될 수 없는 것이다.

〈맨발로 글목을 돌다〉는 '맨발'로, '맨살'로 이 세계의 문제에 개입해 들어가는 작가적 태도를 보여준다. 이상이 그러했듯이 공지영 씨는 서울에서 도쿄로 건너가는 여행을 감행한다. 이 여행은 소설 속에서는 아직 출발점에 서 있을 뿐이지만, 작중 주인공의 회상에 따르면 그녀는 이미 현해탄을 횡단한 상태이고, 이 바다의 양안 사이에 흐르는 문제들을 쓰라린 눈으로 꿰뚫어보고 있다. 21세기에 그것은 H의 경우가 보여주듯이 북한의 일본인 납치라든가, 일본의 위안부 문제 같은 것이다. 일본에서의 회견장에서 그녀를 '애국자'가 되도록 밀어붙이는 국가주의적 폭력은 북한에서나 일본에서나 아직 진행 중이다. 사람들은 그 자신이 폭력을 저주하고 있다고 생각할 때조차 무의식중에 그 폭력을 지지하고 있다. 아프가니스탄 전쟁, 탈레반까지 포함해서 이 세계는 아우슈비츠의 악몽에서 아직 자유롭지 못하다.

이러한 세계 상황 속에서 '나'란 존재의 삶은 무엇이며, 또한 어떤 문학을 해야 하는가. 〈맨발로 글목을 돌다〉는 이 물음을 던지고 해답을 간구하는 소설이다.

1937년의 지점에서 이상은 이 물음 앞에서 해답을 구하기 위한 몇 개의 지렛대를 갖고 있었다. 심상지리적 측면에서 그것은 조선과 일본, 그 밖의 지점들이었다. 이 몇 개의 지점들을 통찰적인 시선으로 꿰뚫어보고자 한 이상의 사투는 이른 죽음으로 막을 내렸다. 〈맨발로 글목을 돌다〉의 공지영 씨 역시 이 시대와의 사투를 벌이고 있는 것 같다. 그녀 역시 자신이 서 있는 지반을 고통스러운 눈으로 내려다보면서 새로운 비상을 꿈꾸고자 한다. 이를 위해 그녀는 더 많은 지점들을 자신의 소설에 끌어들인다. 개인사적 불행이 그녀를 고통스러운 운명애자로 만든다. 그러나 그녀가 소설 속에서 말했듯이 한 인간이 성장해가는 것 역시 운명일 것이다. 고뇌하는 인간은 운명적으로 성장해갈 수밖에 없을 것이다. 그녀가 가는 길목에 유리 파편들이 있어 그녀의 맨발에 피가 흐를지언정 그녀는 '나'와 세계를 잇는 다리 만들기를 멈추지 않을 것이다.

그녀가 읽은 〈토니오 크뢰거〉에는 이런 문장이 있다. "가장 많이 사랑하는 자는 패배자이며 괴로워하지 않으면 안 된다." 글목에 선 공지영 씨를 위해 이 문장을 주고 싶다.

문학, 인간에 대한 책임의 다른 이름

그녀가 계속해서 타자의 고통을 섬세한 시선으로 쓰다듬을 때, 자신의 고통에서 한발 물러나 오히려 타자의 고통을 절통한 자신의 것으로 체감할 때, 그러한 소통의 차원을 더 강력한 구체성과 진정성을 갖는 문학 형식으로 구현해낼 때, 그리고 그것이 무엇이든 쉽게 소비되는 시대에 그러한 소비됨을 거부하는 깊은 성찰적 울림을 지닌 것일 때, 그녀의 빛나는 문학적 변모는 완성될 것이다.

안서현(문학평론가)

공지영이라는 이름은 그 자체로 하나의 징후였고, 현상이었고, 열풍이었고, 지금은 신화가 되었다. 단편 〈동트는 새벽〉(1988)으로 등단한 이후 장편 《더 이상 아름다운 방황은 없다》(1989), 장편 《그리고, 그들의 아름다운 시작》(1991), 장편 《무소의 뿔처럼 혼자서 가라》(1993), 장편 《고등어》(1994), 소설집 《인간에 대한 예의》(1994), 장편 《착한 여자》(1997), 장편 《봉순이 언니》(1998), 소설집 《존재는 눈물을 흘린다》(1999), 소설집 《별들의 들판》(2004), 장편 《우리들의 행복한 시간》(2005), 《사랑 후에 오는 것들》(2005), 《즐거운 나의 집》(2007), 《도가니》(2009) 등 쉴 새 없이 작품을 발표하고, 그때마다 큰 대중적 성공을 거둔 그녀의 문학적 이력은 길고 화려하다.

공지영은 또한 눈부신 자기 변모를 그리고 때로는 뼈아픈 자기 쇄신을 거쳐온 작가다. 따라서 그녀의 작가적 행보에 있어서 연속과 단절의 동시적 계기로 자리 잡고 있는 '1980년대'로 다시 거슬러 올라가보고, 그녀가 어떠한 지점에서 이 시절을 끌어안고 있으며, 또 어떠한 지점에서 그 시대를 넘어서고 있는지를 추적해보는 것은 중요하다. 그녀의 문학적 궤적은 그 안에 '1980년대'라는 자신의 기원을 들여다보는 '회귀', 그리고 그 시대의 무엇을 보존하고 지켜나가고자 하는 '상속', 그 시대로부터 계속해서 벗어나고자 하는 '변모'의 드라마를 내장하고 있기 때문이다.

회귀 : 1980년대라는 기원으로

공지영의 문학은 주지하다시피 1960년대에 태어나 1980년대 초반에 대학에 입학한 그녀 세대의 현실 체험, 그리고 그로 인해 형성된 세대적 자의식에 그 기원을 두고 있다. 그녀의 등단작인 〈동트는 새벽〉이나 처녀 장편 《더 이상 아름다운 방황은 없다》, 그에 이어지는 장편 《그리고, 그들의 아름다운 시작》은 공히 1980년대 초반을 배경으로 사회변혁운동에 투신한 젊은이들의 삶을 그리고 있다. 이 세 편의 소설은 이른바 '80년대 세대'로서 가졌던 역사 발전의 전망에 대한 신념의 기록이자 그들 세대의 젊음을 담보로 한 치열한 연대의 공동체 경험에 대한 미학적 재구성이다.

그러나 이 소설들의 세계는 관념성으로부터는 벗어나 있다. "세상에 나 있는 갖가지 길을 거쳐왔다 하더라도 결국은 그 길로 갈 수밖에 없었던 곳"인 '광주'가 그 인물들에게 "진실을 위해서라면 결국 싸울 수밖에 없는 것"임을(《더 이상 아름다운 방황은 없다》), 그리고 "가장 가혹한 정의"(《그리고, 그들의 아름다운 시작》)를 가르친다. 이 소설들의 바탕에 놓여 있는 것은 어떠한 이념이나 이론이 아니라 윤리적 감수성이며, 자신을 위해 대신 고통받는 동료들이나 광주에서, 시위현장에서, 감옥에서 먼저 죽어간 사람들에 대한 책임의식에 가까운 것이다.

이후 '후일담 소설'이라고 명명, 계열화된 공지영의 소설들 역시 이 세대의 체험적 진실을 문학적으로 반복하고 있다. 그러나 '후일담'이 과거에 대한 자기반성을 가장한 '합리화'의 형식이거나 미처 애도되지 못한 시대에 대한 '멜랑콜리'의 형식 혹은 지난 시대에 대한 '낭만화'를 통해 모든 해석을 종결시키는 형식이라면, 그러한 '후일담'의 부정적 뉘앙스로부터 공지영의 소설은 어느 정도 자유롭다. 그녀의 소설은 자기 세대의 경험을 '과거화'하며 그것의 돌이킬 수 없음으로 인한 환멸을 들여다보는 것이 아니라, 그 시간을 생생하게 '현재화'함으로써 그것이 환기하는 책임의식의 문제를 제기하는 것을 특징으로 하기 때문이다.

1990년대 공지영의 소설 안에서 과거의 경험은 이미 '종결된' 것이 아니라 여전히 '열려 있는' 상처로 나타난다. 그녀의 인물들은 "우리가 입학했을 때 이미 광주는 끝나 있었지만 우리는 한 번도 광주를 끝낼 수는 없었습니다. 그러니까, 말하자면 저희는 광주세대라고나 할까요."라는 말로 그 세대의 운명을 토로하거나, 또 앞세운 동료에 대하여 "잊혀질지 모르지만, 잊혀져서 간결하게 정리될지도 모르지만, 잊혀졌다고 해서 꽃이, 꽃이 아닌 것은 아니"라고 엄숙히 선언함으로써 과거가 '망각'될 수 있어도 결코 '정리'될 수 없다는 것을 보여준다(〈꿈〉). 또 한편 "지금은 이 지상에 없는 친구들의 수"를 세며 "어두운 곳만 보면 혹시 여기에 그들의 주검이 파랗게 누워 있는 건 아닐까" 하고 자신과 함께 '현전'하는 과거를 의식하며(〈인간에 대한 예의〉), 술자리에 모여서는 화석이되 화석이 되기를 끝내 거부하는 듯 눈을 부릅뜨고 있는 공룡시대의 맘모스에 대해 이야기한다. 이 "얼음 속에 갇힌 치켜뜬 맘모스의 눈매"는 화석화를 거부하는 의지를 보여주며 "약삭빠르게 일찍 빠져나온 우리들"에게 과거에 대한 책임의식을 환기하는 이미지인 동시에, 돈이 되는 상아만 일찌감치 빼앗긴 채 다른 부분만 '영원히 간혀버린' 무력한 이미지로서 이중적 기능을 하고 있다(〈무엇을 할 것인가〉).

이러한 과거는 공지영 문학 안에서 당장 객관화되지는 못한다. 1990년대 후반에 이르기까지의 긴 시간 동안 계속된 그녀 세대의 과거와 현재에 대한 반복적 성찰의 과정을 거쳐, 그녀는 그 안에서 보존해야 할 것과 그대로 남겨두고 와야 할 것을 구분해낸다. 그녀가 '낭만화'라는 비판을 감수하고서라도 계속해서 지난 시대의 자기 세대 모습에서 끝까지 지키고자 했던 것이 그 윤리적 감수성이었다면, 대신에 자신의 진짜 이름을 말할 수 없었던 가명적 삶, 이념 혹은 방향성이 삶 그 자체보다 우위를 점하여 마치 길이 아닌 "표지판 위"를 달리는 것과 같은 전도된 삶을 버리고 "울퉁불퉁하고 가파르고 힘겨운 진짜 길"로 돌아온다(〈꿈〉). 그리고 죽은 레닌이 지하에 묻혀 있는 모스크바에 '변증법'을 버리고 그곳을 떠나 "변증법적으로만 전개되는 것은 아니며 (중략) 새로운 불가해한 삶"으로 귀환한다(〈모스크바에는 아무도 없다〉).

그러한 결산을 어느 정도 마친 후인 2000년대로 넘어와서 발표된

〈귓가에 남은 음성〉에서도 광주는 여전히 봉합되지 않은 상처로 자각된다. 이 작품에서 공지영은 일평생 광주를 기억하며 살아온 독일인 '힌츠페터'를 등장시켜, 그의 책임의식이 한국의 80년대 세대에게로 새롭게 재전이되는 소설적 포석을 펼쳐놓고 있다. 그러한 책임의식의 무게는 현재의 삶을 규정하는 윤리적 준거가 되는 동시에, "우리들의 깃발과 함성과 노래처럼 그것은 사라지지 않고 다만, 다음 챕터로 넘어갈 뿐"이라는 화자의 목소리에 나타나 있듯이 새로운 실천적 지평을 요구한다.

소설가가 영원이나 먼 미래를 내다보지 않고 고작 시대에 갇혀 있었느냐고 비난하시고 싶으시겠지요. 예, 아주 개인적으로 말해서 저는 그 말을 칭찬으로 받아들입니다. 저는 기꺼이, 그리고 당연히 시대에 갇혀 있었으며 아마도 앞으로도 그럴 것 같습니다. (산문집《상처 없는 영혼》)

이렇게 자발적으로 "시대에 갇혀 있"었던 그녀의 작가적 태도는 그 시대에 대한 근본적인 애도의 실패, 혹은 그 근원적 불가능성을 직시하는 태도에 가깝다고 할 수 있을 것이다. 그녀는 2000년대 중반에 이르러서야 비로소 지난 시대 문학의 '무게'로부터 벗어나고 싶다고 선언하고 대중과 적극적으로 소통하는 '재미' 있는 글쓰기를 지향하겠다고 밝혔지만, 그럼에도 불구하고 작가의 '태도'나 글쓰기 '방식'의 차원을 넘어서는 근본적 지점에서 '그 시대'는 전면적으로 부정될 수 없으며 계속해서 돌아와야 하는 그녀 자신의 기원의 자리인 것이다.

상속 : 실천적 글쓰기의 지평

그렇다면 이번에는 공지영이 '1980년대'로부터 계승하고 있는 '유산' 혹은 그 시대로부터 상속받고 있는 '부채'는 과연 무엇이며, 그것은 그녀의 글쓰기 안에서 어떠한 의미를 얻고 있는가를 살펴볼 차례다. 그녀는 자기 세대에 대한 글쓰기의 의미에 관해 여러 소설에서 언급한 바 있는데, 그 예로 《고등어》의 마지막 장면을 들 수 있다. 이 소설의 결말 부분에서 그녀는 그 시대를 상징하는 인물인 '은림'의 죽음 이후 남겨지는 과제를 그녀의 목소리를 통해 다음과 같이 천명한다.

> "우리들의 이야기를 써줘. 형이 지금 쓰고 있는 이긴 사람들 이야기 말구, 잃어버린 사람들…… 하지만 빼앗기지는 않았던 사람들. (중략) 그래서 우리 후배들한테 아직도 올바르게 살려고 애쓰는 우리 후배들한테 전해주겠어? 그 애……들은 우리들이 뭐 대단한…… 거라도 지니고 살았는지 알아. 그럴 필요 없다는…… 말…… 우리도 사실은 참 어수룩했다는 말…… 우리도 외로웠다는 말…… 그러니 그렇게 주눅 들지 않아도…… 그 애들이 이쁘다는 말을…… 해주겠어?" (《고등어》)

이는 곧 그녀 세대의 삶에 대한(가치 판단을 포함한) 글쓰기와 다음 세대에 대한 전언傳言 두 가지로 요약할 수 있다. 먼저 그 첫 번째 과제인, 치열하게 싸웠던 "우리들"에 대한 글쓰기는 단순한 과거에 대한 낭만화 내지 특정 세대의 특권화라기보다는 이러한 과거적 삶의 방식에 대한 미학화이다. 그리고 그 미학화의 근거는 그들이 지녔던 이념성보다는 "이토록 이타적인 공동체를 이룰 수도 있는 거구나"라고 생각하게 한 순수성과, 그들이 가진 "인간에 대한 신뢰" 그 자체였다고 작가는 '은림'을 통해 고백한다. 따라서 이러한 형태의 글쓰기는 과거와 같은 방식으로 공동체의 역사적 전망을 다루는 것이 아니라, 인간에 대한 책임이라는 윤리적 차원으로 전화되고 다시 미학적 가치의 차원으로 승화된 그들 세대의 삶의 방식을 문제 삼는 것이다. 이러한 작가 의식은 다음과 같은 언급을 통해서도 이미 드러난 바있다.

> 또한 나는 탐미주의자가 될 생각인데 내가 쓴 두 권의 장편소설의 제목에 '아름다운'이라는 형용사가 들어간 것도 이와 무관하지 않다. 즉 인간이 가진, 이 세계에 살고 있는 어떤 생물도 가지지 못한 아름다움에 천착할 것이다. 배가 고프면서 제 이웃에게 빵을 나누어주는 아름다움, 하나밖에 없는 제 생명이 아득한 우주 속으로 사라져갈 것을 알면서 도청에 뛰어들었던 시민군의 아름다움, 고문을 받으면서 동료의 이름을 불지 않는 아름다움에 대해서 쓰고 싶다. (《인간에 대한 예의》, 〈작가 후기〉)

즉 위에서 그녀가 든 세 가지에 비추어볼 때 그녀가 자신의 소설을 통해 보여주고자 하는 것은 최소한의 '이타주의'인 동시에 자신이 믿는 대의에 몸을 바치는 '숭고'이며, 그러한 사회적 신념을 나누어가진 '공동체'의 미학성인 것이다. 이는 곧 미학의 형태로 승화된 윤리, '미학적 윤리'라 할 수 있다.

이러한 "인간적 아름다움"의 추구가 비록 추상적 윤리의 형태를 띤다 해도, 그것조차도 소중한 것이 되어버린 이 시대에 대한 뼈아픈 성찰이 있는 한, 우리는 공지영의 문학을 새삼 지지할 수밖에 없다. 민중도 민족도 사라진 시대, 그리고 고삐 풀린 자본주의에 의해 사회의 비인간화와 물신화, 그리고 폭력의 일상화가 가속화되고 있는 이 시대에는 이러한 그녀의 보편적 윤리와 공동선의 추구가 그 자체로 유효한 전망이기 때문이다.

최근에 발간된 《우리들의 행복한 시간》이나 《도가니》 등에서 작가가 그려내고 있는 한국사회의 모습은 결코 아름답지 못한 것이다. 《우리들의 행복한 시간》에 그려지고 있는 것은 무례함을 넘어 "그들이 나의 어깨를 세게 치고, 나의 발을 밟았다는 사실조차 모르고" "그냥, 가고 있"는, 속도는 있으되 방향을 알 수 없는 사회이며, 《도가니》에 그려지고 있는 것은 '야만' 그 자체이자 "미친…… 광란의 도가니"와도 같은, 온갖 권력들의 담합으로 이루어진 "위선과 가증과 폭력의 세계"인 것이다. 따라서 그녀가 이어오고 있는 실천적 글쓰기란 바로 이러한 세계에 대항하여 과거의 "인간적 아름다움"을 복원하고자 하는 책임의 글쓰기라 할 수 있다.

그러면 두 번째 과제인 다음 세대에 대한 전언이란 어떤 의미를 갖는가? 이것은 새로운 세대를 기다리는 태도로 요약할 수 있다. '80년대 세대'로서 '70년대 세대'인 장기수 '권오규'의 삶을 '90년대'적인 인물 '이민자'에 비해 상대적으로 옹호하는 기자 '나'의 의식을 그리고 있는 〈인간에 대한 예의〉의 마지막 장면이 '열무싹'이 뿌리내린 흙에 차 찌꺼기로 거름을 주는 행위로 마무리되고 있는 것을 상기해 볼 수 있다. '나'가 자신보다 더 이전의 세대에 속하는 장기수의 삶을 바라보면서 느끼는 것은 자신의 세대가 그러한 "70년대적 순진함"과 실천의 방법적 오류를 비판하면서도 그에 힘입어 성장했듯이, 자신 역시 이제 스스로 '열무싹'으로 형상화되는 다음 세대에게 '거름'이

되고 싶다는 심정인 것이다.

이러한 과제는 평범하지 않은 형태의 가족 내에서 엄마와 딸이 맺는 관계를 그린《즐거운 나의 집》에서 실현되고 있다. 이 소설에서 '엄마'는 딸 '위녕'에게 쓰는 편지에서 "너의 스물은 엄마의 스물과 다르고 또 달라야 하겠지"라고 이야기한다. 또 '위녕'은 이미 엄마 세대의 과거와 함께 현재의 속물화 내지 체제순응적 변화까지도 객관적으로 바라볼 수 있는 위치에 놓여 있다. 이것은 '위녕'의 목소리에 개재된 작가의 자기비판적 시선인 동시에, 건강한 다음 세대의 탄생을 예고한다.

변모 : '자기'에서 '타자'로의 여정

지금의 공지영은 자신의 기원인 '1980년대'를 훨씬 넘어선 곳에 도달해 있다고 할 수 있다. 이제 이러한 작가적 '변모' 내지 과거에 대한 지양과 극복의 양상을 살펴볼 차례다. 우선 '1980년대'를 넘어서면서도 작가가 끝까지 지켜내고자 했던 인간에 대한 책임이라는 보편적 윤리는, 만약 그것이 현실 속에서의 구체적 긴장 관계를 잃어버렸다면 아마도 낭만적 감상성으로 빠져들고 말았을 것이다. 그러나 이는 삶의 구체적 영역을 탐색하는 작가적 시선의 확장에 의해 극복된다. 그리고 이러한 공지영 문학의 전개는 동시에 그녀의 문학이 '자기'에서 '타자'에게로 서서히 그 관심을 이행시키는 과정을 보여주기도 한다.

공지영은 1990년대가 시작되자 자신의 소설에 '1980년대'적 세계를 떠난 '일상'의 차원을 개입시키기 시작한다. 특히 그 다양한 양상 중에서도 남성 중심 사회에 의해 억압받거나 소외되는 여성 인물들을 형상화하는 소설적 과제를 택함으로써 현실과의 긴장을 유지한다. 진취적 '혜완', 소극적 '영선', 타협적 '경혜'라는 "누구보다 당당하고 행복하게 생을 살아갈 자신들이 있었던" 세 여성의 결혼 생활의 파국을 통해 당대 여성들의 참담한 실존의 조건을 보여주고 있는《무소의 뿔처럼 혼자서 가라》가 대표적이다. 그러나 이 작품은 남성/여성이라는 도식적 대립 구도에 의존하기보다는 "여자로서의 의무에 대한 반감과 여자로서의 의무에 대한 거의 본능에 대한 갈망" 사이에서의 여성 인물들의 내적 갈등을 그려냄으로써 구체성을 획득하고 있다. 이 작품을 발표하며 공지영은 잠시 '페미니즘 작가'라는 칭호를 얻기도 했지만, 이에 대해 그녀 스스로는 "여성문제는 인간의 문제일 뿐", 페미니즘 문학이란 곧 "부당하게 불평등을 당하는 사람의 문학"의 다른 말이며 "그 대상이 여성일 수도 있고 노동자일 수도 있고 빈민 계층이나 기득권에서 제외된 계층일 수도 있"다고 밝혀(〈문제는 '인간에 대한 예의'〉,《문학사상》, 1997. 8월호) 그 초점이 여전히 '인간'에 맞추어져 있음을 보여준다.

《무소의 뿔처럼 혼자서 가라》가 중산층 인텔리 여성들의 삶을 그리고 있다면 그 차기작인《착한 여자》는 순응적 '정인', 비판적 '미송', 변혁적 '인혜'라는 인물의 구도를 그대로 변주하되, "삶에서 아무것도 좋은 것을 가지지 못했던" 비지식인 여성 '정인'의 삶을 그 중심에 놓고 있다. '정인'은 전반적으로 무력하게 설정되어 있는 지식인 인물들 사이에서 자기 스스로 삶에 부딪쳐가며 성숙하고, 또 마침내는 자기와 비슷한 고통을 겪는 다른 이들의 삶을 끌어안는 새로운 공동체적 삶의 형태를 모색한다.

또 작가는《봉순이 언니》에서는 시골에서 올라와 '나'의 집에서 식모로 일하는 '봉순'이라는 여성을 내세운다.

　　대학 시절 공단에 관한 르포들을 읽으면서 나는 이제 더 이상 우리 집
에 살지 않는 수많은 봉순이 언니들과 마주쳤다. (중략) 그곳(공장)에 간
지 한 달. 명목상으로는 대학졸업자의 신분을 들켜버린 셈이었지만, 내심
으로는 나를 발각해준 공장주 측에 감사하는 마음도 있었으리라. 그곳을
떠나면서 나는 어머니가 봉순이 언니를 마음속에서 내쳐버렸듯이 내 마
음속에 들어 있던 봉순이 언니를 내쳐버렸고 그 후로 다시는 그녀를 떠올
린 적은 없었다. 그런데 내 친구의 말을 빌리자면, 내 생이 암전되어버렸
던 어떤 순간 나는 그녀를 떠올렸던 것이다. (《봉순이 언니》)

　　위의 장면에서, '나'는 더 이상 '봉순'을 지식인의 관념 속에서의
인식의 대상으로서가 아니라, 삶의 차원에서의 공감의 대상으로 바라
보기 시작하고 있다. 이는 1980년대에 "넌 기꺼이 민중이 될 수 있겠
니? 기꺼이 노동자가 될 자신이 있니?"(《더 이상 아름다운 방황은 없
다》)라는 말로 강요되었을 뿐 사실상 생략되었던, 이념이나 이론에 의
해서는 다다를 수 없는 타자에 대한 이해의 과정이자, 동시에 1990년
대에 다시 삶으로의 '존재 이전'을 겪으며 다시는 돌아보지 않았던
타자에 대한 (재)발견의 과정이라고 할 수 있다. 그녀들 자신이 그들
과 다르지 않은 삶의 자리에 '이미' 놓여 있다는 이러한 인식의 전환
은, 따라서 지난 시대에 대한 소급적 반성으로 읽히기도 한다. 또한
단편 〈절망을 건너는 법〉에서 절망한 지식인 '나'가 절망이라는 말의
필요성도 느끼지 못하며 그저 묵묵히 살아갈 뿐인 농촌 여성 '순임
모'를 보며 삶에 대한 새로운 차원의 배움을 얻듯, 이 소설에서도

'나'는 '봉순'의 삶에 대한 무한한 낙관 앞에서 충격과 같은 깨달음을 얻는다.

이러한 관계는 대학교수 '유정'과 사형수 '윤수' 간의 만남을 그린 《우리들의 행복한 시간》이나 '자애학교'의 신임 교사 '인호'와 청각 장애 학생들 간의 소통을 그린 《도가니》에서도 반복된다. 이 소설들에서 인물들의 관계는 일방적인 계몽 내지는 자선/동정의 관계가 아니다. '유정'과 '인호' 등 불완전한 개인은 타자와의 만남을 통해 자신이 몰랐던 자신의 상처, 그리고 자신이 속한 사회적 현실의 환부를 아프게 깨닫게 된다. 그리고 그 고통을 매개로 하여 "끊어버릴 수 없는 인간 공통의 처연한 연대의식"(《우리들의 행복한 시간》)을 느끼며, "(아내에게 보내는 편지에서) 그 아이들도 내게는 결국 모두 새미와 같아. 그리고 동료들이 있지. 아닌 것을 아니라고 말하다가 고난받는 동료들. 그들은 내게 결국 모두 당신과 같아."(《도가니》)라는 새로운 차원의 연대를 발견하고 있다.

이는 작가 의식의 차원에서도 "내가 사랑했으나 내가 상처 입혔던 그 모든 사람들이 결국은 모두 나였다"는 발견이나(《착한 여자》, 〈작가 후기〉), "내가 쓴 소설의 주인공들은 모두 고난을 겪지만 그 주인공들의 고난 때문에 내가 이토록 힘겨워한 적은 없었다"는 고백(《봉순이 언니》) "그리고 나자(자본주의 시대에는 자기도 역시 하나의 '파는 사람'에 불과하다는 자기 인식을 하고 나자) 수많은 사람들의 삶이 내게로 다가왔다. (중략) 그들을 바라보는 나의 시각이 동정과 가슴 아픔에서 동업자, 라는 의식으로 바뀐 것이었다."(〈싱싱한 문학의 나무이기를 기도하면서〉, 《문예중앙》, 2001. 가을호)라는 깨달음의 형태로 표명된 바 있다. 어떠한 관념성이나 이데올로기의 선입견도 개입시키지 않는, 또 타자에게서 분리된 "동정과 가슴 아픔"의 시선을 넘어선, 삶의 조건과 고통의 동질성을 기반으로 한 새로운 소통의 방식이 발견된 것이다.

이러한 작가 의식의 변화는 공지영으로 하여금 우리 사회가 타자에게 가하는 폭력이나 소외를 끊임없이 발견하고 그러한 문제를 적극적으로 의제화함으로써 문학의 사회적 담론 기능을 떠맡게 하는 문학적 원동력이 되고 있다. 이렇게 그녀가 계속해서 타자의 고통을 섬세한 시선으로 쓰다듬을 때, 자신의 고통에서 한발 물러나 오히려 타자의 고통을 절통한 자신의 것으로 체감할 때, 그러한 소통의 차원을 더 강력한 구체성과 진정성을 갖는 문학 형식으로 구현해낼 때, 그리고 그것이 무엇이든 쉽게 소비되는 시대에 그러한 소비됨을 거부하는 깊은 성찰적 울림을 지닌 것일 때, 그녀의 빛나는 문학적 변모는 완성될 것이다.

'이상문학상'의 취지와 선정 방법

—알기 쉽게 풀이한 이상문학상 제도

1. **취지와 목적** : 〈문학사상〉(이하 주관사라고 한다)이 제정한 '이상문학상(李箱文學賞)'(이하 '본상'이라고 한다)은 요절한 천재 작가 이상(李箱)이 남긴 문학적 업적을 기리며, 매년 가장 탁월한 소설 작품을 발표한 작가들을 표창하고, 《이상문학상 작품집》(이하 '작품집'이라고 한다)을 발행하여 널리 보급함으로써, 순수문학의 독자층을 확장케 하여 한국문학의 발전에 기여할 것을 목적으로 한다.

《이상문학상 작품집》에 대한 독자의 관심이 고조됨에 따라 순문학 독자층이 광범위하게 형성됨으로써, 일찍이 한국은 물론 다른 나라에서도 유례를 찾아보기 어려운 순문학 중·단편집의 초장기 베스트셀러시대가 실현되었다는 것이 문단의 정평이다.

2. **수상 대상 작품** : 전년도 심사 대상(對象) 작품의 마감 이후인 당해년도 1월부터 12월 말 사이에 발표된 작품은 모두 심사 대상에 포함된다. 문예지(월간지의 경우 당해년도 1월 초부터 12월 말일 이전에 발행된 '2월호'에서 다음 해의 '1월호'까지 포함된다)를 중심으로 해서, 각종 정기간행물 등에 발표된 작품성이 뛰어난 중·단편소설을 망라하여, 1년 내내 독특한 방법으로 예비심사를 거쳐 본심에 회부한다. 예비심사 과정에서는 물망에 오른 작품의 작가에 대하여, 대상 또는 우수작상으로 선정될 경우, 본상의 규정에 따른 수락 의사 유무를 직접 또는 간접적으로 타진한다. 중·단편소설을 시상 대상으로 하는 까닭은 문학의 중심이 장편소설에서 점차 중·단편소설로 이행하는 추세를 감안하고, 작품 구성과 표현에 있어서의 치밀성과 농축성으로, 짙고 강렬한 소설 미학의 향기와 감동을 자아내게 한다고 믿기 때문이다.

3. **상의 종류** : 본상은 대상(大賞) 1명과, 10명 이내의 대상에 버금하는 작품에 대한 우수상을 선정하되 경우에 따라 복수의 대상 수상자를 선정할 수 있다. 그리고 기수상

작가를 포함하여 중견 및 원로작가의 문학적 공로도 감안해 당해년도의 뛰어난 작품에 수여하는 '이상문학상 특별상' 1명을 선정한다.

4. **포상의 방법** : 본상의 포상은 제3항에 명시된 각 상의 매절고료가 포함된 현상금을 일시불로 수여하는 방법과, 판매 실적을 감안하여 추가적인 상여금을 지급하는 두 가지 방법 중 수상자로 하여금 수상 수락 전에 서면으로 그중 한 방법을 자유롭게 선택게 한다.

5. **'본상'의 현상고료** : 위 제3항의 '본상'의 대상(大賞) 중 일시불 방식은 발행부수와 관련없이 3,500만 원을 지급하고, 우수상은 각각 300만 원을 지급한다.

위 항의 일시불 방식이 아닌, 발행 2년이 경과한 이후부터의 판매부수에 따른 추가적인 상여금을 원하는 수상자에게는, 2003년부터 1차로 시상 당시 대상(大賞) 수상자는 2,000만 원, 우수상 수상자는 200만 원을 지급하고, 작품집 발행 후 2년이 경과한 이후부터, 매년 말에 당해년도의 '작품집' 발행부수에 따라, 1부당 정가의 10%를 각 수상자별로 균분하여 10년간 지급토록 한다.

6. **특별상(현상고료)** : 특별상은, 기수상작가를 포함하여 한국문학 발전에 공로가 현저한 문단의 원로작가 또는 '본상'의 우수상을 3회 이상 수상한 작가로서, 당해년도에 우수 작품을 발표한 작가에게 '본상'의 대상(大賞) 작품과는 별도로 수여하며, 현상매절고료는 500만 원으로 정한다.

7. **예심 방법** : 예심은 월간 〈문학사상〉 편집진이 매 연도의 1년 동안 각 매체에 발표된 작품을 수집하여, 주관사의 편집위원과 편집주간 및 편집진으로 구성된 이상문학상 운영위원회에서 대학교수 · 문학평론가 · 작가 · 각 문예지 편집장 · 일간지 문학담당 기자 등 약 100명에게 수시로 광범위하게 추천을 의뢰하여 비밀리에 예비심사를 진행한다. 3회 이상 우수상을 받은 작가는 당해년도에 발표된 작품 중 뛰어난 1편을 선정하여 본심에 회부할 수 있다.

그 모든 자료를 일괄하여 주관사 편집주간이 중심이 되어 편집위원들과 예심위원들의 의견을 수렴하여, 연간 2분기로 나누어 본심에 회부할 작품을 선별한다.

이와 같은 독특한 예심 방법은 소수의 예심 및 본심의 심사위원이, 짧은 시일 내에 수많은 작품 속에서 본심에 회부할 작품을 선정하고 본심 심사위원이 단시간에 여러 작품을 심사하고 수상 작품을 선정하는 일반적인 문학상 심사제도의 단점을 보완하고, 되도록 문학 발전에 관심이 깊고, 전문 지식을 지닌 다수의 전문가에 의해 장기간에 걸처 많은 작품을 수시로 검토하여 심사 대상에 망라함으로써, 신중하고 세심한 예심 과정을 밟기 위한 것이다.

8. **본심 방법** : 예심을 거쳐 본심에 회부된 작품은, 권위 있는 평론가와 작가로 구성된 5인 이상 7인 이내의 심사위원회에 넘겨져, 수일간 개별적인 검토를 거친 후 본심 회의에서 최종 결정을 한다. 본심 회의는 대체토론을 통해 본심에 회부된 작품 가운데 10편 내외의 작품을 먼저 선정한다. 이 작품 속에서 1편(예외적인 경우 2편)의 대상(大賞) 작품을 선정하고, 나머지 작품 중에서 우수상 작품을 선정한다. 수상 작품 결정에 있어 심사위원의 의견이 일치하지 않을 경우에는, 무기명 비밀 투표로써 다수결 원칙에 의하여 최종 결정을 한다.

그러므로 이상문학상의 대상과 우수상은 모두 거의 동일 수준의 작품이라고 볼 수 있으며, 전문 문학인이나 독자의 주관적인 판단에 따라 그 평가는 달라질 수 있을 뿐이다. 그 때문에 한 번 우수상을 받은 작가는 대부분 자주 우수상을 받게 되며, 3~4회 내지 5~6회 만에 대상을 받게 되는 경우가 대부분이다.

9. **저작권** : 대상(大賞) 수상 작품(이하 '대상 작품'이라고 한다)의 저작권은 본상의 수상 규정에 따라 주관사가 보유한다. 단, 2차 저작권(번역 출판권, 영화화·연극화 등의 저작권)은 저자에게 있고, 《이상문학상 작품집》 발행 후 3년이 경과하면 동 대상 작품을 저자의 작품집 또는 저자의 전집에 한해서 수록할 수 있다. 다만, 어떤 경우에도 《이상문학상 작품집》의 표제(대상 작품명)와 중복되거나, 혼동의 우려가 없도록 하기 위하여 대상 작품명을 대상 수상작가 작품집의 서명(書名, 표제작)으로는 쓰지 않기로 한다.

10. **이상문학상 작품집 발행** : 〈이상문학상 운영 규정〉에 따라 대상(大賞) 작품과 주관사가 본상의 규정에 따라 저작자의 승낙을 받은 저작권법상의 편집저작권을 보유한 우수상 작품 및 특별상 작품을 모아, 염가 대량 보급을 목적으로 《이상문학상 작품집》을 발행한다.

이 작품집은 이상문학상의 공정성과 권위를 독자에게 다시 묻고, 수록된 작품과 그 작가들에 대한 표창과 홍보의 뜻도 담고 있다. 한편 이 작품집은 해마다 문단의 작품 경향과 흐름을 알 수 있는 앤솔러지적인 성격을 띠고 있다. 또한 이 작품집은 아무리 세월이 흘러가도 한 사람이라도 독자가 있는 한 이윤을 초월해서 제한 없이 영구히 보급함으로써, 이상문학상과 그 수상작가에 대한 영원성과 영예를 오래도록 선양하고 세계에 그 유례를 찾아볼 수 없는 문학상 작품의 영원성을 유지케 한다.

그런 뜻에서 《이상문학상 작품집》은, 그 영예로운 작가와 작품을 일과성(一過性)이 아닌 영구적으로 널리 독자에게 보급하여 읽히게 하고, 그 작가에 대해 더욱 탁월한 작품을 창조하기 위한 끊임없는 격려와 기대의 뜻을 담고 지속적인 홍보와 보급에 힘쓰고 있다. 때문에 30여 년 전의 작품도, 계속해서 한결같이 널리 알리고 홍보를 계속하여, 독자의 관심권에서 벗어나지 않도록 하는 매우 독특한 작품집으로 정착되었다. 그러한 노력은 작품의 우수성과 더불어, 이 작품집이 매년 수많은 독자들에게 애독서로 선택되어, 20여 년 전의 《이상문학상 작품집》도 계속 새로운 독자가 끊이지 않고 있다. 그처럼 여러 작가의 작품을 보아 매년 한 권의 책으로 묶은 중·단편 창작 소설집이 장기간에 걸쳐 다량으로 발간되고 있는 것은 세계적으로도 매우 희귀한 예로 알려지고 있으며, 그것은 우리의 문학과 독자의 성장도와 함께 성숙도를 가늠케 하는 한국문학의 상징적 발전의 척도이기도 하다. 그 같은 예는 세계 제일의 출판대국이며, 인구만도 우리의 9배 내지 3배에 가까운 미국이나 일본에서도 찾아보기 어려운 순수문학 중·단편집의 대량 보급 현상과 아울러 순수문학 애호 인구의 엄청난 증가 현상을 말해 주고 있다.

11. 이상문학상 운영위원회 : 주관사의 발행인을 위원장으로 하고 월간 〈문학사상〉의 편집인과 편집주간 및 문학사상 이사회가 선임한 3인의 위원으로 구성되며, 본상의 제도와 운영에 관한 모든 업무를 관장한다.

12. 이상문학상 심사위원회 : 이상문학상 운영위원회는 매 연도마다 5~7인의 이상문학상 심사위원을 위촉하여 이상문학상 심사위원회를 구성한다.

동 심사위원회는 주관사의 편집주간의 주재로, 이상문학상의 대상(大賞)과 우수상 그리고 특별상을 수여할 작품을 심의 결정한다. 수상자를 결정함에 있어 의견의 일치를 보지 못할 경우는 무기명 비밀 투표로써 결정한다.

13. 규정의 수정 : 본 규정은 이상문학상 운영위원회에서 3분의 2 이상의 찬성으로 수정할 수 있다.

2002. 12. 20. 개정
문학사상
이상문학상 운영위원회

제35회 이상문학상 작품집

초판 1쇄 | 2011년 1월 20일
초판 25쇄 | 2011년 4월 5일

지은이 | 공지영 외
펴낸이 | 임대현
펴낸곳 | (주)문학사상
주소 | 서울특별시 송파구 오금동 91번지(138-858)
등록 | 1973년 3월 21일 제1-137호
편집부 | 3401-8543~4
영업부 | 3401-8540~2
팩시밀리 | 3401-8741
한글도메인주소 | 문학사상
홈페이지 | www.munsa.co.kr
이메일 | munsa@munsa.co.kr
지로계좌 | 3006111

* 잘못 만들어진 책은 구입하신 서점에서 바꾸어 드립니다.
* 값은 표지 뒷면에 표시되어 있습니다.

ISBN 978-89-7012-861-0 03810